Robert Fabbri

Vespasianus

VII

Furie van Rome

Karakter Uitgevers B.V.

Oorspronkelijke titel: *Vespasian VII – Furies of Rome*

Vertaling: Jan Smit

Opmaak binnenwerk: ZetSpiegel, Best
Omslagontwerp: Mark Hesseling, Wageningen
Omslagbeeld: Tim Byrne

ISBN 978 90 452 1025 4
NUR 332

Voor mijn neef, Aris Caraccio, zijn vrouw, Nathalie, en hun kinderen,
Mathilde, Arthur, Victor en Margaux; en voor mijn oom,
Giuseppe 'Pino' Caraccio, in alle genegenheid.

Ook voor George en Ice, hun corso-honden, waarop – heel losjes! –
Castor en Pollux zijn gebaseerd.

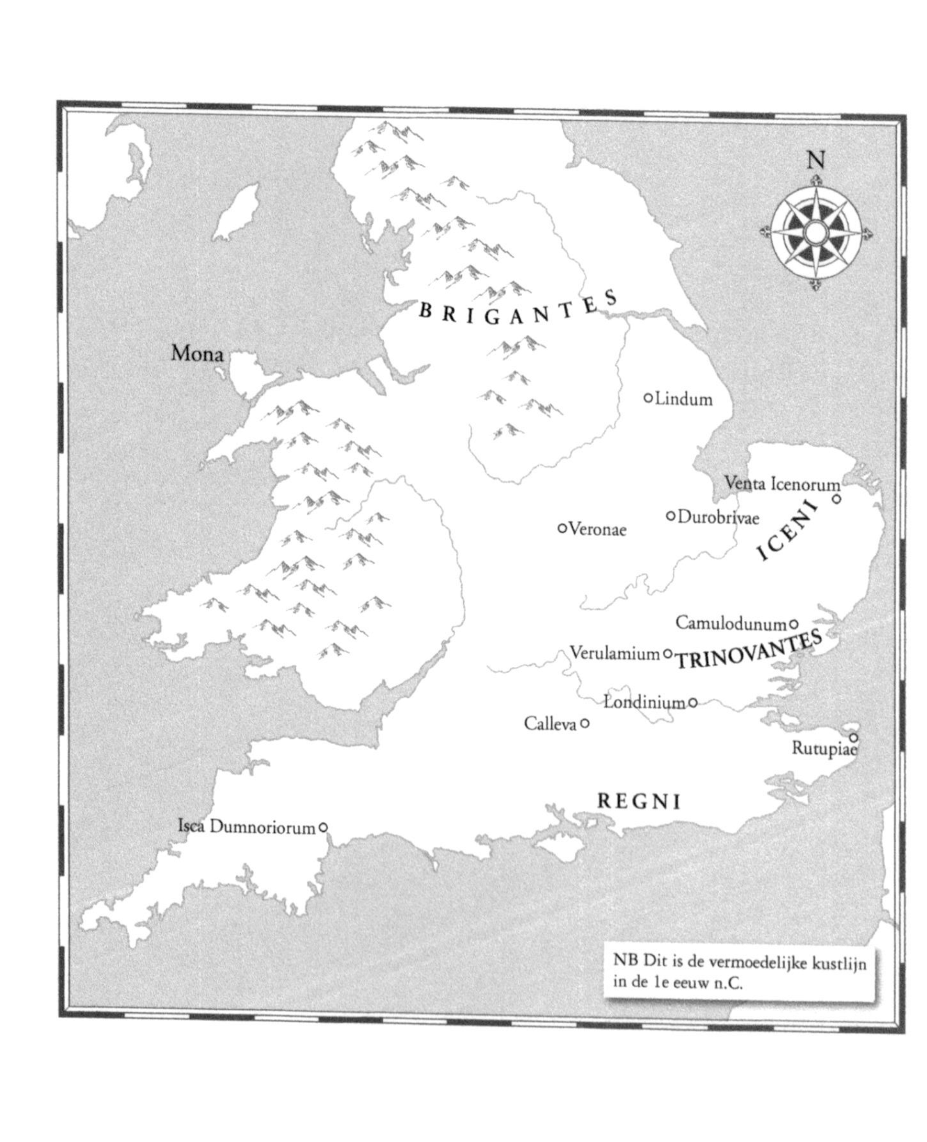
N
BRIGANTES
Mona
Lindum
Venta Icenorum
Veronae
Durobrivae
ICENI
Camulodunum
Verulamium
TRINOVANTES
Londinium
Calleva
Rutupiae
REGNI
Isca Dumnoriorum
NB Dit is de vermoedelijke kustlijn
in de 1e eeuw n.C.

PROLOOG

ROME, NOVEMBER 58 N.C.

Er waren niet veel mensen die van Nero's feesten genoten. Ze leken eindeloos door te gaan, en deze keer was geen uitzondering.

Het lag niet aan de uitgebreide gerechten, allemaal met zorg opgediend door tientallen schaars geklede – of geheel ontklede – slaven en slavinnen. Evenmin aan de gesprekken, oppervlakkig, plichtmatig en humorloos, of aan het amusement, dat bestond uit een eindeloos herhaalde serie heldendichten in de favoriete stijl van de keizer, zowel in het Grieks als in het Latijn, en uitgevoerd door een irritant zelfgenoegzame lierspeler die geen moment aan zichzelf twijfelde en wist dat hij bij Nero in de gunst stond. Zelfs de vulgaire massaliteit van het feest – maar liefst dertig banken, elk met plaats voor drie onderuitgezakte gasten aan een laag tafeltje, in een hoefijzervorm rond de lierspeler opgesteld – gaf geen aanstoot meer, omdat het inmiddels de norm was geworden onder Nero's bewind.

Nee, geen van die dingen was de reden voor de afkeer van Titus Flavius Sabinus voor dit samenzijn en zijn vurige bede aan heer Mithras dat er maar snel een eind aan mocht komen. Het was iets heel anders. Het was de angst.

De angst lag over de kamer als een onzichtbaar gladiatorennet, dat met loden gewichten tegen de grond gehouden werd en door de *retiarius* met koorden steeds strakker werd aangetrokken, totdat het iedereen gevangenhield en ontsnappen niet meer mogelijk was. De meeste gasten waren al verstrengeld in dit net, hoewel ze het niet lieten blijken en trachtten zich zo gewoon mogelijk te gedragen. Na vierenhalf jaar van Nero's heerschappij was het inmiddels tot de Romeinse elite doorgedrongen dat het geringste spoor van angst de keizer tot nog ernstiger excessen dreef.

Zo was het niet altijd geweest. Tijdens de eerste jaren van zijn bewind had Nero zich, althans in het openbaar, nog redelijk beheerst, hoewel hij zijn adoptiebroer Britannicus – de werkelijke erfgenaam van keizer Claudius, die wegens zijn jeugd was gepasseerd – eerst had verkracht en toen vergiftigd. Maar die schanddaad, in elk geval de broedermoord, kon nog worden gerechtvaardigd als politieke noodzaak. Britannicus immers had kunnen opgroeien tot een boegbeeld van algemene onvrede, die in een strijd had kunnen uitmonden. Zijn dood, zo ging de redenering, had mogelijk een volgende burgeroorlog voorkomen en was dus een offer voor de goede zaak. Daarom waren mensen bereid de moord op Britannicus op de avond voor zijn veertiende verjaardag, de dag van zijn volwassenheid, door de vingers te zien.

Na de dood van zijn enige serieuze rivaal en de eliminatie van een paar minder gevaarlijke opponenten had Nero zich tevredengesteld met een leven van decadente luxe en het bestuur van het rijk grotendeels overgelaten aan zijn voormalige mentor en huidige raadgever Lucius Annaeus Seneca en de prefect van de praetoriaanse garde, Sextus Afranius Burrus. Zelf gaf hij zich liever over aan zijn twee grote passies: wagenrennen en zingen, twee liefhebberijen die hij uiteraard in alle beslotenheid bedreef. Het was ondenkbaar voor een patriciër, laat staan de keizer, om in het openbaar bij zulk minderwaardig tijdverdrijf te worden betrapt. Nero, zich bewust van zijn waardigheid, liep daarom niet te koop met zijn voorliefde voor de genoegens van slaven en vrijgelatenen. Alleen een kleine kliek van ingewijden op de Palatijn was ervan op de hoogte. In de ogen van het Romeinse volk was de Gouden Keizer, zoals ze hun *princeps* graag zagen – de man wiens haar schitterde als de ochtendzon – dan ook een rechtschapen en edelmoedig heerser, zoals bleek uit de prachtige spelen en volksfeesten die hij organiseerde. Voor de buitenwereld was hij keurig getrouwd met Claudia Octavia, de dochter van Claudius, en gedroeg hij zich als een waardige Romein. Het huwelijk berustte in feite op incest, maar in het algemeen belang werd ook dat feit genegeerd. De werkelijkheid was een heel ander verhaal.

De laatste tijd besefte de kleine kring rond de keizer dat alleen Nero zelf zijn bizarre gedrag kon beteugelen. Als hij dat niet wilde, was dat zijn eigen keus. Seneca en Burrus, die samen de jeugdige princeps tot een gematigde en rechtvaardige heerser probeerden te kneden, konden weinig uitrichten tegen de behoeften van de eenentwintigjarige Nero.

En die behoeften waren exorbitant.

In elk geval te exorbitant voor de strakke opvattingen van zijn jonge, hooggeboren echtgenote, die links van haar man zetelde, met de lege blik in haar ogen die niet meer was geweken sinds Nero haar vier jaar geleden had vernederd door met een vrijgelaten slavin het bed te delen en haar de kans te ontnemen een opvolger te baren. Maar zelfs de charmes van die ex-slavin, Acte, waren niet toereikend om de lusten te bevredigen van een jongeman die wist dat hij met iedereen alles kon doen wat hij maar wilde.

En zijn behoeften leken onverzadigbaar. Deze buitensporige zwelgpartijen voor de elite van Rome – die daartoe op het allerlaatste moment werd opgetrommeld, hoe ongelegen soms ook – waren misschien nog het onschuldigst. Nero's andere uitspattingen waren veel verwerpelijker. Aan een van die uitspattingen, vermoedde Sabinus toen Tigellinus, de prefect van de *vigiles*, zijn bank naderde, zou de keizer zich vermoedelijk later nog bezondigen.

Tigellinus, een man met donkere ogen en een scherp gezicht, boog zich naar Sabinus toe en fluisterde hem iets in het oor. 'De Quirinaal, vanaf het vierde uur.' En met de grijns van een valse hond tikte hij Sabinus neerbuigend op de wang voordat hij weer verdween.

Sabinus zuchtte, dronk zijn kroes leeg en hield die achter zich om te worden bijgevuld door een naakte jonge slaaf, die helemaal met zilverlak was beschilderd. Zachtjes richtte hij het woord tot zijn corpulente buurman: 'Als ik u was, oom, zou ik naar huis vertrekken zodra het feest is afgelopen, als er nog ooit een eind aan komt. Hij wil er vannacht weer opuit. Ik hoorde net van Tigellinus dat zijn vigiles vannacht vanaf het vierde uur niet op de Quirinaal zullen patrouilleren, afgezien van Nero's persoonlijke lijfwacht om hem te beschermen.'

Zijn oom, Gaius Vespasius Pollo, streek een zorgvuldig gekrulde, zwartgeverfde haarlok uit zijn met kohl opgemaakte ogen en staarde hem aan, duidelijk geschrokken dat de Romeinse nachtwacht zich zou terugtrekken uit de buurt waar hij woonde. 'Toch niet weer de Quirinaal, jongen? We zijn nog maar net bekomen van Nero's strooptocht van vorige maand.'

Sabinus knikte en nam bedachtzaam een slok uit zijn bijgevulde kroes. 'Eén huurkazerne en twee woningen tot de grond toe afgebrand, vijf of zes meisjes verkracht, talloze gebroken botten, een paar moorden en de gedwongen zelfmoord van Julius Montanus omdat hij zich probeerde te verdedigen tegen – zoals hij meende – een slaaf met een belachelijke pruik.'

Gaius' onderkin en hangwangen trilden van verontwaardiging terwijl hij nog een ansjovispasteitje nam. 'Een man met de rang van senator, die bevel kreeg om zelfmoord te plegen, hoewel hij zijn excuses al had aangeboden aan de overvaller die hij met geweld in bedwang hield: niemand anders dan de keizer zelf. Echt, het loopt de spuigaten uit, al meer dan een jaar. Hoe lang moeten we dit nog accepteren?' Gaius schoof het pasteitje in één keer naar binnen.

'Dat weet u zelf ook wel. Zolang Nero het nodig vindt. Dat vindt hij nu eenmaal leuk, en zolang Otho en die andere knullen hem aanmoedigen, kan het alleen maar erger worden.' Sabinus wierp een blik naar de lange, goedgebouwde en opvallend knappe jongeman rechts van de keizer. Marcus Salvius Otho, drie jaar ouder dan Nero, was, met onderbrekingen, al zijn minnaar sinds Nero's tiende.

'En als stadsprefect, verantwoordelijk voor wet en orde in de stad, sta jij voortdurend in je hemd, beste jongen.' Gaius sloot zich aan bij het enthousiaste applaus van Nero, die openlijk weende bij de slotakkoorden van de zanger.

Sabinus verhief zijn stem boven de overdreven bijval uit. 'U weet heel goed dat ik daar niets aan kan doen. Tigellinus meldt me waar hij zijn patrouilles moet terugtrekken, zodat ik een centurie van een van de stadscohorten achter de hand kan houden voor het geval Nero moet worden gered of zijn strooptocht tot rellen leidt. Hij beweert dat hij het geweld tot een minimum probeert te beperken.'

'Ja, m'n reet!' viel Gaius uit, en hij nam nog een pasteitje. 'Hoe meer geweld, des te beter, vindt de keizer. Want iedereen schrikt zich een ongeluk, en hoe banger we voor Nero zijn, des te groter zijn macht en die van Tigellinus. Goddank staan er vier van Tigrans mannen klaar om me veilig thuis te brengen. Hoewel, sinds hij Magnus is opgevolgd als leider van de Zuid-Quirinale Kruispuntbroederschap betaal ik me wel een ongeluk voor zijn diensten. En dat alleen omdat jij je werk niet goed doet.'

Een opstootje in een hoek van de zaal bespaarde Sabinus een hakkelend antwoord. Tot de nauwelijks verhulde woede van de meeste gasten kwam de minnares van de keizer de zaal binnen, de ex-slavin Acte, duur gekleed en gekapt, en behangen met juwelen, in een vulgaire stijl die duidelijk maakte dat ze niet wist wat ze met haar nieuwe rijkdom en positie moest beginnen. Ze hield even halt terwijl haar slavinnen – ook de omvang van haar gevolg getuigde van slechte smaak – zonder enige noodzaak bleven staan om haar jurk en haar hoge, ingewikkelde blonde kapsel en uitbundig opgemaakte gezicht bij te werken. Het meisje wierp een triomfantelijke, hautaine blik om zich heen, totdat haar oog op Nero viel. Ze sloeg haar slavinnen bij zich vandaan en schreed op de keizer toe.

Opeens viel er een gespannen stilte in de zaal en richtten alle ogen zich op de keizerin.

'Ik geloof dat het tijd voor mij wordt om te vertrekken, dierbare echtgenoot,' zei Claudia Octavia, terwijl ze met een vloeiende, elegante beweging overeind kwam. 'Ik rook net een vleug van iets wat mij niet bekomt, dus ga ik maar even liggen om mijn maag tot rust te laten komen.' En zonder te wachten op permissie van Nero, die meer aandacht had voor Actes doorschijnende gewaad en de afwezigheid van enige onderkleding, verliet Claudia Octavia waardig en met rechte rug de zaal.

'Ze heeft steun in brede kring,' fluisterde Gaius tegen Sabinus. 'Van Calpurnus Piso, Thrasea Paetus, Romes somberste stoïcijn, en Faenius Rufus, om maar een paar namen te noemen.'

Terwijl Nero zijn als slavin geboren minnares uitbundig begroette en Acte haar best deed om iedereen duidelijk te maken hoezeer ze in de gunst stond, wierp Sabinus een blik op drie senatoren van middelbare leeftijd, op een bank tegenover hem. De mannen keken afkeurend hoe de dochter van de vorige keizer aan de kant werd gezet door een ordinair geklede sekspop. Hun echtgenotes, naast hen op de bank, wendden nadrukkelijk het hoofd af van zo'n belediging voor de vrouwelijke waardigheid. 'Ik heb het jaarlijkse verslag van Faenius Rufus als prefect van de graanvoorraad nog eens doorgenomen, en ik heb de indruk dat hij zijn positie nauwelijks heeft misbruikt om zich te verrijken, afgezien van wat gunsten hier en daar.'

'Hij heeft al heel lang de reputatie van een eerlijk bestuurder, beste jongen, op het roekeloze af. Hij vertegenwoordigt de waarden en opvattingen van een ouderwetse republikein – een Cato, geen Crassus. Wat Piso en Thrasea betreft, de goden mogen weten wat zij denken over een keizer die zich zo gedraagt tegenover een dochter van de Claudii, ook al was haar vader een kwijlende idioot. En wat ze van Nero's strooptochten door de stad vinden... denk jíj daar maar niet te lang over na, beste kerel.'

Sabinus gaf geen antwoord maar luisterde naar een volgend lied van de lierspeler en staarde fronsend in zijn kroes, geërgerd dat hij er maar niet in slaagde de betere wijken van Rome voldoende te beveiligen. Sinds hij bijna twee jaar geleden naar Rome was teruggeroepen uit de provincies Moesia, Macedonia en Thracië, waar hij gouverneur was geweest, en onverwachts tot prefect van Rome was benoemd, belast met het toezicht op de dagelijkse gang van zaken in de stad, had Sabinus tevergeefs geprobeerd erachter te komen aan wie hij deze positie te danken had. Noch zijn oom, noch zijn broer Vespasianus had hem bij die zoektocht naar zijn anonieme weldoener behulpzaam kunnen zijn. Natuurlijk vond Sabinus het verontrustend om niet te weten wie hij iets verschuldigd was en wanneer hij die schuld zou moeten inlossen, maar hij was heel tevreden met zijn functie en de bijbehorende status. Immers, hij mocht zich nu een van de vijf invloedrijkste bestuurders van de stad noemen, na de keizer zelf – officieel gesproken dan.

Officieus waren er anderen die meer invloed hadden op de keizer dan hijzelf: Seneca, Burrus en de consuls. Maar de belangrijkste twee waren toch Otho en Tigellinus. Hoewel Sabinus zijn meerdere was omdat de vigiles en de stadscohorten onder bevel stonden van de prefect van Rome, liet Tigellinus zich niet commanderen. De man had zijn schaamteloze losbandigheid gebruikt om zich in te likken bij de keizer, in wie hij onmiddellijk een verwante geest herkende. Het was Tigellinus die Britannicus in bedwang had gehouden toen Nero hem van achteren nam, tijdens die laatste, fatale maaltijd van de jongen in deze zelfde zaal. Het feit dat hij zijn ondergeschikte niet in de hand had deed de glans van Sabinus' status wel verbleken. Het leek nu of hij al het geweld tolereerde, dat gestaag toenam nu steeds meer jonge kerels meenden dat de wandaden van de keizer in de stad hun ook het recht gaven zich te misdragen.

'Uit dat gesprekje van zonet...' stoorde een stem hem in zijn overpeinzingen. 'Hoewel, mag ik het wel een gesprekje noemen? Eigenlijk niet, want u hebt geen woord teruggezegd tegen Tigellinus, is het wel, prefect? Het was meer een bevel – een bevel van een ondergeschikte! En uit dat bevel leid ik af dat Nero er vannacht weer opuit zal trekken?'

'Heel scherpzinnig, Seneca,' antwoordde Sabinus, zonder de moeite te nemen zich om te draaien.

'Alweer een triomf voor orde en gezag in deze stad. Achteraf vraag ik me af of het wel verstandig van me was om u, tegen dat aanzienlijke bedrag aan smeergeld, in deze functie te benoemen. Misschien had ik beter wat minder steekpenningen kunnen accepteren ten gunste van een betere kandidaat.'

Sabinus staarde nog altijd voor zich uit. 'Hebt u ooit iets gedaan in het algemeen belang?'

'Dat is niet terecht, Sabinus. In elk geval heb ik de afgelopen jaren de keizer in de hand gehouden.'

'Dat lukt nu dus niet meer. U geniet er zeker van om mij in mijn hemd te zetten als stadsprefect? O, tussen haakjes, door wie bent u eigenlijk omgekocht om mij die baan te geven?'

'Ik heb het u al eerder gezegd: als man van strenge principes kan ik die informatie natuurlijk niet prijsgeven. Niet zonder de juiste... hoe zal ik het zeggen... motivatie? Ja, dat is het woord: motivatie. Maar genoeg hierover. Ik wilde u spreken over uw verzoek.'

'O ja?' Sabinus had zich nog steeds niet omgedraaid.

'Ja. Alle consulposten zijn al vergeven.'

'Verkocht, bedoelt u.'

'Wat een onzin. Een keizer koopt geen consulaat.'

'Jammer voor uw beurs.'

'Dat heb ik niet gehoord. Het zal nog zeker drie jaar duren voordat uw schoonzoon in aanmerking komt, en over de prijs valt niet te onderhandelen: twee miljoen sestertiën.'

'Twee miljoen? Dat is twee keer het lidmaatschap van de Senaat!' Eindelijk draaide Sabinus zich om, maar de gezette gestalte van Seneca verwijderde zich alweer, op weg naar Marcus Valerius Messalla Corvinus, de gezworen vijand van Sabinus en Vespasianus sinds hij wijlen Clementina, Sabinus' vrouw, had ontvoerd in opdracht van Caligula, die haar diverse malen met grof geweld had verkracht. Zijn woede over Seneca's prijs maakte onmiddellijk plaats voor nieuwsgierigheid. 'Wat heeft Corvinus met Seneca te bespreken, oom?'

'Eh, wat... beste kerel?'
Sabinus herhaalde zijn vraag.
'Een lucratieve gouverneurspost. Volgens de geruchten probeert hij Lusitania te krijgen, vanwege de fiscale mogelijkheden van de *garum*-handel. Er valt veel te verdienen met vissaus, maar dat had je al begrepen.'
'Je vraagt je alleen af waar hij het geld vandaan haalt om Seneca mee om te kopen.'
'O, dat is geen probleem. Als Corvinus bereid is een exorbitante rente te betalen, leent Seneca hem wel het bedrag voor zijn eigen smeergeld, mits hij iemand vindt die garant kan staan. Dat kost hem nog extra, maar hij verdient het wel terug als hij Lusitania krijgt.'
Zo werkte het dus, peinsde Sabinus. Seneca leek alleen geïnteresseerd in de rijkdom die zijn positie hem opbracht, tot heimelijk genoegen van de paar mensen die zijn filosofische verhandelingen hadden gelezen. Toch was hij daarin geen uitzondering. Zijn voorganger Pallas, de belangrijkste Flavische steunpilaar tijdens Claudius' keizerschap en het begin van Nero's bewind, was rijk geworden als Claudius' voornaamste adviseur, voordat hij – net als zijn minnares, Nero's moeder Agrippina – bij Nero uit de gunst raakte. Inmiddels was hij verbannen naar zijn landgoed op het platteland en speelde hij geen rol meer in de Romeinse politiek. Toch had Pallas het er beter vanaf gebracht dan zijn eigen voorganger Narcissus, de man die hij met slinkse manoeuvres had verdrongen. Ondanks al zijn geld, of misschien wel juist daarom, was Narcissus uiteindelijk terechtgesteld.
Niet in staat te bedenken hoe hij Seneca's krankzinnige prijs zou kunnen betalen voor het consulaat van zijn schoonzoon Lucius Caesennius Paetus, en niet bereid het geld van de man zelf te lenen, verdiepte Sabinus zich maar weer in de zaak die hem had beziggehouden toen hij die middag onverwachts was ontboden voor dit feestje van de keizer. Sommige taken van de prefect van Rome waren minder zwaar dan andere, en het ondervragen van gevangenen die de veiligheid van het rijk bedreigden was min of meer een verzetje. Vooral als die gevangene geen burgerrechten meer had en Sabinus zich meer vrijheden kon veroorloven. Het genoegen was deze keer nog groter, omdat het geen officiële kwestie was. De man om wie het ging was naar hem toe gestuurd door zijn broer, Vespasianus, om te worden opgesloten en ver-

hoord. Als een gunst die Vespasianus nog aan iemand schuldig was, hoewel Sabinus geen idee had aan wie, en waarom.

'Beste vrienden....' Nero's hese stem sneed door het applaus toen de zanger eindelijk klaar was met zijn lied. Sabinus schrok op uit zijn gedachten. 'Ik zou willen dat we de tijd hadden voor nog zo'n goddelijk geschenk van de goden.' Nero strekte een hand uit naar de hemel en keek er even naar, met een uitdrukking van diepe dankbaarheid op zijn gezicht. Toen gleed zijn blik naar de lierspeler en haalde hij lang en diep adem, met gesloten ogen, alsof hij de zoetste geuren opsnoof. 'Terpnus hier is gezegend door Apollo met zijn honingzoete stem en zijn vaardige vingers.'

Er klonk instemmend gemompel op uit de menigte, hoewel de muziekkenners onder het publiek Nero's prijzende woorden wat overdreven vonden. Nero knikte naar Terpnus, richtte zich toen op en zoog zijn longen vol. Terpnus sloeg een akkoord aan, en tot ieders verbazing – hoewel sommige gasten al iets vermoedden – kweelde de keizer opeens een lange, mekkerende noot, ongeveer op de toonhoogte van het akkoord, maar niet echt krachtig of zuiver. Toch verwelkomde Nero's publiek het als een wonder van muzikale harmonie en niet als de weinig welluidende poging die het in werkelijkheid was. Er klaterde een luid applaus op zodra de noot een treurige dood stierf op de lippen van de keizer. Dames die door Nero ruw waren verkracht en anderen die vreesden dat ze binnenkort aan de beurt zouden zijn, klapten zedig in hun handen, terwijl hun echtgenoten de man toejuichten die hun vrouwen zou onteren, hun bezit zou stelen en hun leven zou vernietigen. Sabinus en Gaius deden van harte mee aan het eerbetoon, hoewel ze elkaar niet durfden aan te kijken.

'Vrienden,' kraste Nero, 'al drie jaar studeer ik nu bij Terpnus, die het aangeboren talent van jullie keizer tot leven doet komen. Ik heb met loden gewichten op mijn borst gelegen, ik heb klysma's en braakmiddelen gebruikt, ik heb me verre gehouden van appels en ander voedsel dat slecht is voor de stem. Dat alles heb ik gedaan onder de leiding van de grootste zanger van zijn tijd. Binnenkort zal ik dus klaarstaan om voor u op te treden!'

Het bleef even stil toen iedereen besefte dat hier een taboe werd doorbroken. Immers, vooraanstaande figuren, laat staan de keizer, hoorden niet in het openbaar op te treden. Maar het volgende moment barstte de menigte uit in luid gejuich, alsof Nero zojuist hun grootste wens had vervuld, waarvan niemand had gedacht dat die ooit werkelijkheid zou worden.

Nero zag het aan, half weggedraaid, met zijn linkerhand op zijn hart en zijn rechter uitgestrekt naar zijn gasten. Tranen drupten over de bleke huid van zijn wangen en bleven hangen in zijn pluizige blonde baard, wat voller onder zijn kin, waar ondanks zijn jeugd al een onderkin zichtbaar werd als gevolg van het goede leven. In die pose liet hij zich alle adoratie welgevallen. 'Vrienden,' zei hij ten slotte, met heftige emotie in zijn stem, 'ik kan jullie vreugde goed begrijpen. Hoe heerlijk is het niet dat jullie nu ook kunnen genieten van mijn talent, mijn stem, het prachtigste instrument dat ik ken.'

Acte, die inmiddels de plaats van Claudia Octavia had ingenomen, leek niet erg onder de indruk van die bewering.

'Net zo prachtig als mijn nieuwe vrouw, princeps?' zei Otho lachend, een beetje dronken. Hij was al zo lang Nero's naaste adviseur dat hij als enige in Rome de vrijheid genoot om grapjes te maken met de keizer.

Nero leek niet in het minst geïrriteerd door de interruptie. Met een glimlach draaide hij zich om naar zijn vriend en voormalige minnaar. 'De hele avond geef je nu al hoog op over de charmes van Poppaea Sabina. Als je haar naar Rome brengt, Otho, zal ik voor haar zingen en kun je de schoonheid van mijn stem en je nieuwe vrouw persoonlijk vergelijken.'

Otho hief zijn kroes naar Nero. 'Dat zal ik zeker doen, princeps, om vervolgens de winnaar eens flink te pakken. Over vier dagen is ze hier.'

Die aankondiging werd begroet met luid gejoel en dubbelzinnig commentaar van de jonge knullen die zichzelf als onderdeel beschouwden van het keizerlijk gevolg. Ze zwegen abrupt na een vernietigende blik van Nero. Zodra het weer stil was, keek de keizer de zaal rond met gespeelde nederigheid. 'Spoedig, vrienden, zal ik voor u klaarstaan. Tot die tijd moet ik nog ijverig repeteren. Gegroet!' Met een gekunsteld gebaar wenkte hij Acte, Otho, Terpnus en zijn jeugdige aanhang; hij draaide zich om en verliet de zaal. Tot opluchting van de achterblijvers, want het einde van het feest betekende ook het einde van de angst.

'Ik red me wel, beste jongen,' verklaarde Gaius toen hij met Sabinus het Forum Romanum bereikte, waar de plavuizen, nat van een lichte motregen, glommen in het licht van de talloze fakkels van hun eigen lijfwacht en die van andere groepjes op weg naar huis. 'Het is maar een halve mijl de heuvel op en bovendien heb ik Tigrans mannen om me te beschermen.'

Sabinus vertrouwde het toch niet. 'Als u maar niet treuzelt.' Hij sloeg de grootste en minst snuggere van de vier fakkeldragers op zijn schouder. 'Dus geen ruzie zoeken, Sextus. En neem een route die goed verlicht is.'

'Geen ruzie, en een goed verlichte route. Tot uw orders,' antwoordde Sextus terwijl hij de instructies verwerkte. 'En doet u de groeten van de jongens aan senator Vespasianus en aan Magnus, als u ze ziet.'

'Ik zal het doen.' Sabinus pakte zijn oom bij de arm. 'Op het tweede uur vertrekken we naar Aquae Cutillae.'

'Ik zorg ervoor dat ik met mijn koets bij de Porta Collina sta. Laten we hopen dat mijn zuster het nog twee dagen volhoudt, want zo lang doen we er wel over.'

Sabinus glimlachte, maar toen betrok zijn ronde gezicht toch in de halfschaduw van de fakkels. 'Moeder is vastbesloten. Ze wil de Styx niet eerder oversteken dan dat ze ons gezien heeft.'

'Vespasia heeft er altijd plezier in gehad om de baas te spelen over haar mannen. Het zou me niet verbazen als ze met opzet zou sterven voordat we er zijn, alleen om ons een schuldgevoel te bezorgen omdat we ons vertrek een dag moesten uitstellen.'

'Daar was niets aan te doen, oom. De staatszaken van Rome hebben nu eenmaal voorrang boven persoonlijke beslommeringen.'

'Zo is het altijd geweest, jongen, en niet anders. Ik zie je morgen.'

Sabinus keek zijn oom na toen hij door een zuilengang op weg ging naar het forum van Caesar aan de voet van de Quirinaal en uit het zicht verdween, met zijn lijfwachten om hem heen als vier met toortsen gewapende kolossen, die de loerende gevaren van de nachtelijke stad moesten bezweren.

Met een gebed tot zijn heer Mithras om zijn stervende moeder nog twee dagen te bewaren, draaide hij zich om en liep de paar passen naar de Capitolijn en het Tullianum aan de voet.

'Hoe gaat het met hem, Blaesus?' vroeg Sabinus toen de met ijzer beslagen houten deur van de gevangenis werd geopend door een gespierde, kale man in een tuniek en een gevlekt leren schort als bescherming.

Blaesus haalde zijn schouders op. 'Ik heb het niet gecontroleerd, prefect. Zo nu en dan hoorde ik hem wel kreunen daarbeneden, maar verder blijft hij rustig. In elk geval heeft hij uit eigen vrije wil nog geen woord gezegd, als u dat bedoelt.'

'Ja, eigenlijk wel.' Zuchtend liet Sabinus zich op de enige makkelijke stoel in de lage ruimte zakken en keek naar een luik in de verre hoek, nog net zichtbaar bij het vage schijnsel van een olielamp in het midden van de enige tafel. 'Laten we hem maar naar boven halen en zien hoe het gaat. Misschien moeten we hem meer onder druk zetten nu. Ik heb de antwoorden vanavond nog nodig. Morgen vertrek ik voor een paar dagen uit de stad.'

Blaesus gebaarde naar de hoek. Een harige reus van een man, slechts gekleed in een lendendoek, kwam overeind van een stapel vodden in de schaduw, waar hij had gelegen. In zijn hand hield hij een bot waarvan Sabinus de herkomst liever niet wilde weten. 'Naar beneden, Schatje,' zei Blaesus terwijl hij het luik aan een touw omhoogtrok. 'Breng hem naar boven. Je mag hem bijten, één keertje maar.'

Schatje gromde wat. Zijn gezicht was vlak, alsof het met een spade was platgeslagen. Er kwam een loerende blik in zijn ogen, hij liet het bot vallen en knikte heftig, als teken dat hij de instructies had begrepen. Het gedrocht liet zich door het gat zakken en verdween. Walgend van de man vroeg hij zich af wat zijn werkelijke naam was, maar hij vond het toch beneden zijn waardigheid om daarnaar te informeren.

Een kreet van pijn vanuit de cel beneden, de enige andere ruimte in het openbare gevang van Rome, weerkaatste tegen de kale stenen muren, gevolgd door een luid gegrom – waarschijnlijk Schatje, die de gevangene beval om voort te maken. Even later verscheen het hoofd van de enige bewoner van het Tullianum door het gat in de vloer. De man hees zich met zijn armen omhoog en kronkelde wanhopig met zijn lichaam om te ontkomen aan het afzichtelijke beest beneden. Na nog een paar angstige, hijgende seconden bevrijdde de doodsbenauwde gevangene zich uit zijn donkere hol, ongedeerd maar naakt, met aangekoekt vuil in zijn lange haar en baard.

'Goeienavond, Venutius,' fleemde Sabinus, alsof hij dolblij was de gevangene te zien. 'Gelukkig heeft Schatje je niet als avondmaal verorberd, zie ik. Dan kunnen we nu misschien de draad weer oppakken van ons gesprek van vanmiddag.'

Venutius verhief zich tot zijn volle lengte. Zijn borst, armen en dijen waren krachtig en gespierd, en ondanks zijn naaktheid straalde hij een zekere waardigheid uit toen hij neerkeek op zijn cipier. 'Ik heb u niets te zeggen, Titus Flavius Sabinus. En als burger van Rome kunt u me nergens toe dwingen totdat ik een beroep op de keizer heb gedaan, zoals mijn recht is.'

Sabinus glimlachte zonder humor. 'Dat burgerrecht heb je verspeeld als aanvoerder van de Brigantes bij hun opstand tegen Rome. Je burgerrechten zijn vervallen, zoals ik je al eerder zei. Iedereen zal begrijpen dat een verrader geen juridische bescherming meer verdient. De keizer weet niets van je aanwezigheid in Rome, en dat is maar goed ook, want ik denk dat hij je onmiddellijk zou laten executeren. Dus vraag ik je nog eens vriendelijk en voor de laatste keer: wie heeft je het geld gegeven voor jullie opstand daar in Britannia?'

Venutius kromp ineen en stapte bij het luik vandaan toen Schatje naar boven kwam, brommend in zichzelf op zangerige toon, alsof hij voldaan was over zijn werk. 'Ik heb de bescherming van iemand die heel dicht bij de keizer staat. U kunt mij niets doen,' zei Venutius zodra Schatje zijn bot weer had opgeraapt en zich naar zijn bed van vodden had teruggetrokken om erop te knagen.

'En iemand die heel dicht bij de keizer staat heeft mij juist gevraagd erachter te komen hoe jij aan dat geld bent gekomen.' Dat was een leugen, wist Sabinus, maar dicht genoeg bij de waarheid om geloofwaardig te zijn. 'En diegene heeft haast. Hij wil vanavond nog antwoord.' Sabinus knikte naar Blaesus.

'Schatje!' blafte Blaesus een bevel. 'Leg dat bot neer.'

Het monster gromde, diep en langdurig, toen het met zichtbare tegenzin gehoorzaamde.

'Zodra hij niet meer op dat bot mag knagen, krijgt hij honger,' verklaarde Sabinus tegen Venutius, die een bezorgde blik wierp op het harige gedrocht in de hoek.

Schatje gromde opnieuw, en Venutius keek van Sabinus naar de cipier en terug. 'Niemand heeft mijn opstand gefinancierd. Het was mijn eigen geld. Toen mijn vrouw, dat kreng van een Cartimandua, bij me wegliep om met die intrigant Vellocatus te gaan hokken, wilde ik wraak nemen en haar verdrijven. Dat is me gelukt.'

'Maar het moet heel wat geld hebben gekost om zo'n groot leger op de been te brengen en te houden. En nog meer om de overlevenden van Cartimandua's troepen op te nemen in je eigen leger.'

Schatje gromde nog eens en liet een harde scheet toen hij overeind kwam en kwijlend naar Venutius staarde.

'Ik had de schatkist van Cartimandua gevonden,' antwoordde Venutius haastig. 'Die zat aardig vol met pas geslagen denarii, tienduizenden munten, plus nog eens honderden of misschien wel duizenden aurei.'

'Romeins geld, dat je hebt gebruikt voor een opstand tegen Rome,' merkte Sabinus op, terwijl Schatje met zware stappen door de ruimte slofte.

Venutius' gezicht vertoonde een emotie die voor een Britannische hoofdman heel uitzonderlijk was: angst. 'Toen ik Cartimandua had verslagen, kon ik niet meer terug. Mijn mannen waren aangespoord door de druïden. Myrddin, de opperdruïde van heel Britannia, kwam naar ons toe. Om mijn eigen positie veilig te stellen moest ik wel in het geweer komen tegen het Romeinse gezag.' Venutius deinsde terug voor Schatje, die een blik naar zijn heer en meester wierp om te zien of hij deed wat er van hem verlangd werd.

Blaesus glimlachte en knikte goedkeurend naar zijn huisdier.

Venutius stond inmiddels met zijn rug tegen de muur. Schatje rochelde dreigend en kwam steeds dichterbij. 'Ik had geen keus.'

'O, jawel. Je had naar Rome kunnen vluchten, naar je weldoener, om jezelf aan de genade van de keizer uit te leveren. In plaats daarvan heb je al die pas geslagen munten gebruikt om tegen de keizer in verzet te komen. En nu probeer je de schuld af te schuiven op de druïden.'

Met een verrassend lenige sprong wierp Schatje zich op de Britannische hoofdman, grauwend en grommend van honger. Venutius gilde toen hij plat op zijn rug werd gesmeten, met het monster schrijlings boven op hem, klauwend naar zijn borst.

Sabinus kwam overeind en volgde het tafereel. Het leek een scène uit een nachtmerrie, een griezelverhaal, maar Sabinus vertrok geen spier. 'Nou? Waar kwam dat geld vandaan?'

'Het was een lening!' schreeuwde Venutius toen Schatje zijn kaken opensperde, met tanden die vlijmscherp waren geslepen door al die afgekloven botten. Zijn hoofd boog zich naar de gevangene.

'En het geld van je vrouw?'

'Ook geleend. Roep dat monster terug!'

Grommend van voldoening begroef Schatje zijn tanden in Venutius' gespierde borstkas en scheurde een lap vlees los, schuddend met zijn hoofd als een roofdier.

Met wanhoopskreten als van een verdoolde ziel in de Hades jammerde Venutius om genade, snikkend bij het vooruitzicht om door dit gedrocht te worden verslonden. Naarmate Schatjes kaken zich verder aan zijn lijf vergrepen, nam Venutius' gejammer nog toe, terwijl hij met zijn vuisten tevergeefs op de behaarde kop en rug van het schepsel beukte. Smekend keek hij Sabinus aan.

'En wie had jou en je vrouw dat geld geleend?' vroeg Sabinus met gefronste wenkbrauwen.

Schatje wierp zijn hoofd in zijn nek en verspreidde een fontein van bloed – zwarte druppels in het schemerlicht.

Venutius staarde vol ontzetting naar de druipende riblap die aan de afzichtelijke, malende kaken bungelde. Zijn ogen draaiden weg toen hij zag hoe Schatje zich tegoed deed aan zijn vlees. Ten slotte begon hij te brullen, luider nog dan eerst, en schreeuwde een naam: 'Seneca!'

DEEL I

AQUAE CUTILLAE, NOVEMBER 58 N.C.

HOOFDSTUK I

Ze was stervende. Vespasianus twijfelde daar niet aan toen hij neerkeek op zijn moeder, Vespasia Polla. Het schijnsel van de late middagzon dat door het smalle raam boven haar bed sijpelde, verlichtte de kleine, eenvoudig ingerichte slaapkamer vanwaaruit Vespasia haar laatste reis zou moeten aanvaarden. Haar gezicht, gerimpeld en wasbleek, stond vredig. Haar ogen waren gesloten; haar dunne lippen, droog en gebarsten, trilden bij iedere hortende ademtocht, en haar lange grijze haar lag los op het hoofdkussen, zorgvuldig door een van haar slavinnen in een waaier gespreid, zodat ze ook in de dood haar vrouwelijke waardigheid zou bewaren.

Vespasianus gaf een kneepje in de broze hand die hij in de zijne hield terwijl hij een gebed sprak tot zijn beschermgod Mars, in de hoop dat de boodschapper die hij naar Rome had gestuurd op tijd zou aankomen, zodat zijn broer en oom hier nog konden zijn voordat Vespasia de diensten van de veerman nodig had. Hij beloofde de god het offer van een witte stier als zijn gebed zou worden verhoord.

Vespasianus voelde een hand op zijn schouder en keek op. Het was Flavia, al negentien jaar zijn echtgenote, die naast hem stond.

Hij had zo vurig zitten bidden dat hij niet had gemerkt dat ze binnenkwam. Haar gezicht was zwaar beschilderd en ze droeg weelderige sieraden, met een hoog opgemaakt kapsel, een wijnrode stola en een saffraangele *palla* van de mooiste wol, die haar goede figuur accentueerden. Vespasianus voelde enige ergernis dat zijn vrouw een sterfkamer binnenkwam alsof ze op het punt stond een feest te geven voor hoge gasten, maar hij hield zijn mond, omdat hij wist dat het nu eenmaal nooit bij Flavia opkwam zich wat minder opzichtig te kleden. Daarom beperkte hij zich maar tot de familiezaken: 'Zijn de jongens nog op jacht met Magnus en zijn nieuwe honden?'

'Titus wel, maar Domitianus is een halfuurtje geleden met een van de slaven teruggekomen, verongelijkt omdat Magnus hem iets had verboden, ik weet niet wat. Daarna kneep en krabde hij zijn zus.'

'Domitilla heeft het wel eens zwaarder te verduren.'

'Ze is twee keer zo oud als hij en gaat binnenkort trouwen. Ze hoeft dit gedrag niet te accepteren van een jochie van zeven. Ik heb hem overgedragen aan zijn kindermeid, Phyllis. Die houdt hem wel onder de duim. En ik heb hem verzekerd dat jij hem een flink pak slaag zult geven zodra...' Flavia zweeg. Ze wist heel goed waarom haar man hun jongste zoon op dit moment niet tot de orde kon roepen. 'Moge moeder Isis haar dood verzachten. Zal ik de dokters nog eens roepen?'

Vespasianus schudde zijn hoofd. 'Wat kunnen ze doen? Als ze dat gezwel in haar buik wegsnijden, zal ze nog eerder sterven dan wanneer ze niets doen. Bovendien heeft ze ze de vorige keer zelf weggestuurd.'

Flavia snoof onwillekeurig. 'Ze weet het nu eenmaal beter. Dat was altijd al zo.'

'Als je tot elke prijs een zinloze vete met een stervende vrouw in stand wil houden, Flavia,' zei Vespasianus knarsetandend, 'doe dat dan in je eigen hoofd en in je eigen kamer. Ik ben er niet voor in de stemming en ik heb geen tijd voor dat vrouwelijke gekibbel.'

Flavia verstrakte en liet haar hand van Vespasianus' schouder zakken. 'Het spijt me, echtgenoot. Het was niet oneerbiedig bedoeld.'

'Ja, dat was het wel.' Vespasianus richtte zijn aandacht weer op zijn moeder toen zijn vrouw haastig en geïrriteerd de kamer verliet. Even later verdwenen haar voetstappen naar de tuin van de binnenplaats.

Iets langer dan negenenveertig jaar was Vespasia Polla nu al een deel van zijn leven, en terwijl hij haar nog een kneepje in haar hand gaf, bedankte hij haar, omdat hij heel goed wist dat noch hij noch zijn broer ooit consul zou zijn geworden zonder haar inzet en ambitie voor haar familie. De familie van zijn vader bestond uit eerzame, provinciale ruiters van Sabijnse afkomst, met het bijbehorende accent. Vespasia kwam uit een familie met een senator die het tot *praetor* had gebracht – haar oudere broer, Gaius Vespasius Pollo. Die connectie had ze ook gebruikt om de carrière van haar zoons in Rome van de grond te krijgen, en dankzij Gaius' connectie met Antonia, de nicht van Augustus, schoonzuster van Tiberius, moeder van Claudius, grootmoeder van Caligula en overgrootmoeder van Nero, was Vespasianus terechtgekomen in het moeras van keizerlijke politiek, waarin hij en zijn broer nog maar net het hoofd boven water hadden kunnen houden. Ze hadden allebei de top van de *cursus honorum* bereikt, de ladder van militaire en bestuurlijke rangen die de structuur vormde voor de elite van Rome. In elk geval waren ze hoger gestegen dan de meeste nieuwkomers mochten verwachten als ze uit een familie kwamen die geen traditie had binnen de Senaat. Na zijn consulaat was Sabinus benoemd tot gouverneur van een provincie, en inmiddels was hij stadsprefect van Rome. Ja, dacht Vespasianus, terwijl hij zich over zijn dunne kruin streek – het enige haar dat nog restte op zijn overigens kale schedel – Vespasia kon trots zijn op haar inspanningen voor de familie.

Toch had ze in Vespasianus' ogen één ding nagelaten. Ze zou een geheim meenemen in het graf, een geheim dat bijna net zo oud was als hijzelf. Dat geheim werd beschermd door een eed die, op last van Vespasia, was gezworen door alle getuigen van het incident. Ook door Sabinus, toen nog een jongen van bijna vijf. Het incident had zich voorgedaan tijdens de ceremonie van Vespasianus' naamdag, negen dagen na zijn geboorte, nu exact negenenveertig jaar geleden, en het had te maken met de tekens op de lever van de offers – een os, een wild zwijn en een ram. Wat die tekens waren, had niemand hem kunnen vertellen, vanwege de eed. Maar hij wist dat zijn ouders geloofden dat de tekens zijn toekomst voorspelden, omdat hij hen daar ooit over had horen praten. Hij was toen zestien, en ze spraken in heel vage termen. De inhoud van de voorspelling kende hij nog altijd niet. En nu ging zijn moeder op weg naar het schaduwrijke land aan de overzijde van de Styx, zonder dat ze de getuigen van het offer had verlost van hun eed. Maar dankzij bepaalde vreemde gebeurtenissen en profetieën in de loop van zijn leven had Vespasianus zich toch een redelijk beeld kunnen vormen van wat de voortekenen zoveel jaren geleden over zijn toekomst hadden voorspeld. En dat beeld was net zo krankzinnig als onwaarschijnlijk binnen de huidige politieke situatie, met het principaat in handen van één enkele familie.

Maar als die lijn zou uitsterven, wat dan? Als de keizer kinderloos zou sterven, waar moest de nieuwe keizer dan worden gevonden?

Met die gedachte had Vespasianus een belangrijk aandeel gehad in de oorlog die nog altijd voortwoedde tussen Rome en Parthië, over het in naam autonome koninkrijk Armenia. Die oorlog werd door de machten achter de troon gezien als een goede manier om de positie van de jonge keizer Nero te versterken, en Vespasianus steunde dat idee. Hij wilde dat Nero nog een tijdje zou regeren, omdat hij vermoedde – of bijna zeker wist – dat Nero zich te buiten zou gaan aan excessen waarbij de uitspattingen van zijn voorgangers kinderspel zouden lijken, goed voor een glimlach. Als het inderdaad zo zou gaan, betwijfelde Vespasianus dat Rome een volgende keizer uit dezelfde familie zou accepteren. En in welke hoek zou er dan worden gezocht? De kandidaat zou de rang van consul moeten hebben, en aantoonbare ervaring als militair. Daarvan waren er nogal wat in Rome, inclusief Vespasianus zelf. Maar, redeneerde hij, als het iemand zoals hij moest worden, waarom hijzelf dan niet?

En dat was wat Vespasia met zich mee zou nemen in het graf: de bevestiging, of niet, van Vespasianus' vermoeden. Maar zelfs als ze nog bij bewustzijn zou komen, zou hij haar nooit meer tot andere gedachten kunnen brengen.

'Heer?' stoorde een stem hem in zijn overpeinzingen.

Vespasianus draaide zich om en zag het silhouet van zijn slaaf afgetekend in de deuropening. 'Wat is er, Hormus?'

'Pallo stuurde me om u te melden dat uw broer is gearriveerd.'

'Mars zij gedankt. Maak onze mooiste witte stier gereed om te offeren, zodra Sabinus en mijn oom mijn moeder hebben gezien.'

'Uw oom, heer?'

'Ja.'

'Dat moet een misverstand zijn. Uw broer is hier in zijn eentje aangekomen, zonder uw oom.'

Hoewel het atrium van het grote huis op het Flavische landgoed bij Aquae Cutillae profiteerde van de vloerverwarming van een hypocaustum en er ook een groot vuur loeide in de haard, voelde de kamer toch kil aan na de warmte van Vespasia's sterfkamer. Vespasianus wreef zijn armen toen hij Hormus volgde over de rustieke mozaïekvloer, met afbeeldingen van de verschillende manieren waarop de familie in haar onderhoud voorzag door de bewerking van het land. Voordat ze de voordeur hadden bereikt, stapte Pallo, de oude opzichter van het landgoed, al naar binnen en hield de deur open voor Sabinus, die stoffig en verfomfaaid was van de reis.

'Is ze nog onder ons?' viel Sabinus met de deur in huis.

Vespasianus draaide zich om en liep met zijn broer mee. 'Nog net.'

'Dat is goed genoeg. Ik geloof niet dat ik ooit zo snel uit Rome hiernaartoe ben gekomen.'

'Heb je oom Gaius ergens onderweg achtergelaten?'

Sabinus schudde zijn hoofd toen ze door het tablinum liepen, de studeerkamer aan het einde van het atrium, op weg naar de tuin. 'Ik ben bang van niet. Hij voelde zich niet goed genoeg voor de reis.'

'Wat mankeert hem dan?'

Sabinus keek hem aan toen ze Vespasia's kamer hadden bereikt. Zijn ogen stonden bezorgd – om de naderende dood van hun moeder of om de situatie van hun oom, dat wist Vespasianus niet. 'Dat zal ik je vertellen zodra we hebben gezien hoe moeder...' Hij maakte zijn zin niet af. Ze beseften allebei maar al te goed welk tafereel hun wachtte.

Vespasianus opende de deur en liet Sabinus voorgaan. Toen hij achter zijn broer naar binnen stapte, sloeg Vespasia tot hun verrassing haar ogen op. Een bleek lachje gleed over haar lippen. 'Mijn jongens,' zei ze schor. 'Ik wist dat ik jullie nog samen zou zien voordat het einde kwam.'

De broers liepen naar het bed toe. Sabinus nam de stoel, Vespasianus bleef naast hem staan.

Vespasia stak een hand uit naar hen allebei. 'Ik ben zo trots op wat jullie voor onze familie hebben gedaan. Het huis Flavius is nu een geslacht om rekening mee te houden.' Ze wachtte even terwijl ze moeizaam ademhaalde. Haar ogen vielen half dicht. Vespasianus en Sabinus zwegen. Dit was niet het moment om haar in de rede te vallen. 'Maar hier blijft het niet bij, mijn zoons. Mars heeft gesproken. Sabinus, ik heb een brief voor je achtergelaten, veilig in Pallo's hand. Lees hem, en volg mijn adviezen zodra de gelegenheid zich voordoet.' Weer hapte ze naar lucht, zodat de broers hun adem inhielden totdat ze weer in staat was om door te gaan. 'Ik zal je niet ontslaan van de eed die je zoveel jaren geleden hebt gezworen. Maar die andere gelofte, op bevel van jullie vader – een gelofte niet alleen aan Mars maar aan alle goden, ook heer Mithras, om elkaar te helpen – weegt uiteindelijk toch zwaarder, als het nodig mocht zijn.' Haar handen grepen die van haar zoons toen haar broze gestalte verkrampte in een paar zware hoestbuien, de ene nog heviger dan de andere.

Vespasianus bracht een beker water naar haar lippen, en ze dronk. Het bracht onmiddellijk verlichting.

'En dat zal zeker nodig zijn, Sabinus,' vervolgde Vespasia, nu met veel zwakkere stem. 'Want je zult je broer de weg moeten wijzen.' Ze richtte haar waterige ogen op Vespasianus. 'En jij, Vespasianus, zult die hulp hard nodig hebben. Besluiteloosheid kan noodlottig zijn.'

'Ik geloof dat ik de inhoud van de voorspelling wel ken, moeder,' waagde Vespasianus. 'Alleen...'

'Probeer er niet naar te raden, Vespasianus,' viel Vespasia hem in de rede. Haar stem was nu nauwelijks meer dan een gefluister. 'En spreek er zeker niet over, met wie dan ook. Het feit dat wij belangrijke tekenen hebben gezien bij de ceremonie van je naamdag mag nooit bekend worden buiten de familie. Misschien denk je dat je de betekenis kunt raden, maar dat is niet zo, geloof me. Er waren drie levers, drie verschillende tekens. Ik heb ze alle drie beschreven in mijn brief aan Sabinus, om zijn geheugen op te frissen omdat hij toen nog zo jong was.' Ze sloot haar ogen, vermoeid door de inspanning van het spreken, maar toch ging ze verder. 'Het gaat om wat, wanneer, en vooral ook hoe.'

'Vertel het me dan nu, moeder.'

Vespasia leek daarover na te denken terwijl ze zwaar ademde. 'Dan zou ik de goden verzoeken. Een man die al van tevoren op de hoogte is van zijn lot, hoe en wanneer zich dat voltrekt, zou zijn beslissingen laten kleuren door andere overwegingen dan zijn eigen angsten en ambities. Dat zou hem uit zijn evenwicht brengen en uiteindelijk zijn ondergang worden. Niet iedere voorspelling komt uit.'

'Ik weet het,' zei Vespasianus, denkend aan wat Myrddin, de onsterfelijke druïde van Britannia, had gezegd toen hij had geprobeerd hem te doden. 'Een man kan altijd vrijwillig de dood aanvaarden.'

'Een man kan ook te hard werken aan de vervulling van een profetie. Daardoor kan hij het tijdsbestek zodanig veranderen dat de verschillende noodzakelijke factoren voor de afloop van de voorspelling niet meer goed samenvallen en de hele zaak misloopt. Ik heb alle getuigen een eed laten zweren om twee redenen. Allereerst om het verborgen te houden voor diegenen die fanatiek hun positie zouden beschermen, en in de tweede plaats om de details ook voor jou geheim te houden, zodat je altijd je intuïtie zult volgen in plaats van de route waarvan jij denkt dat die voor jou is uitgestippeld.' Vespasia opende haar ogen, moe van al die woorden. Ze ademde moeilijk en oppervlakkig. 'Misschien vermoed je iets van wat er gaat gebeuren, Vespasianus, maar het is Sabinus die de sleutel in handen houdt van het hoe en wanneer. Om jou te weerhouden van overijlde actie, zal hij die kennis bewaren tot het moment dat jij er klaar voor bent. Dan pas treedt de eed in werking die jullie op last van je vader aan elkaar hebben gezworen. Als ik er straks niet meer ben, hebben jullie samen de macht om dit huis tot een van de grote families van Rome te maken.'

Langzaam gleed Vespasia's blik van de een naar de ander, en haar beide zoons bogen het hoofd als erkenning van haar wensen. Ze voelden dat haar greep wat krachtiger werd, voordat ze hun handen losliet. Toen ze hun hoofd weer oprichtten, keken ze in de dode ogen van het lichaam dat ooit hun moeder was geweest.

'Ik doe het niet! Ik ga er niet heen! Ze is nooit aardig tegen me geweest.' Ze stonden in het tablinum. Domitianus keek zijn ouders woedend aan en balde zijn vuisten, klaar om te slaan. Phyllis, zijn kindermeid, stond achter hem, met haar handen op zijn schouders.

'Je bedoelt dat ze probeerde jou manieren bij te brengen,' antwoordde Vespasianus, die moeite had om rustig te blijven tegenover de brutaliteit van zijn jongste zoon. 'En je kunt een draai om je oren krijgen als je nu niet snel naar die kamer gaat om eer te bewijzen aan het lichaam van je overleden grootmoeder.'

'Ik krijg toch nog een pak slaag voor vanmiddag, dus waarom zou ik?'

'Omdat je een dubbel pak rammel krijgt als je niet doet wat je gezegd wordt.'

Het kind reageerde op dat dreigement op de aloude manier. Hij stak zijn tong uit en probeerde zich los te wringen uit de handen van zijn kindermeid. Maar hoewel Phyllis pas twintig was, kende ze alle kunsten van kleine jongetjes en had ze hem al bij zijn haren te pakken voordat hij twee stappen had gedaan.

'Breng hem maar hier,' zei Vespasianus terwijl hij zijn riem losmaakte.

Phyllis, een stevige meid, met een houding die duidelijk maakte dat ze geen verzet van snotneuzen accepteerde, sleurde de spartelende Domitianus naar zijn vader, die naar de tafel wees. 'Leg hem daar neer.'

Worstelend met het lastige kind wist Phyllis hem toch voorover op de tafel te krijgen. Daar hield ze hem bij de schouders vast, met de greep van een worstelaar, maar Domitianus had zijn benen nog vrij om haar te schoppen. Vespasianus was zo kwaad dat hij er geen acht op sloeg. Het was niet de eerste keer dat hij ziedde van woede om de halsstarrigheid van zijn zoon. Hij wikkelde de riem met de gesp om zijn rechtervuist, greep het uiteinde in zijn hand, maakte er een lus van en hield met zijn andere hand de trappelende benen in bedwang. In zijn verdriet om de dood van zijn moeder en zijn woede om het gebrek aan respect bij zijn zoon sloeg hij erop los, totdat de jongen zo begon te krijsen dat het Flavia angstig te moede werd. Met moeite wist Vespasianus zich te beheersen.

Hijgend liet hij de riem weer zakken. Achter zich hoorde hij iemand giechelen, en toen hij omkeek zag hij zijn dochter, Domitilla, die vanuit het atrium door de gordijnen loerde.

'Dank u, vader,' zei Domitilla, met een stralende lach die hem deed denken aan Flavia toen hij haar voor het eerst ontmoet had in Cyrenaica. 'Dat had die kleine etter wel verdiend.'

Ze stonden allemaal rond het lichaam in de kleine sterfkamer, Vespasianus, Sabinus, Flavia en de drie kinderen – Domitianus zachtjes snotterend, en Titus, de oudste zoon, nog in jachtkledij. Zwijgend staarden ze naar de overledene, die er nog precies zo bij lag als ze gestorven was, onaangeroerd totdat het grafritueel kon beginnen. Buiten de kamer hadden alle slaven en vrijgelatenen van de familie zich in de schemerdonkere tuin van de binnenplaats verzameld, klaar om hun rol te spelen in het rouwbeklag.

Na een eerbiedige periode van reflectie stapte Sabinus, als oudste bloedverwant, naar voren en knielde bij Vespasia neer. 'Moge uw ziel nu overgaan,' fluisterde hij, voordat hij zich naar haar toe boog, haar lippen kuste en met zijn handpalm over haar ogen streek om ze voorgoed te sluiten en de overgang van haar ziel te bezegelen. 'Vespasia Polla!' riep Sabinus uit. 'Vespasia Polla!'

Vespasianus en de rest van de familie riepen nu ook de naam van de overledene, al gauw gevolgd door de mannen van de huishouding buiten de kamer, terwijl de vrouwen jammerden van verdriet. Het geluid weerkaatste door het huis toen het aanzwol in kracht en heftigheid.

Vespasianus schreeuwde zijn keel bijna schor bij het roepen van haar naam, maar tevergeefs, want zijn moeder was aan haar laatste reis begonnen en kon hem niet meer horen.

Toen Sabinus vond dat het ritueel een gepaste tijd geduurd had, kwam hij overeind en stak zijn handen onder de armen van het lichaam, terwijl Vespasianus haar enkels pakte. Samen tilden ze Vespasia van het bed en legden haar op de grond. Nadat ze die laatste plicht hadden volbracht, lieten de mannen het lichaam over aan de zorgen van Flavia, Domitilla en de andere vrouwen, die het moesten wassen en zalven, voordat Vespasia in haar mooiste kleren naar het atrium zou worden gebracht en opgebaard met haar voeten naar de voordeur.

'Dus morgen moet het gebeuren,' zei Magnus – al jarenlang Vespasianus' vriend, ondanks het verschil in hun maatschappelijke status – toen Sabinus zijn laatste gebed had uitgesproken voor het huisaltaar in het atrium en een muntje onder de tong van zijn dode moeder had gelegd.

'Ja,' antwoordde Vespasianus, terwijl hij de plooi van zijn toga liet zakken waarmee hij zijn hoofd had bedekt tijdens de godsdienstige ceremonie. 'Pallo zal de slaven de hele nacht laten doorwerken om een brandstapel voor haar te bouwen en haar tombe gereed te maken.'

Vragend draaide Magnus zijn gegroefde en gehavende gezicht, getekend door een leven van ruim achtenzestig jaar, naar Vespasianus toe. Zijn linkeroog, een primitieve glazen replica, leek hem net zo doordringend aan te staren als het andere. 'Haar tombe? Bedoelt u dat u die al had besteld, nog vóór haar dood?'

'Ja, natuurlijk. Anders hadden de slaven hem vannacht niet gereed kunnen maken.'

'Was dat niet een beetje voorbarig, als ik het zeggen mag? Ik bedoel, stel dat ze was opgeknapt. Dan zou het bijna lijken alsof u hoopte dat ze zou sterven en nauwelijks kon wachten.'

'Natuurlijk niet. Een heleboel mensen bestellen de tombe al van tevoren, omdat je een betere prijs van de steenhouwers kunt krijgen als ze zich niet hoeven te haasten.'

Magnus krabde zich eens onder zijn grijze haar en zoog fluitend wat lucht tussen zijn tanden. 'Aha.' Hij knikte ironisch, alsof het hem duidelijk was. 'Ook in de dood moet je op een voordeeltje bedacht zijn.

Heel verstandig. Ze was immers maar uw moeder. U wilt toch geen onnodige kosten maken, is het wel?'

Vespasianus glimlachte, gewend aan de kritiek van zijn vriend op zijn zuinige instelling. 'Het maakt mijn moeder niets uit of haar as al morgen in een tombe wordt geplaatst of eerst nog vier of vijf dagen in een mand moet liggen, enkel omdat een steenhouwer exact dezelfde tombe uithakt voor twee keer zoveel geld.'

'Vast niet,' beaamde Magnus terwijl de rest van de familie langs Vespasia – ogenschijnlijk slapend op haar baar – liep, op weg naar het triclinium, waar de slaven klaarstonden om het avondeten op te dienen. 'Maar misschien is fatsoen soms belangrijker dan zuinigheid, zeker bij de dood van een familielid. U wilt toch niet het verkeerde voorbeeld geven aan de volgende generatie? We worden er geen van allen jonger op, als u begrijpt wat ik bedoel.'

'O, zeker. Maar als je wilt suggereren dat mijn kinderen mij misschien bij mijn dood niet de eer zullen bewijzen die ik verdien, dan vergis je je. Titus en Domitilla zullen mij de laatste eer bewijzen met een prachtige tombe.'

'Hoe weet u dat?'

'Omdat ik die tegelijk met de tombe voor mijn moeder heb besteld en extra korting heb gekregen omdat ik er twee wilde afnemen!'

Onwillekeurig schoot Magnus in de lach om de onverbloemde krenterigheid van zijn vriend. 'Maar ik hoor wel dat u Domitianus niet noemt bij de kinderen die u de laatste eer moeten bewijzen.'

Vespasianus schudde spijtig zijn hoofd toen hij omkeek naar zijn jongste zoon, die door Phyllis met krachtige hand werd meegetrokken naar zijn kamer. Zijn protesten waren aan dovemansoren gericht, want de familie was er net zo aan gewend als aan het gekletter van de fontein in het impluvium. 'Ik mag hem natuurlijk niet afschrijven, maar ik vrees dat hij nooit enig respect voor iets of iemand zal kunnen opbrengen als hij er niet onmiddellijk voordeel bij heeft.'

'Is dat geen houding om te prijzen in een zoon? Als bewijs van zijn nietsontziende ambitie?'

'Normaal zou ik dat met je eens zijn, Magnus. Waarom zou iemand tijd besteden aan iets waar hij niets aan heeft? Maar ik gebruikte niet zomaar het woord "onmiddellijk". Want dat is Domitianus' werkelijke probleem, ben ik bang. Als het hem niet meteen iets oplevert, ziet hij het nut er niet van in. Hij heeft totaal geen geduld, geen besef van de langere termijn. Met andere woorden, hij mist de aangeboren slimheid om vooruit te zien en tactisch te manoeuvreren, de belangrijkste voorwaarden om succes te hebben en te overleven in deze maatschappij. Zonder die eigenschappen heeft hij niet veel kans.'

Magnus verzonk een moment in somber gepeins voordat hij zijn goede oog weer op Vespasianus richtte. 'Zal ik u vertellen waarom ik Domitianus vanmiddag terug naar huis heb gestuurd?'

'Moet ik dat weten?'

'U zult er kwaad om worden, maar inderdaad, ik vind dat u het moet weten. Als u de jongen er maar niet voor straft.'

'Laat horen dan.'

Magnus knikte en wenkte Titus, die naar hen toe kwam. 'Vertel je vader eens wat je broertje vanmiddag heeft gedaan.'

Titus, inmiddels achttien en het evenbeeld van zijn vader, met een krachtige borstkas, een rond gezicht, een geprononceerde neus, grote oren en ogen die meestal vriendelijk twinkelden, keek een beetje bezorgd.

'Het geeft niet,' stelde Vespasianus hem gerust. 'Wees maar niet bang voor de gevolgen.'

Titus keek nog altijd sceptisch. 'Nou, als het moet... Ik weet niet precies hoe het gebeurde, maar we waren al minstens drie uur op jacht, zonder dat we nog iets hadden gezien, en Domitianus gedroeg zich zoals altijd, klagend dat de honden hun best niet deden, dat de paarden te langzaam waren, de slaven te luidruchtig, en dat Magnus een waardeloze jager was, die steeds de verkeerde beslissingen nam en de verkeerde route koos. Opeens hieven Castor en Pollux hun kop, snoven een geur op en stormden een heuvel met laag struikgewas op, vlak boven de wei beneden.'

'Een geschikte schuilplaats voor herten die bij het grazen waren gestoord,' merkte Vespasianus op.

'Inderdaad, vader. Daarom gingen we erachteraan, hoewel het de eerste keer niets had opgeleverd. En jawel hoor, opeens zagen we een bok en zijn twee hinden uit het struikgewas vluchten. Ze renden de heuvel op, met de honden in hun spoor. Maar een van de hinden was duidelijk drachtig en raakte al snel achterop. Castor en Pollux hadden haar te pakken voordat Magnus ze terug kon roepen om ons de kans te geven voor een dodelijk schot. Magnus reed eropaf en sleurde de honden weg, maar de hinde had veel bijtwonden opgelopen, en door de agitatie kwamen de weeën.' Titus keek even naar Magnus, die bemoedigend knikte. 'Magnus en ik konden de hinde natuurlijk niet doden terwijl ze lag te bevallen. Dat hoort nu eenmaal niet, ik kan niet uitleggen waarom. Dus trokken we ons een eindje terug en wachtten tot de natuur haar loop had genomen. Ten slotte was het volbracht en verhief het kalf zich op wankele poten, terwijl de moeder, ondanks haar verwondingen, haar jong schoonlikte. Wij besloten het paar te laten gaan, in de hoop dat ze in de toekomst nog een mooi doelwit konden vormen.'

Vespasianus' gezicht verstrakte. Hij begon iets te vermoeden, maar hoopte dat hij zich vergiste.

'We waren nog niet ver weg toen Magnus merkte dat Domitianus niet meer bij ons was. Geen van de slaven had hem zien wegrijden, dus moest hij opzettelijk zijn pony hebben ingehouden om achterop te raken bij de jacht.'

Vespasianus kreeg een akelig gevoel in zijn maag, ervan overtuigd dat dit verhaal walgelijk zou aflopen.

'Nou, we reden terug naar de plek waar de hinde haar jong had geworpen, en daar vonden we Domitianus, maar van het hert was geen spoor meer te bekennen.' Titus zweeg en keek nog eens naar Magnus.

'De waarheid, Titus,' zei Magnus. 'Spaar hem niet.'

Titus slikte. 'Het kalf was er nog wel. Het wankelde hulpeloos rond. We hoorden Domitianus lachen, en toen we dichterbij kwamen, zagen we ook waarom. Hij had het diertje de ogen uitgestoken. Het had nog geen halfuur geleden het levenslicht gezien, maar nu was het al blind.'

Vespasianus probeerde de geweldige woede te beheersen die hij voelde opkomen. Het leek alsof een wurgende hand hem bij de keel greep. De afloop was nog afschuwelijker dan hij had gevreesd. 'Hoe?'

Titus maakte een grimas en keek Magnus nog eens aan, met duidelijke tegenzin om door te gaan.

'Met zijn duimen.' Het was Magnus die antwoord gaf, met een stem die niet luider klonk dan een gefluister. 'Ze zaten onder het bloed.' Hij greep Vespasianus bij de arm om hem te weerhouden. 'Niet doen! We hebben het u alleen verteld omdat u beloofde niets te ondernemen.'

Vespasianus probeerde zich los te rukken. 'Ik sla die kleine etter halfdood!'

'Nee, dat doet u niet. Hij heeft vandaag al genoeg slaag gehad, heb ik begrepen. Maar ik ben het met u eens dat hij een lesje moet leren.'

Vespasianus gaf zijn verzet op, en zijn lichaam kwam tot rust. Maar zijn gezicht stond nog steeds gespannen, met de strakke blik die hij zich had aangeleerd in zijn tijd als legaat van de Tweede Augusta. 'Wat had je in gedachten?'

'Laten we morgen, na de begrafenis, op jacht gaan. Er ligt toch een redelijk groot bos op het landgoed?'

'Ja, aan de oostkant.'

'Mooi, want met de hulp van een wild zwijn kunnen we hem het verschil duidelijk maken tussen jagen om de sport en zinloze wreedheid tegen een hulpeloos dier.'

'Seneca?' Vespasianus sprak de naam voor de tweede keer hardop uit sinds hij die van Sabinus had gehoord, maar nog altijd sloeg het nergens op.

Ze zaten in zijn studeerkamer bij het atrium, genietend van de warmte van de haard en een goede wijn uit de eigen wijngaard, na een maaltijd die om begrijpelijke redenen in bedrukte stemming was verlopen.

'Dat zei hij,' bevestigde Sabinus, 'en ik heb geen reden om aan te nemen dat hij loog. Per slot van rekening werd hij op dat moment half verslonden door een schepsel dat niet de indruk wekte dat het zou stoppen tot de allerlaatste hap.'

'Maar waarom zou Seneca een opstand van de Brigantes willen financieren?'

'Venutius zei niet dat hij de opstand als zodanig had gefinancierd, alleen dat het een lening was geweest van Seneca. Ik kan me niet voorstellen dat onze stoïcijnse vriend Venutius al te uitvoerig heeft gevraagd wat hij met het geld van plan was. Zulke details interesseren hem niet. Het gaat hem alleen om de exorbitante rente die hij rekent. En blijkbaar denkt hij dat hij voor een lening in de provincie een nog hoger percentage kan vragen.'

'Ik weet het. En het lukt hem ook nog, als ik het zo hoor.' Vespasianus nam een slok wijn en dacht een tijdje na. 'Wat heb je met Venutius gedaan?' vroeg hij ten slotte.

'Niets. Ik heb hem achtergelaten bij Blaesus en zijn huisdier. Ik neem aan dat hij zich wel zal gedragen, om niet door het monster te worden verorberd.'

'En verder weet niemand dat hij daar gevangenzit?'

Sabinus schudde zijn hoofd. 'En wil je me nu misschien vertellen waar dit over gaat?'

Vespasianus haalde zijn schouders op en zette zijn kroes op de tafel tussen hen in. 'Het is een gunst aan iemand, zoals ik al zei.'

'Aan wie?'

'Domitilla's toekomstige echtgenoot, Quintus Petillius Cerialis.'

'Cerialis?'

'Nou, feitelijk zijn oudere broer.'

'Caesius Nasica? Was hij niet de man die Venutius heeft verslagen en gevangengenomen met het Negende Legioen Hispana? Als hij hem in handen had, waarom heeft hij hem dan niet in Britannia verhoord, in plaats van hem helemaal naar Rome te sturen? Ze hebben daar toch genoeg harige monsters die hun tanden in een gevangene willen zetten?'

'Ja, vast. Erger nog, zoals wij allebei weten. Maar de nieuwe gouverneur van Britannia had Nasica gevraagd om Venutius zo snel mogelijk uit de provincie weg te krijgen, omdat hij wist dat Cartimandua wel een manier zou vinden om haar ex-echtgenoot te vermoorden, zelfs als hij in veilige bewaring zat. Die vrouw zal nooit opgeven voordat ze haar doel bereikt heeft.'

'Wat maakt het uit of ze hem zou hebben vermoord?'

'Zonder Venutius zou gouverneur Paulinus geen middelen meer hebben om Cartimandua te bedreigen. Als zij zich nu niet gedraagt, kan hij haar vervangen door een even legitieme koning.'

'Hoewel Venutius al een keer in opstand is gekomen en inmiddels een flink stuk uit zijn borstkas mist, zodat hij als koning waarschijnlijk wraak zal nemen door opnieuw te rebelleren?'

'Ja, zelfs dan. Maar zover komt het niet, want Cartimandua durft het er niet op aan te laten komen, uit angst haar machtspositie te verliezen. Je moet wel bedenken dat Britannia op dit moment geen winstgevende provincie is. Het kost ons veel meer om de vrede daar te bewaren dan we aan belastingen binnenkrijgen, en bovendien is de helft van het gebied nog niet eens veroverd. We moeten een groot aantal stammen onder de duim houden, op welke manier dan ook, als we de rest een voor een willen verslaan om er een echte provincie van te maken. Sommige kringen hier vinden al dat we ons beter helemaal uit Britannia kunnen terugtrekken. Dan zou het rijk veel minder geld kwijt zijn. Maar weer zo'n smadelijke aftocht, vijftig jaar na de nederlaag tegen Arminius in het Teutoburger Woud en onze terugtocht uit Germania Magna, zou andere opstandige gebieden maar op ideeën brengen. Daarbij denk ik aan Judaea, maar ook in Pannonia is het vaak onrustig, net als in het noorden van Hispania. Als we over vijftig jaar nog een Romeins Rijk willen overhouden, kunnen we het ons niet veroorloven Britannia te verliezen, hoe onbesuisd de oorspronkelijke invasie ook was.'

'Goed, dat begrijp ik. We houden Venutius veilig hier in Rome als garantie dat de Brigantes geen moeilijkheden zullen maken terwijl Paulinus doorgaat met zijn veroveringen, en Rome niet gedwongen wordt tot een vernederende aftocht met gevaarlijke repercussies. Maar waarom zo geheimzinnig? Het lijkt alsof jij Paulinus en Nasica helpt bij het formuleren van een keizerlijke strategie zonder medeweten van de keizer zelf. En hoewel Nero niet veel belangstelling heeft voor politiek – behalve om zijn schatkist te spekken of zijn ijdelheid te strelen – ben je toch gevaarlijk bezig.'

Vespasianus tikte met zijn wijsvinger tegen de zijkant van zijn neus en boog zich over de tafel. Het flakkerende lamplicht weerkaatste in zijn ogen en wierp grillige schaduwen over zijn gezicht. 'Informatie, Sabinus! Met informatie maak je vrienden, en Paulinus wilde iets weten. Inmiddels hebben we ontdekt waar Venutius' geld vandaan kwam, en dat was ons niet gelukt als hij meteen aan de keizer was uitgeleverd, omdat Seneca dan tussenbeide was gekomen om zijn reputatie te beschermen. Ik kan die informatie nu aan Nasica doorgeven, die op zijn beurt Paulinus op de hoogte kan brengen. Dat geeft Paulinus zoveel macht over Seneca dat hij geen kapitaal aan smeergeld meer hoeft te betalen als hij na Britannia een volgende lucratieve standplaats wil. Ik weet niet hoe iemand op de gedachte kwam dat het geld afkomstig moest zijn van een vertrouweling van de keizer, zoals Seneca, maar Nasica stond erop dat Venutius in het diepste geheim werd opgesloten en verhoord. Ik hielp hem graag, omdat Nasica over een jaartje wel afscheid zal nemen van de Negende Hispana en Paulinus ons heeft beloofd zijn invloed aan te wenden om Cerialis de positie van zijn oudere broer toe te spelen.'

Eindelijk begreep Sabinus het. 'Aha! Dus jij probeerde gewoon je toekomstige schoonzoon de status te geven die je dochter in jouw ogen verdient? Dat valt te prijzen, maar is het niet riskant om buiten de keizer om te gaan?'

'Zolang niemand weet dat Venutius in Rome zit, kan me weinig gebeuren. Zodra we moeder hebben begraven, reis ik met jou naar Rome terug om Venutius van je over te nemen.'

'Wat wil je met hem doen?'

'Iets wat hem niet erg zal bevallen. Ik draag hem over aan Caratacus. Die zal hem graag in een heel kleine cel opsluiten. Venutius is immers de man die hem, samen met zijn ex-vrouw, aan ons heeft verraden. Caratacus zorgt er wel voor dat hij niet kan ontsnappen.'

Sabinus grijnsde even tegen zijn broer. 'Daar kun je wel op rekenen, ja. Geen mens zal hem daar vinden. En als dat achter de rug is, kunnen we bedenken hoe we wraak moeten nemen voor die aanslag op oom Gaius.'

Na alle vermoeienissen van de dag was Vespasianus bijna vergeten dat hun oom verstek had laten gaan. 'Wat is er precies gebeurd?'

'Een van Nero's strooptochten.'

'Heeft hij Gaius te pakken genomen?'

'Gaius zei dat het niet Nero zelf was, maar Terpnus, de lierspeler. Hoewel Nero hem ophitste, terwijl Otho, Tigellanus en een paar anderen Tigrans lijfwacht met messen bedreigden.'

'Heeft Terpnus hem in elkaar geslagen?'

'Ja. En daarna heeft hij over hem heen gepist en hem bewusteloos op straat achtergelaten, met een brandende fakkel in zijn reet gestoken, wat iedereen kennelijk vreselijk grappig vond.'

De broers keken elkaar over de tafel aan en kwamen tot een stilzwijgende afspraak voordat ze hun bekers grepen en in één teug leegden.

'We regelen het wel via Tigran,' verklaarde Vespasianus, terwijl hij met de rug van zijn hand over zijn lippen veegde. 'Na die vernedering voor zijn mannen zal hij er graag voor zorgen dat Terpnus nooit meer lier kan spelen.'

HOOFDSTUK II

Een klamme nevel golfde rond de voordeur toen Vespasianus en Sabinus de volgende morgen in alle vroegte naar buiten stapten. In zijn hand hield Sabinus het uit was vervaardigde dodenmasker van hun vader, die zeven jaar eerder was gestorven, ver naar het noorden, in het land van de Helvetii. Vespasianus nam het pasgemaakte masker voor Vespasia mee. Achter hen kwam de rest van de familie, met de dodenmaskers van hun voorouders, en ten slotte het lichaam, op een baar, gedragen door de vrijgelatenen. Huisslaven, voor binnen en buiten, sloten de rij. Voor zover ze te vertrouwen waren, mochten ze zich vrij bewegen. De landarbeiders, die een ellendig leven leidden, bleven met kettingen geboeid, onder toezicht van hun opzichters en onder bedreiging met een zweep.

Kraaien krasten in de bomen, waarvan de hoogste takken nauwelijks zichtbaar waren in de mist. Het scheen Vespasianus toe dat dit sombere, grijze weer hun door de goden was gezonden met het oog op de begrafenis.

Met kalme waardigheid schreed de stoet rond het huis, langs een paardenwei waar vijf renpaarden, Vespasianus' Arabische schimmels, stonden te grazen op het bedauwde gras. Ten slotte bereikten ze de brandstapel en Vespasia's nieuwe tombe, naast het graf van haar echtgenoot, wiens as ze ooit had meegebracht bij haar terugkeer uit Aquae Cutillae, kort na zijn dood.

Het landgoed van de Flavii lag tussen de westelijke uitlopers van de Apennijnen. Toen de zon achter de toppen van de bergen tevoorschijn kwam en zich door de nevel boorde, werd de baar op de brandstapel geplaatst. Pallo bracht een dikke zeug, met kleurige linten rond haar nek, naar de twee broers die bij de brandstapel stonden, met de plooi van hun toga over hun hoofd getrokken uit eerbied voor de goden die moesten worden aangesproken. Pallo's zoon, Hylas, volgde zijn vader met een blad waarop alle benodigdheden voor het offer waren geplaatst.

Sabinus stak zijn handen uit, met de handpalmen naar boven en zijn blik naar de grond gericht. Met een stem die gedempt werd door de mist, sprak hij het oude, rituele gebed tot Ceres, de godin van de landbouw, die bij begrafenissen altijd werd aangeroepen.

De zeug bleef rustig tijdens de gebeden en reageerde nauwelijks toen Sabinus een zoute koek van het blad pakte, die over de kop van het dier verkruimelde en daar water overheen goot. Ze staarde Sabinus met haar donkere ogen uitdrukkingsloos aan toen hij op haar toe kwam met het offermes in zijn rechterhand. Ze deed geen enkele poging tot ontsnappen toen hij met zijn linkerhand haar snuit optilde. Pas op het moment dat het mes haar keel raakte besefte ze het gevaar, maar toen was het te laat en gutste het bloed al uit de gapende wond, met krachtige stoten in het ritme van haar hartslag. Haar krachten verlieten haar met het wegstromende bloed, en binnen enkele seconden zakte de zeug door haar voorpoten en sloeg haar snuit tegen de met bloed besmeurde aarde. De achterpoten wankelden, bezweken onder hun last en zakten in. Het stervende dier rolde op haar zij, terwijl de poten nog zwakjes naschokten.

Op een teken van zijn broer nam Vespasianus een brandende fakkel van een van de vrijgelatenen over en stak die tussen het met olie verzadigde hout. In het hart van de stapel lag het aanmaakhout, dat snel vlam vatte. Het vuur laaide op en de hitte deed ook de dikkere takken langs de rand ontbranden. Ze begonnen te smeulen, vatten vlam, en zwarte slierten rook stegen naar de hemel. Met tranen in zijn ogen keek Vespasianus de rook na. Zo vervlogen en verwaaiden de stoffelijke resten van zijn moeder in de wind. De constante factor in zijn leven en dat van zijn broer, de vrouw die hun bestaan zo sterk had bepaald met haar ambities voor de familie, was niet meer. Sabinus en hij zouden de familie nu verder moeten helpen, en hij bad vurig dat ze tegen die taak opgewassen zouden zijn. Hij boog zijn hoofd, een traan viel op de grond en hij voelde de verantwoordelijkheid voor het huis Flavius op de schouders van deze nieuwe generatie drukken.

De zeug was inmiddels op haar rug gelegd, en Sabinus maakte een paar incisies in de buik. De eerste vlammen likten al aan Vespasia, en haar kleren en haren begonnen te knetteren en te roken. Terwijl Sabinus bezig was het hart uit het dier te snijden, vloog Vespasia's lichaam in brand en begon de huid te verkolen en om te krullen. Met een gebed aan Ceres of ze het offer wilde aanvaarden gooide Sabinus het hart op de brandstapel, naast het lichaam, dat nu sissend en spetterend door het vuur werd verzwolgen. Na nog een paar sneden met het vlijmscherpe mes kwam ook de diepbruine lever uit de borstholte tevoorschijn, druipend van het bloed. Sabinus inspecteerde het orgaan en vond het perfect. Hij liet het aan de anderen zien zodat zij getuige waren voordat hij het op de brandstapel gooide, bij het hart, dat nu zo fel brandde dat het smeltende lijk niet meer te zien was. Het enige spoor van Vespasia was de stank van haar geroosterde, verbrande vlees. De nabestaanden deinsden een stap terug voor de verzengende hitte.

Nu het offer was gebracht en de godin verzoend, begon Hylas het varken te slachten. Sabinus bewaarde een klein deel voor de dode, maar het meeste ging naar de levenden. Nadat het vlees was verdeeld en Vespasia's aandeel in het vuur verdwenen, verbrandde haar lichaam tot as en vertrok de familie met hun deel van het offer, goed voor een stevige maaltijd voor iedereen, later die dag, als ze van de jacht terugkwamen.

Vespasianus dreef zijn paard naar de top van de heuvel en hield daar halt. Het dier snoof, dampend uit zijn gespreide neusgaten, en maakte een paar hoge stappen voordat het stilstond. Vespasianus liet de teugels vieren en tuurde over de vallei met zijn grazige weiden, omzoomd door een bos aan de rechterkant en een met struiken begroeide heuvel aan de overkant van de open plek.

'De laatste keer dat wij hier samen waren,' zei Sabinus, die naast hem bleef staan, 'moest ik je nog redden van een muilezeldief die je wilde wurgen, stom joch.'

Vespasianus lachte om die gebruikelijke benaming uit zijn jeugd en dacht terug aan die tijd. Met de hulp van Pallo en zes vrijgelatenen van hun vader hadden de broers een bende weggelopen slaven, die de muilezels van het landgoed roofden, in een hinderlaag gelokt en gedood. Het was de dag nadat Sabinus was teruggekeerd van de vier jaar die hij als militaire tribuun bij de Negende Hispana in Pannonia en Afrika had doorgebracht. Het incident was een keerpunt geweest in de relatie tussen de twee broers. Ze hadden altijd ruziegemaakt, maar vanaf dat ogenblik genoten ze elkaars respect. Het was ook de dag geweest nadat Vespasianus zijn ouders had horen spreken over de voorspelling tijdens zijn naamdag.

Het was al lang geleden, maar Vespasianus herinnerde het zich nog goed, omdat hij voor het eerst van zijn leven de dood in de ogen had gezien. Als zijn broer hem niet te hulp was gekomen, zou hij het niet hebben overleefd. 'En daar is de plaats waar je die jongen hebt gekruisigd,' zei hij, wijzend naar een hoek van de weide, rechts van het bos, waar ze zich hadden verscholen in afwachting van de bende. Vlakbij hadden ze een paar muilezels gezet, als lokaas voor de dieven.

'Waar *wíj* die jongen hebben gekruisigd,' verbeterde Sabinus hem, terwijl Titus en Magnus zich bij hen aansloten. 'We waren er allemaal bij, hoewel ik me herinner dat jij het geldverspilling vond om een bruikbare slaaf aan het kruis te nagelen.'

Nooit was Vespasianus de doodsangst op het gezicht van de jongen vergeten, en zijn onmenselijke gejammer toen de spijkers in het hout werden geslagen. Het was de eerste keer dat hij zo'n executie had meegemaakt, en hoewel de slaaf zijn lot verdiende, had Vespasianus met hem te doen gehad en een goed woordje voor de jongen gedaan, omdat ze ongeveer even oud waren. Maar Sabinus had zich niet laten vermurwen en ze hadden de muilezeldief krijsend aan het kruis achtergelaten, met de lijken van zijn kameraden en de ezels aan zijn voeten. De kreten van het slachtoffer hadden hem nog een deel van de weg achtervolgd, totdat ze opeens verstomden, waarschijnlijk omdat de jongen uit zijn lijden was verlost door vrienden die hem hadden gevonden.

'Ik laat Castor en Pollux los,' zei Magnus, terwijl hij afsteeg en de hondenriemen overnam van twee slaven te paard. De jachthonden waren groot, glad en zwart, met brede schouders, een bijna vierkante kop en dikke, druipende lippen die de geduchte gele tanden nauwelijks aan het zicht onttrokken.

'Je hebt niks aan ze. Gisteren ook al niet,' verklaarde Domitianus stellig, terwijl hij vanaf zijn kleine pony, nauwelijks groter dan de honden, op Castor en Pollux neerkeek.

Magnus negeerde hem, wreef de twee honden over hun flanken en prees hun schoonheid. De honden reageerden kwispelstaartend, met een lik van hun slijmerige tong, duidelijk dol op hun baasje. Magnus kroelde ze nog eens achter de oren, maakte hun riemen los, gaf ze allebei een klap op hun kont en stuurde ze naar het bos, de heuvel op, om hun werk te doen: jagen. De jagers zetten hun paarden aan en galoppeerden de honden achterna. Magnus was weer opgestegen en vormde de achterhoede, samen met Domitianus.

Vespasianus, geflankeerd door Titus en Sabinus, klemde zijn dijen om de flanken van zijn paard, voelde de soepele bewegingen van het dier en genoot van de wind op zijn gezicht. In gedachten was hij nog bij de begrafenis van zijn moeder, terwijl haar as afkoelde om te worden verzameld. Zijn boog en essenhouten jachtspeer rammelden in hun kokers aan de achterkant van het zadel, terwijl zijn mantel achter hem aan wapperde, rukkend aan zijn hals. Even later verdwenen de twee jachthonden het bos in, op korte afstand gevolgd door de twee slaven te paard. Vespasianus reed achter hen aan. De mist die aan de takken kleefde viel in druppels op hem neer toen hij zijn paard inhield en overging in draf, om het dier niet te laten struikelen over de boomwortels. Voor zich uit hoorde hij het zware geblaf van Castor en Pollux, hoewel de honden inmiddels uit het zicht waren verdwenen. Het struikgewas was niet al te dicht, en de grond bedekt met een tapijt van gevallen bladeren, dus durfde hij een redelijk tempo aan te houden. De geluiden van de honden wezen hem de weg, over de heuvel, steeds dieper het bos in. Titus, die naast hem reed, slaakte een enthousiaste kreet. Verderop konden ze nog net de paarden met de slaven onderscheiden, zo'n vijftig passen voor hen uit. Behendig zigzagden de mannen tussen de bomen door, zo dicht mogelijk achter de honden aan. Toen hij een blik over zijn schouder wierp, zag Vespasianus dat Magnus en Domitianus, die moeite had hen bij te houden op zijn kleine pony, nu ook de bosrand hadden bereikt. Vespasianus' paard koos zijn eigen kronkelende pad door het woud, met zo nu en dan een aanwijzing van Vespasianus om de jachthonden te volgen. Opeens hoorden ze iemand schreeuwen, voor hen uit, gevolgd door een kreet van angst. Vespasianus zag dat de slaven van koers veranderden en de heuvel af stormden, terwijl het geblaf van Castor en Pollux steeds luider werd, afgewisseld met een dreigend gegrom vanuit hun keel.

Vespasianus gaf een ruk aan zijn linkerteugel om de slaven de heuvel af te volgen. Haastig dook hij onder de overhangende takken door, zich bewust van een vage dreiging. Titus en Sabinus bleven in zijn buurt, net als hij over de nek van hun paard gebogen.

Een rochelend gegrom, diep vanuit de keel, vergezeld van een menselijke kreet van pijn en het geblaf van vechtende honden, was voor Vespasianus reden om alle voorzichtigheid te laten varen. Hij spoorde zijn paard aan, op hetzelfde moment dat er iets aan hem voorbij suisde. Hij stormde het bos door. Takken zwiepten langs zijn hoofd, terwijl het snauwen en grommen van de honden steeds luider werd. De slaven waren al van hun paard gesprongen. Tenminste, dat veronderstelde hij toen hij de dieren er zonder ruiters vandoor zag gaan. Ten slotte bereikte hij een kleine open plek, waar hij een paar zwartharige schimmen woest om elkaar heen zag kronkelen, boven op iets wat op het eerste gezicht een rode matras leek, maar bij nader inzien het bebloede lichaam van een gruwelijk verminkte man moest zijn. De glans op de vacht van de honden was zijn bloed. Vlak bij de slachtpartij zat een van de slaven over zijn metgezel gebogen, die op zijn rug lag met twee pijlen in zijn lijf, de ene in zijn schouder, de andere in zijn buik. Toen Vespasianus van zijn paard sprong en naar hen toe rende, ging er een heftige rilling door de geknielde slaaf. Opeens verstijfde hij en sperde zijn ogen open. Hij liet de hand van zijn makker los en zakte opzij, eerst nog langzaam, maar steeds sneller, totdat hij op zijn zij lag. Er had zich een pijl in zijn slaap geboord. Op hetzelfde ogenblik floot er weer iets vlak langs Vespasianus' hoofd.

'Vader! Links!' brulde Titus.

Vespasianus keek in de aangegeven richting en ving een glimp op van een paar gedaanten, gekleed in de kleuren van het woud, die er snel vandoor gingen met pijl en boog in de hand. Behendig sprongen ze over alle obstakels en ontweken de bomen op hun pad. 'Erachteraan, Titus!' schreeuwde Vespasianus en hij stormde op de honden af, in de hoop dat er nog enig leven school in het slachtoffer, genoeg om mogelijk een paar vragen te beantwoorden. Maar het was moeilijk uit te maken en hij durfde zich niet tussen Castor, Pollux en hun prooi te werpen. De honden waren niet van zins te wijken. Een van de dieren – Vespasianus zag zo snel niet wie, omdat ze onder het bloed zaten – had een pijl in zijn linkerachterpoot.

'Laat mij maar!' riep Magnus, die van zijn paard sprong en twee vingers aan zijn mond zette terwijl Sabinus door de struiken stormde, achter Titus aan. Een schel, tweetonig fluitje sneed door het bos. De honden reageerden onmiddellijk. Ze staakten hun gegrom en trokken hun met bloed besmeurde tanden uit het verse vlees van hun slachtoffer, dat tot ergernis van Vespasianus morsdood moest zijn. De beesten draaiden hun kop om naar hun baas, en de hond met de pijl in zijn poot begon meteen te janken. 'Wat hebben ze met je gedaan, Castor, arme jongen?' zei Magnus. Hij knielde bij de hond neer en nam de kop van de gewonde hond in beide handen. Toen wierp hij een blik op het verminkte lichaam van de dode man en spuwde hem in het opengereten gezicht. 'Wie je ook bent, het was je verdiende loon, klootzak! Had je maar niet op mijn hond moeten schieten.'

Magnus legde Castor voorzichtig neer, inspecteerde de wond en trok voorzichtig aan de schacht. De hond jankte, maar had niet de neiging naar zijn baas te happen omdat hij de pijn nog erger maakte. Opgelucht sloeg Magnus zijn armen om de hond heen en kuste de brede schouders, terwijl hij wat harder aan de schacht trok. 'Het komt wel goed, Castor. De pijl zit onder een hoek en heeft het bot niet geraakt.' Castor piepte, kort en schril, en verstijfde. Hij draaide zijn kop naar Magnus toe, sperde zijn kaken open en deed een uitval. Maar Magnus had de pijl al losgerukt en hield hem omhoog. De hond beheerste zich. Blijkbaar besefte hij dat zijn baas hem niet moedwillig pijn had gedaan, maar hem juist een dienst had bewezen. In plaats van te bijten likte hij Magnus' gezicht, voordat hij zijn tong naar de open wond bracht. 'Brave hond,' zei Magnus, op een toon alsof hij het tegen een dierbare slaaf of een klein kind had.

Vespasianus, die naar Magnus en de honden had staan kijken, draaide zich om toen hij achter zich iemand hoorde kreunen. Opeens herinnerde hij zich dat een van de slaven nog leefde. De man lag op zijn rug, starend naar de hemel, met zijn handen om de twee pijlen in zijn lichaam geklemd. Zijn ademhaling ging moeizaam en onregelmatig.

'Wat is er gebeurd?' vroeg Vespasianus toen hij bij de jager neerknielde.

De slaaf keek zijn heer met angstige ogen aan. 'De honden kregen hun geur te pakken, heer. Ze waren met hun vieren, bezig een wild zwijn te slachten. Zodra ze ons hoorden, gingen ze ervandoor. Drie wisten te ontkomen.' Hij knikte naar het lichaam van de verminkte man. 'Hij was de vierde. Toen de honden hem naar de grond sleurden, gingen Gallos en ik achter de andere drie aan, maar...' Hij keek wanhopig naar de twee schachten die uit zijn lichaam staken.

Vespasianus gaf de slaaf een kneepje in zijn arm. 'Blijf stilliggen. Misschien kunnen we je nog redden als we snel terug zijn en je niet te veel bloed verloren hebt.'

De slaaf knikte, met een aarzelend lachje, zich blijkbaar bewust van de grote afstand.

Opeens besefte Vespasianus dat er nog iemand ontbrak. 'Magnus! Waar is Domitianus?'

Magnus stond op en keek om zich heen. 'Ik zou het niet weten. De laatste keer dat ik hem zag was toen de honden zo tekeergingen en hij achter me reed.'

Vespasianus keek in de richting waaruit ze gekomen waren, maar zijn jongste zoon en de pony waren nergens te bekennen. Opgelucht hoorde hij hoefgetrappel vanaf de heuvel rechts, maar dat bleek Sabinus te zijn, die haastig terugkeerde. Alleen.

'Waar zijn de jongens?' vroeg Vespasianus.

Sabinus hield zo krachtig zijn paard in, dat het half weggleed. 'Met Titus is alles in orde. Zijn paard is onder hem vandaan geschoten, maar niet voordat hij eerst een van die stropers had neergehaald. Hij is bij de klootzak achtergebleven. Kom snel, want we zitten met een lastige situatie.'

'Verdomme!' vloekte Vespasianus toen hij Sabinus' verhaal had aangehoord. Hij bleef staan aan de oostkant van het bos en tuurde de helling af naar de open plek die de grens vormde van hun landgoed.

'Zie je?' zei Sabinus, die naast hem afsteeg.

'De klootzakken!' gromde Magnus, die Pollux aan de riem had en hem met kracht moest tegenhouden. Castor stond wiebelend op drie poten naast hem, rilde een beetje en deed geen enkele poging zijn baas mee te trekken, de heuvel af.

'Wat doen we, vader?' vroeg Titus. Met zijn linkerhand hield hij de knielende man voor hem bij het haar, met zijn rechter drukte hij hem een mes tegen de keel.

'Laten we niets overhaasten. Hou deze gevangene hier, levend en wel, zodat de anderen hem kunnen zien.' Vespasianus keek naar de twee mannen, honderd passen bij hen vandaan. Een van hen had een boog op hen gericht, de andere hield grijnzend een kleine, kronkelende gestalte bij de keel. Domitianus' kreten van angst en protest weerkaatsten door de vallei. Zijn dode pony lag halverwege de heuvel, niet ver van Titus' paard.

'Geef ons één goede reden waarom we de jongen niet aan repen zouden snijden!' riep de man die Domitianus in bedwang hield.

Vespasianus deed een stap naar voren en spreidde zijn handen om te laten zien dat hij ongewapend was. 'Dan zou het slecht aflopen met jullie vriend hier.'

'En als hij onze vriend niet is? Als we eigenlijk de pest aan hem hebben?'

'En als wij niet zo dol zijn op de jongen? Als het verlies van een slaaf op het landgoed ons niet zoveel kan schelen – een slaaf die op het landgoed is geboren en ons dus niets heeft gekost?'

'Een slaaf? Als dit een slaaf is, geef je je slaven te dure kleren! Hij draagt een tuniek van mooi geweven stof.'

'Ik zorg dat mijn jongens er goed bij lopen. Goed, ik stel voor dat we onze gevangenen ruilen, dan kunnen we naar huis.'

'Ik ben geen slaaf!' krijste Domitianus, schel en verontwaardigd. 'Zeg dat ze me laten gaan, vader, en sla ze dan aan het kruis!'

'Wat hoor ik daar? Vader?' zei de man smalend, terwijl hij de jongen van de grond tilde en zijn gezicht eens goed bekeek. 'Kijk eens aan. Ik geloof dat we de hoofdprijs hebben, Tralles.'

'Ik denk dat je gelijk hebt, Cadmus,' beaamde zijn makker met de pijl en boog. 'Of ik moet me wel erg vergissen.'

'Dat brengt ons in een interessante positie. Ik vraag me af wat de dure heren aan de overkant daarvan vinden.'

Vespasianus deed nog een paar stappen naar voren. 'Waar komen jullie vandaan en wat willen jullie?'

'Ik geloof niet dat jullie in een positie zijn om vragen te stellen,' merkte Cadmus op, terwijl hij Domitianus weer neerzette. 'Maar nu je het vraagt... Om te beginnen willen we onze makker terug, en daarna overleggen we wel hoeveel jullie willen betalen voor dit ventje hier.'

'Als je denkt dat ik zo stom ben, dan staan we hier nog wel even. Ik zal je zeggen waar ik toe bereid ben. Jullie laten mijn zoon gaan, en ik zal jullie kameraad vrijlaten.'

'En wat winnen wij daarmee?'

'Jullie leven. Als je mijn zoon ook maar één haar krenkt, hebben jullie geen honderd tellen meer te leven. Nee, ik zeg het verkeerd. Binnen honderd tellen hebben we jullie te pakken, en daarna begint het sterven. Ik denk dat jullie daar vijf uur over zullen doen, maar het kan ook langer duren.'

Cadmus lachte, maar het was een holle lach, zonder vreugde. 'Jullie krijgen ons nooit in handen. Als we eenmaal aan de overkant van die open plek zijn, de heuvel op, halen jullie ons niet meer in.'

'Als je die open plek bent overgestoken, ja. Maar lukt je dat zonder door de honden te worden gegrepen? Als ik me niet vergis, zijn jullie te voet. Nee, dat halen jullie niet – met als prijs een paar bijzonder onaangename laatste uren.'

Cadmus keek zijn metgezel aan, die aarzelde met zijn boog, alsof hij niet wist op wie hij die moest richten.

Vespasianus zette door, gebruikmakend van hun onzekerheid. 'Ik leg het jullie nog één keer uit. Als de jongen iets gebeurt, zijn jullie er geweest. Laat hem vrij en één van jullie zal het overleven, terwijl de ander een snelle dood sterft.'

De twee stropers staarden hem fronsend aan, alsof ze het niet goed hadden verstaan.

'Precies,' zei Vespasianus. 'Mijn voorwaarden zijn zojuist wat strenger geworden. Omdat jullie niet bereid zijn tot een verstandig besluit, zal één van jullie nu het leven verliezen: de traagste van jullie tweeën.' Hij wees naar Pollux, die nog steeds aan zijn riem rukte. 'Weet je wat? Ik maak het jullie nog makkelijker. Titus, breng onze vriend maar hier.'

Titus bracht de gevangene naar zijn vader toe, die zonder aarzelen zijn mes uit de schede trok, het hoofd van de man aan zijn haar achterover rukte, zijn keel doorsneed en hem toen overeind sleurde, zodat zijn vrienden het bloed uit de wond zagen spuiten. 'Hij heeft geluk gehad,' riep Vespasianus, 'want dat was een zachte dood!'

Dat was te veel voor de stropers, die zich schielijk omdraaiden en ervandoor gingen. Ze lieten Domitianus op zijn kont vallen en vuurden nog in het wilde weg een pijl af, die zich tien passen voor Vespasianus in de grond boorde.

Magnus liet Pollux' riem los, en de hond stormde de heuvel af, steeds sneller, en luid blaffend, terwijl Vespasianus, Sabinus en Titus de teugels van hun paarden grepen, zich in één en dezelfde beweging in het zadel slingerden en achter de boeven aan gingen. Magnus rende hen achterna.

Eén blik op de woedende jachthond die hun op de hielen zat was voor Cadmus en Tralles voldoende om elkaar naar de strot te vliegen, in een poging de ander achter te laten. Met Vespasianus, Sabinus en Titus in zijn spoor rende Pollux langs Domitianus heen, die de bandieten op hoge toon allerlei bedreigingen achterna schreeuwde. De hond had hen al bijna ingehaald, zo'n twintig passen van de open plek.

Met een achterwaartse klap wist Tralles met zijn boog de brug van Cadmus' neus te raken, zodat de man met een schreeuw van angst tegen de grond ging, waar hij een paar seconden later kennismaakte met Pollux' kaken.

Of de hond nu instinctief aanvoelde hoeveel angstige momenten Cadmus zijn baas en de anderen had bezorgd, of dat zijn hondenbrein wraak zocht voor de verwonding die zijn metgezel was toegebracht, of omdat de jacht zelf zijn bloed deed koken, in elk geval was het dier de razernij nabij toen het Cadmus aanviel. Zelfs in het Circus had Vespasianus nog nooit zoveel agressie gezien als het geweld van vlijmscherpe tanden en klauwen waarmee de stroper werd toegetakeld en verminkt. Het woedende gehuil uit de keel van de hond ging over in het even luide en heftige gejammer van zijn slachtoffer, in een macabere harmonie, zodat er geen verschil meer viel te horen tussen mens en dier.

Vespasianus reed de heuvel af. 'Bekommer jij je om je broertje, Titus!' riep hij toen hij zijn jongste zoon passeerde, die stond te juichen en te klappen bij de aanblik van het bloedbad dat de hond bezig was aan te richten in een wilde, woeste dans van jager en prooi. 'Magnus! Roep Pollux terug.'

Onder het lopen liet Magnus zijn tweetonige fluitje horen, maar tevergeefs, omdat het geluid werd overstemd door de razernij waarmee de hond zijn slachtoffer verscheurde. Het was Sabinus die het tafereel het eerst bereikte en van zijn paard sprong, maar Pollux liet zijn aandacht niet langer dan een seconde verslappen. Heel even wendde hij grommend zijn kop naar Sabinus – een duidelijke waarschuwing om niet tussenbeide te komen. Sabinus was wel wijzer, net als Vespasianus, die even later arriveerde. Het leek de broers verstandiger om op Magnus te wachten. Ze konden weinig anders doen dan toekijken hoe het beest met een voldaan gegrom, diep vanuit zijn keel, de onderarm van de kermende Cadmus vermorzelde toen hij die voor zijn gezicht hield om te beschermen wat daar nog van over was.

'Af, Pollux! Af!' schreeuwde Magnus toen hij hijgend de heuvel af kwam. Weer liet hij een schril fluitje horen, dat eindelijk leek door te dringen tot de hond, die zijn slachtpartij staakte. 'Wegwezen, ongehoorzaam beest.' Magnus greep Pollux bij zijn halsband en trok hem van de zwaar toegetakelde Cadmus af, die afgezien van zijn laarzen nu bijna naakt was. Zijn kleren waren aan bloederige rafels gescheurd en zijn huid hing in bloedende lappen om hem heen. Het mocht een wonder heten dat hij nog leefde. Met zijn ene nog werkende oog staarde hij vol ontzetting naar de druipende kaken van Pollux, die op zijn donder kreeg alsof hij een jong hondje was dat over de schoenen van zijn baasje had gepist.

'De volgende keer doe je wat je gezegd wordt. Foei!' wees Magnus hem terecht. Hij gaf zijn hond een tik op de neus, waarop Pollux begon te janken, zijn kop liet hangen en met droevige ogen zijn baasje aanstaarde.

Sabinus keek Tralles na, die haastig de heuvel had beklommen en bijna uit het zicht verdwenen was. 'Zou Pollux hem nog kunnen inhalen, Magnus?'

'Doe maar niet,' zei Vespasianus, nog voordat Magnus antwoord had kunnen geven. 'Ik heb ze mijn woord gegeven dat een van hen veilig zou kunnen wegkomen.'

'Jij je zin,' bromde Sabinus. 'Het was jouw zoon die gevaar liep.'

Vespasianus knielde bij Cadmus neer en vroeg luchtig: 'Wat deed je eigenlijk op mijn landgoed, Cadmus?'

Hoewel hij duidelijk helse pijnen leed, wist de man nog een smalende uitdrukking op zijn verminkte gezicht te toveren.

Vespasianus zuchtte geërgerd, stak een vinger in een wond op Cadmus' wang en scheurde die verder open. 'Weet je nog wat ik zei? Dat je een paar pijnlijke laatste uren zou hebben? Dit is een voorproefje. Dus vraag ik je nog eens wat je te zoeken had op mijn terrein.'

'We kwamen jagen,' beet Cadmus hem toe.

'Dat is een dure en rampzalige onderneming geworden.'

'Voor jullie ook.'

'Dacht het niet.'

'O, jawel. Wacht maar tot de Mankepoot hier terugkomt en ervan hoort. Dan neemt hij wraak. En de Mankepoot is een heel geduldig mens. Hij vindt het niet erg als het lang duurt, want zo snel is hij zelf ook niet. Hij maakt geen haast, hij heeft alle tijd.'

'Jij niet,' merkte Vespasianus op, terwijl Titus kwam aanrijden met Domitianus.

De jongen stormde meteen op hen af, niet naar de man die hem gevangen had gehouden, maar naar Vespasianus. Hij sprong zijn vader op de rug en begon hem tegen zijn hoofd en zijn schouders te slaan. 'Hij had me wel kunnen vermoorden! Je hebt niet eens aangeboden om mijn leven te kopen!'

Titus sleurde hem van Vespasianus af, maar Domitianus ging door met schelden en probeerde zijn vader in het gezicht te krabben.

Vespasianus richtte zich op, draaide zich om en gaf de jongen een paar draaien om zijn oren totdat hij kalmeerde. 'Hoor eens, zoon, het werd pas echt gevaarlijk door jouw domme trots. Ondanks je kleren had ik ze nog kunnen wijsmaken dat je een gewone slaaf was, maar dat kon jij niet verkroppen, is het wel? Nee, je móést ze laten weten hoe belangrijk je was, en daarmee zette je alles op het spel. Als jij niets had gezegd, was het uitgelopen op een simpele gevangenenruil, maar je kon je mond niet houden. Je kon niet verder kijken dan je neus lang was. Niemand, zelfs geen mensen die er niet toe doen, mag denken dat jij een slaaf bent. En zo bracht je me in een positie waarin ik ze moest overbluffen. Dat had helemaal verkeerd kunnen aflopen, en jij zou de eerste zijn geweest die ze een kopje kleiner hadden gemaakt, onnozel stuk vreten! Je hebt net zoveel benul van strategie als Magnus' honden, en dan druk ik me nog vriendelijk uit.'

Die preek, en Vespasianus' woedende toon, miste zijn uitwerking niet. Domitianus zweeg geschrokken.

'Ik hoop dat je hier ooit op zult terugkijken als een leerzame ervaring.' Vespasianus richtte zijn aandacht weer op Cadmus. 'Hoewel het me genoegen zou doen, zal ik je een langzame, pijnlijke dood besparen omdat je mijn zoon misschien een nuttig lesje hebt geleerd.'

'Heel genadig van u,' fluisterde Cadmus, die heftige pijnen leed nu de adrenaline van de aanval was uitgewerkt. 'Maar daar zal de Mankepoot geen rekening mee houden. Hij staat niet bekend om zijn medelijden, omdat niemand dat ooit met hém heeft gehad.'

Vespasianus knielde weer bij de man neer en trok zijn mes. 'En als ik hem ooit tegenkom, hoeft hij het ook van mij niet te verwachten.'

'Mag ik het doen, vader?' riep Domitianus, maar Titus hield hem tegen.

Vespasianus draaide zich om naar zijn jongste zoon. 'Jij doet helemaal niets, Domitianus, behalve wat ik je zeg. En voorlopig wil ik je niet meer horen.' Hij zette het mes tegen Cadmus' borst en ramde het door zijn hart.

De laatste verkoolde botresten werden in de urn verzameld, boven op de berg dunne as. Sabinus deed het deksel erop. Met een lont smolt Vespasianus de was, die om de rand van het deksel droop, om de urn te verzegelen. Zodra de was gestold was, zette Sabinus de urn in de geopende tombe en sprak een aantal gebeden voordat ook het graf werd gesloten en Vespasia definitief was heengegaan. De broers konden nu afscheid nemen van hun moeder; ze hadden hun plicht gedaan.

Maar Vespasianus had nog één ding te doen, ter ere van zijn moeder. 'Hormus,' riep hij zijn slaaf, die bij de andere huisslaven stond, 'kom eens hier.'

'Jawel, heer,' antwoordde Hormus, op een toon alsof hij snel nadacht welke fouten hem die dag konden worden verweten.

Toen Hormus naderbij was gekomen haalde Vespasianus een rol perkament tevoorschijn en een lap vilt die uit zijn eigen toga leek gesneden. 'Hormus, je bent nu al veertien jaar mijn slaaf en je hebt me altijd trouw gediend.'

Hormus' ogen vulden zich met tranen toen hij, en alle aanwezigen, vermoedden wat er ging gebeuren.

'Je bent nu boven de dertig en dus kom je in aanmerking voor vrijlating.' Vespasianus gaf Hormus de perkamentrol die zijn vrije status bevestigde, met de vilten hoed, de *piletus*, het fysieke symbool ervan. 'Neem dit aan ter ere van mijn moeder. Ik hoop dat je, ter nagedachtenis van haar, mij wilt blijven dienen als vrijgelatene, met dezelfde trouw als toen je nog een slaaf was.'

Hormus liet zich op een knie vallen en kuste Vespasianus' hand. 'Dat zal ik doen, heer, dat zal ik doen. De goden zijn mijn getuigen.'

Vespasianus streek even met een hand door Hormus' haar en hielp hem toen overeind. 'Je eerste taak als vrijgelatene is toezicht houden op een slaaf als hij mijn koffers pakt voor Rome.'

'Jawel, heer. Met genoegen.'

Vespasianus wees naar de vijf Arabische schimmels die stonden te grazen op het weitje naast het huis – zijn grote trots sinds hij ze vijf jaar geleden als geschenk had gekregen. 'En vraag of Pallo de staljongens opdracht geeft mijn paarden gereed te maken voor de reis.'

'Jawel, heer. Gaan ze terug naar de stal van de Groenen?'

Vespasianus keek eens naar zijn lievelingen. Hij straalde. 'Ja. Ze zijn goed opgeknapt van hun verblijf hier op het platteland. Magnus houdt toezicht op hun terugkeer.'

Hormus boog het hoofd en ging aan de slag.

'Dat was een verrassing,' zei Sabinus toen de rest van de huishouding weer naar binnen verdween.

'Hij verdiende het, en ik vond dit wel de geschikte tijd en plaats.'

'Ja. Zeker een geschikte plaats,' zei Sabinus, met een blik over hun landerijen. 'Ik weet niet wanneer ik weer in de gelegenheid zal zijn om terug te komen, met al mijn plichten in Rome en mijn landgoed bij Falacrina.'

'Ik zal zelf zo vaak mogelijk terugkomen om erop toe te zien dat er gebeden wordt bij het graf. En ik neem aan dat oom Gaius hier ook een bezoek wil brengen zodra het kan, om eer te bewijzen aan zijn zuster.'

'Wanneer er gerechtigheid is geschied.'

'Inderdaad, Sabinus. Wanneer er gerechtigheid is geschied. We hebben de komende dagen nog veel te doen.'

DEEL II

ROME EN BAIAE,
NOVEMBER 58 – MAART 59 N.C.

HOOFDSTUK III

'Beste jongens, die blauwe plekken, daar kom ik wel overheen, en over de schaafwonden en de splinters in mijn... je weet wel. Een van mijn jongens heeft geprobeerd ze er allemaal uit te halen, maar ik geloof dat hij er een gemist heeft.' Gaius nam nog een honingkoekje om zichzelf te troosten, stak de helft in zijn mond en schoof even met zijn omvangrijke achterste over de dikke kussens in zijn rieten stoel. Hij maakte een grimas van pijn. 'Maar waar ik niet overheen kom is de vernedering! Ze hebben me bewusteloos op straat laten liggen met een fakkel in mijn...' Gaius schudde zijn hoofd, niet in staat de zin af te maken. 'Zoals een of andere grappenmaker zei: als een klungelig schaalmodel van de vuurtoren van Pharos, die uit zijn eiland in Alexandria stak.'

Vespasianus en Sabinus leunden wat naar achteren op hun stoelen toen een opmerkelijk knappe, blonde jongen nog een schaal koekjes op tafel zette – versgebakken, zo te ruiken. De tuniek van de slaaf was onbetamelijk kort, vooral toen hij zich bukte.

'Dat was alles, Ludovicus,' zei Gaius, met een waarderende blik op het blote vlees, voordat hij de andere helft van zijn koekje verorberde en weer een kwaad gezicht trok. 'De hele Senaat weet ervan. Nee, de halve stad! Iedereen lacht me uit. Ik heb al gehoord dat mensen me Pharos noemen, achter mijn rug!'

'En u weet heel zeker dat het Terpnus was die u te grazen heeft genomen?' vroeg Vespasianus toen de slaaf was vertrokken om op zijn heer te wachten bij de visvijver in de tuin van Gaius' huis op de Quirinaal.

'Heel zeker. Hij droeg een pruik en had een zakdoek voor zijn gezicht gebonden, maar ik herkende zijn stem. Daar had ik net uren naar geluisterd. Nero droeg een blonde pruik met krullen en het toneelmasker van een slaaf in een komedie, maar hij liep steeds te joelen met zo'n hoog stemmetje, als een gestoorde furie – als furies ook mannelijk kunnen zijn, wat ik betwijfel. Ook alle anderen waren vermomd, de een wat beter dan de ander, maar in zo'n donkere nacht was dat niet eens nodig. Ze verraadden zich door hun stemmen. Ja, het was Terpnus – moge Mars hem verdoemen – die mij zo vreselijk heeft toegetakeld en me die fakkel in mijn...' Omdat hij die gruwelijke vernedering nog steeds niet over zijn lippen kon krijgen, greep Gaius maar weer naar een van de versgebakken koekjes en spoelde het weg met een versterkende wijn. 'Maar het ergste van alles was dat ik daardoor niet bij mijn zuster kon zijn in haar stervensuur. Heeft ze nog naar me gevraagd?'

'Ja, oom,' loog Sabinus. Vespasia had nooit echt kunnen wennen aan de levensstijl van haar broer, hoewel ze zijn status wel erg nuttig vond.

'Magnus en Tigran zijn hier, heer,' kondigde Gaius' huismeester aan, vanuit de deuropening naar het tablinum.

'Stuur ze maar verder, Destrius,' zei Gaius met een mondvol koek. Kruimels sproeiden over de tafel.

Destrius, die een paar jaar ouder was dan de slaaf die hen bediende – aantrekkelijk elegant, maar geen echt mooie man – maakte een buiging en verdween door de katoenen gordijnen die zachtjes wapperden in het late zonlicht.

Even later kwam Magnus binnen, in het gezelschap van een man met een oosters uiterlijk: een geverfde en gestileerde baard, een broek en een geborduurde tuniek tot op de knie, met een losse riem, beslagen met zilveren munten, waaraan een kromme dolk hing in een schede van ivoor en zilver. Hij droeg sandalen van zacht kalfsleer en een muts van hetzelfde materiaal, die tot over zijn oren viel. Te oordelen naar de kostbare ringen aan zijn vingers was het Tigran goed gegaan sinds hij zeven jaar geleden de positie van *patronus*, leider van de Zuid-Quirinale Kruispuntbroederschap, van Magnus had overgenomen.

'De paarden staan weer bij de Groenen,' viel Magnus met de deur in huis. In zijn enthousiasme vergat hij zijn manieren, zo blij was hij dat zijn favoriete span na een verfrissend verblijf in de provincie weer in het Circus Maximus zou uitkomen voor de ploeg van zijn dierbare Groenen.

'Daar hebben we het nog wel over,' zei Vespasianus met een knikje naar zijn oom – de werkelijke reden waarom hij was ontboden.

'O! Ja, natuurlijk. Ik begrijp het.'

'Magnus! Blij je te zien,' baste Gaius, zonder op te staan.

'Insgelijks, heer,' antwoordde Magnus, een beetje beschaamd over zijn ongepaste enthousiasme.

'En Tigran, natuurlijk. Bedankt dat jullie gekomen zijn.'

Tigran legde zijn rechterhand over zijn hart. 'Ik sta altijd klaar voor mijn beschermheer.' Hij knikte naar de gebroeders Flavius. 'Senator Vespasianus, prefect Sabinus.'

'Ga zitten, heren, en neem een koekje.' Gaius wenkte de slaaf. 'Wijn voor mijn gasten, Ludovicus.'

'Ja, zo heb ik het ook van Sextus gehoord,' zei Tigran nadat Gaius het hele verhaal had verteld, blozend bij de meest smadelijke passages. 'En ik zou uw vernedering graag willen wreken, senator Pollo – en de schandalige manier waarop mijn broeders met messen zijn bedreigd, zodat ze u niet te hulp konden snellen. Het probleem is dat we Terpnus niet kunnen aanpakken zonder het risico Nero voor het hoofd te stoten.'

'Stoot hem dan maar voor het hoofd,' vond Magnus. 'Letterlijk en permanent, als je begrijpt wat ik bedoel.'

'Dat is zelfmoord,' zei Sabinus. 'Nero wordt goed beschermd. Om te beginnen is hij altijd in het gezelschap van Tigellinus, Otho en een half dozijn anderen, en dan heb je nog een eenheid van de vigiles die zijn hofhouding overal volgt, klaar om in te grijpen als er maar iemand vals naar hem kijkt, om nog maar te zwijgen over de centurie van de stadscohort die ik voor hem achter de hand moet houden. Nee, je zou onmiddellijk worden gedood als je hem wilde aanvallen.'

'En stel dat je hem zou doden en het er levend van af zou brengen. Dan nog...' zei Gaius, zwaaiend met een opgestoken wijsvinger. 'Er zijn heel wat mensen die hem dood wensen, maar je zou weinig dankbaarheid hoeven te verwachten van zijn opvolger. Vergeet niet hoe Claudius de moordenaars van Caligula heeft behandeld.'

'Voor zover ze waren opgepakt,' merkte Vespasianus op, met een veelbetekenende blik naar zijn broer, de enige samenzweerder wiens rol in de moord op Caligula nooit was ontdekt, geheimgehouden door Narcissus en Pallas in ruil voor de hulp van de gebroeders Flavius bij het veiligstellen van Claudius' positie.

'Zo is het, beste jongen. Wie er ook van Nero's dood profiteert, hij zal zijn moordenaars executeren, omdat het geen goed voorbeeld is voor het volk om de moordenaars van een keizer vrijuit te laten gaan. Een heel slecht voorbeeld, zelfs. De enige die ongestraft een keizer kan vermoorden is de man die hem zelf opvolgt.'

'Ik begrijp wat u bedoelt,' mompelde Magnus vanachter zijn wijnbeker.

'De vraag is dus hoe we Terpnus bij Nero vandaan kunnen lokken,' zei Tigran, terwijl hij zijn vingers over zijn baard liet glijden.

'Hij verlaat maar zelden de Palatijn, behalve in het gezelschap van Nero,' zei Sabinus. 'De man is een hielenlikker.'

'En dat valt in hem te prijzen,' zei Gaius zonder enige ironie.

Tigran fronste. 'Ik zou het kunnen proberen met een pijl, van grote afstand.'

Sabinus schudde zijn hoofd. 'Nee. Als je hem verwondt, brengen zijn kameraden hem terug naar de Palatijn, en als je hem doodt, hebben we daar weinig aan. We willen immers wraak nemen door ervoor te zorgen dat Terpnus nooit meer lier zal spelen. De bedoeling is zijn leven tot een hel te maken, maar dan moet hij nog wel een leven hébben.'

Tigran tuitte zijn lippen, diep in gedachten verzonken. 'Ik zal er nog eens goed over nadenken, heren,' zei hij ten slotte. 'U zei, prefect Sabinus, dat u misschien van tevoren weet waar en wanneer Nero op strooptocht gaat.'

'Dat klopt. Ik moet immers een centurie van een van de stadscohorten paraat houden, ergens in de buurt.'

'Zou u me dan de volgende keer willen waarschuwen als u hoort dat de Viminaal het doelwit is; met name het westelijke deel?'

Sabinus knikte.

Tigran stond op. 'Hartelijk dank voor uw gastvrijheid, senator Pollo. Sextus en vier van mijn broeders staan buiten voor u klaar, senator Vespasianus, om u te helpen met de kwestie waar Magnus het over had. Ik ga ervan uit dat ze u deze keer beter zullen helpen dan uw oom die bewuste avond.' Met een knikje naar Sabinus en Magnus verliet Tigran de tuin.

'Denk je dat hij iets zal verzinnen?' vroeg Sabinus.

Magnus grijnsde. 'Volgens mij heeft hij al een idee en wil hij dat uitvoeren op het terrein van de West-Viminale Kruispuntbroederschap, zodat hij niet onmiddellijk de schuld zal krijgen. Maar wat hij precies van plan is, weet ik ook niet. Zo is Tigran nu eenmaal. Hij geeft nooit veel prijs, zolang het niet nodig is. Daarom heeft hij zoveel succes gehad, zelfs meer dan ik toen ik nog zijn patronus was.'

'In elk geval draagt hij meer ringen dan jij. Is alles goed met de paarden?'

'Ja, de groepsleider van de Groenen zei dat ze in uitstekende conditie waren en dat hij ze zo snel mogelijk wil inzetten bij de rennen.'

'Mooi. Zodra ik tijd heb, zal ik een paar rondjes rijden in het Circus Flaminius.'

Gaius keek ontzet. 'Je doet toch niet zelf aan die wedrennen mee, beste jongen?'

'Natuurlijk niet, oom. Maar ik vind het wel leuk om er als er geen publiek is zelf mee te rijden. Dat is goed voor mijn conditie.'

'Straks ga je nog zingen ook. Dat mag ik toch niet hopen.'

'Eén heimelijk pleziertje lijkt me wel genoeg, oom.' Vespasianus stond op. 'Kom, Sabinus. Sextus en de mannen staan klaar. Als we dat zaakje voor je moeten regelen, kunnen we beter gaan. Het wordt al donker.'

'En waarom kan ik die vuile verrader niet gewoon zijn nek omdraaien?' vroeg Caratacus. Zijn gladgeschoren, ovale gezicht, toch al rood, was nu nog roder van nauwelijks verholen woede. 'Hij en dat wijf van hem, koningin Cartimandua, hebben alle wetten van de gastvrijheid gebroken door mij uit te leveren aan de Romeinen – aan jullie.'

'Aan óns, Tiberius Claudius Caratacus,' wees Vespasianus de voormalige Britannische aanvoerder terecht. 'Aangezien je nu een burger bent, uit de ridderstand, hoor je bij ons. Wij maken geen onderscheid tussen rassen en volkeren, zoals je weet. We hebben zelfs consuls gehad van Gallische afkomst. Wat mij betreft, vriend, ben je nu een Romein en moet je me dus helpen, in het belang van Rome. Dat betekent dat je Venutius veilig opbergt, zodat Paulinus een troef achter de hand heeft om dat wijf van jou, de koningin, mee onder druk te zetten.'

Caratacus grijnsde naar zijn voormalige tegenstander, en ze wierpen een blik op de vervuilde gedaante van Venutius, die hen nijdig aanstaarde vanuit een kooi in de hoek van Caratacus' kelder in zijn huis op de Aventijn. 'Ach, ik kan zijn verblijf in elk geval zo onaangenaam mogelijk maken. Dat doet me genoegen.'

'Zolang je hem maar in leven houdt en hij niet meer onderdelen kwijtraakt dan hij al moet missen. Verder mag je met hem doen wat je wilt.'

'Hier zul je voor boeten, verrader!' siste Venutius, en hij klemde zijn vuisten om de tralies van zijn kooi.

'Verrader? Ik?' Caratacus gaf een schop tegen de kooi, raakte een van Venutius' handen met de zool van zijn sandaal en brak de man twee vingers. 'Ik heb tegen die indringers gevochten totdat jij me aan ze uitleverde.'

'Daar had ik helemaal niets mee te maken,' antwoordde Venutius, met een grimas van pijn, terwijl hij zijn gebroken vingers onder zijn oksel klemde. 'Dat was het werk van Cartimandua.'

'Zij is je echtgenote, en een man is verantwoordelijk voor de daden van zijn vrouw.'

'Ze was mijn vrouw totdat ze het bed in dook met mijn wapendrager, Vellocatus.'

'Zoals ik het heb gehoord,' zei Caratacus smalend, 'heeft ze het met Vellocatus zelfs in jouw bed gedaan, om je nog extra te vernederen. Maar je huiselijke problemen interesseren me niet. Jij was koning van de Brigantes toen ik daar een goed heenkomen zocht, en dus was jij...' hij wees met een vinger naar zijn verrader, 'verantwoordelijk voor mijn veiligheid.' Abrupt draaide hij zich om. 'Kom, Vespasianus, laten we geen tijd meer verspillen aan een slappeling die bij zijn wijf onder de plak zat.'

Vespasianus volgde Caratacus naar buiten, de stenen trap op. Venutius had zich inderdaad door Cartimandua laten ringeloren, bedacht hij. 'O, nog één ding, vriend,' zei hij toen ze in het maanlicht het erf op stapten, achter Caratacus' huis.

'Niemand mag hier iets van weten?' zei Caratacus grijnzend.

'Precies.'

'Dat was wel duidelijk toen je zo onverwachts met hem op de stoep stond. Ik ben nog altijd op de hoogte van de belangrijkste zaken in mijn vaderland. Ik had al gehoord dat Venutius in opstand was gekomen tegen Cartimandua en haar van de troon had verdrongen. En ik wist dat Myrddin hem had aangespoord zijn rebellie voort te zetten tegen Rome, waarna hij was verslagen door de oudere broer van jouw toekomstige schoonzoon.' Caratacus haalde zijn schouders op en spreidde zijn handen toen ze door de achterdeur het huis binnengingen. 'En vervolgens stond jij midden in de nacht met hem voor de deur. Ik had nog niet eens gehoord dat hij uit Britannia verdwenen was, maar opeens dook hij hier in Rome op, in een kooi. Niet bewaakt door soldaten van de stadscohorten, maar door jouw eigen persoonlijke militie – neem ik aan.'

'Manschappen van de Zuid-Quirinale Kruispuntbroederschap, om precies te zijn. Die onderhouden goede relaties met mijn familie, via mijn oom.'

'Nou, ik hoop dat ze je veilig en wel naar de Quirinaal weten terug te loodsen. Het is hier tegenwoordig allesbehalve veilig in de buurt.'

'Ik weet het. Mijn oom is een paar avonden geleden ook overvallen en afgetuigd.'

'Wees verstandig, man. Ga nou maar. Ik zal je heel onbeleefd niets te drinken aanbieden, zodat je meteen kunt vertrekken. Dan praten we een andere keer – bij daglicht – nog wel eens over jouw rol en de mijne bij de invasie van mijn eiland.'

Vespasianus greep Caratacus' uitgestoken hand en drukte die, blij dat hij hem niet voor het hoofd hoefde te stoten door zijn gastvrijheid te weigeren. Hij had nog andere plannen voor die avond. Herinneringen ophalen aan hun oude strijd hoorde daar niet bij. 'Bedankt. Ik zie altijd uit naar onze gesprekjes, Caratacus. Je hoort weer van me zodra ik weet wat we met Venutius moeten doen.'

Caratacus keek verbaasd. 'Ik dacht dat Paulinus hem in Rome wilde houden.'

'Ja, voorlopig wel, maar nu hij heeft verteld wat Paulinus wilde weten, kan hij ergens anders misschien van meer nut zijn.'

Vespasianus had geen idee of Nero die avond weer op strooptocht was geweest, want hij wist zonder probleem van de Aventijn naar de Quirinaal te komen, via het Forum Boarium en het Forum Romanum. Toch zat hem iets dwars. Hij dacht nog steeds aan de woorden van Sabinus en zijn moeder, de avond van haar dood. Hij had wel degelijk beseft wat hij deed toen hij Paulinus hierbij had geholpen. Dat was niet zonder gevaar, zoals Sabinus terecht had opgemerkt. Toch had hij het gedaan, in eerste instantie voor de carrière van zijn toekomstige schoonzoon, maar dat was niet zijn voornaamste overweging. De werkelijke reden had meer te maken met eigenbelang.

Nero was al ruim vier jaar keizer, en in die tijd was hij langzaam maar onmiskenbaar steeds verder verloederd. De afgelopen maanden was het echter heel hard gegaan. Hij had de stap naar de volwassenheid gemaakt, maar zonder de leerschool van de cursus honorum. Nero had zich niet omhoog hoeven te werken langs de gebruikelijke weg. Hij had nooit geleerd bevelen op te volgen voordat hij die zelf kon geven naarmate hij hoger steeg op de ladder. Nee, Nero was tot keizer gebombardeerd zonder dat hij ook maar één order had hoeven uit te voeren. Hij had nu de absolute macht, zonder ooit de dreiging van die macht te hebben gevoeld. Hij had geen idee wat het betekende. En juist daarom werd het heimelijke verzet tegen hem steeds sterker, met elk jaar van zijn heerschappij. Er hing een samenzwering in de lucht, en dat moest in Vespasianus' voordeel zijn – aangenomen dat zijn vermoeden over de voortekenen op zijn naamdag klopte. Als Paulinus deel uitmaakte van een complot tegen Nero, wilde hij hem graag van dienst zijn, maar wel in het geheim. Door Venutius aan Caratacus over te dragen, kon hij die geheimhouding hopelijk verzekeren.

Sabinus had gelijk, besefte Vespasianus, het was gevaarlijk wat hij deed. Maar wat hem nog meer bezighield was de opmerking van zijn moeder dat iemand die zijn eigen lot tot in alle details kende zijn beslissingen zou laten beïnvloeden door iets anders dan zijn eigen ambities en angsten. Daardoor zou hij uit zijn evenwicht raken en uiteindelijk struikelen. Was zijn besluit om Paulinus te helpen misschien ingegeven door de vermoedelijke inhoud van die oude voorspelling, probeerde hij de uitkomst te forceren en bracht hij juist daardoor die uitkomst in gevaar? Of was zijn beslissing enkel en alleen voortgekomen uit een eerlijke afweging van voor en tegen? Alleen Mars kende de waarheid, maar die zou de godheid niet met hem delen, want zo waren goden nu eenmaal.

Zo spookten allerlei gedachten door zijn hoofd. Het ene moment twijfelde hij, dan weer voelde hij zich zeker van zijn zaak, zoals dat gaat met problemen die niet helemaal te bevatten zijn. Daarom kwam hij ten slotte niet uit bij zijn eigen huis in de Granaatappelstraat op de Quirinaal, maar bij een kleinere woning, een paar straten verderop.

'Dank je, Sextus,' zei Vespasianus, en hij gaf de forsgebouwde lijfwacht een paar denarii terwijl ze wachtten tot er werd opengedaan. 'Koop wat te drinken voor de jongens.'

Sextus' doffe ogen lichtten op. 'Dan blijft er nog genoeg geld over voor een hoertje. Dank u, heer.'

Dat beeld stelde Vespasianus zich liever niet voor, maar hij wist zijn gezicht in de plooi te houden toen hij de uitbundige dank van de andere drie mannen in ontvangst nam. Hij keerde hun de rug toe toen de deur werd geopend door een grote Nubiër van middelbare leeftijd, die zijn witte tanden bloot lachte en een buiging maakte. 'Goedenavond, heer. De vrouwe heeft gasten, maar ik zal haar waarschuwen dat u er bent.'

Vespasianus knikte tegen de portier, stapte de gang in en liep verder naar het helder verlichte atrium van de vrouw die al jaren zijn minnares was, en de liefde van zijn leven: Caenis, de voormalige slavin, secretaresse en aangenomen dochter van vrouwe Antonia, ooit secretaresse van Pallas, later van Narcissus en tegenwoordig van Seneca. Ze was een vrouw van grote intelligentie, politiek inzicht en zeldzame schoonheid. Vespasianus had haar voor het eerst gezien toen hij als jongen van net zestien naar Rome was gekomen, en al gauw was ze zijn minnares geworden. Maar nooit zijn vrouw, want de Augustijnse wet verbood een huwelijk tussen een senator en een vrijgelatene. Hij ging naast het impluvium zitten en keek naar het water dat uit de fontein spoot en druppeltjes vormde in de lucht, die – glinsterend als gouden edelstenen in het lamplicht – zachtjes terugvielen in de vijver. Hoe anders zou zijn leven zijn verlopen zonder die wet. Hoe anders zouden zijn kinderen misschien zijn geweest. Maar het volgende moment zette hij die gedachte uit zijn hoofd, omdat hij één ding zeker wist: dat hij nooit spijt zou krijgen van zijn huwelijk met Flavia, omdat hij dan ook spijt moest hebben van zijn kinderen, en dat was niet zo. Zelfs niet van Domitianus.

Het duurde niet lang voordat de voetstappen van een vrouw weerklonken tussen de marmeren zuilen. Vespasianus schrok op uit zijn overpeinzingen en kwam overeind. Caenis, met haar saffierblauwe ogen, haar roomblanke huid en haar volle, uitnodigende lippen, glimlachte tegen hem en liet zich omhelzen. Hij begroef zijn gezicht in haar haar en snoof de muskusgeur van haar parfum op.

'Ik leef mee met je verlies, mijn lief,' fluisterde ze. 'Ik ben zo verdrietig om jou en om Vespasia. Je moeder verliezen is een zware klap. Dat heb ik zelf ondervonden toen ik nog zo jong was en mijn eigen moeder werd weggerukt. En later nog eens, toen Antonia, die haar plaats had ingenomen, zich van het leven beroofde.'

Hij kuste haar voorhoofd. 'Het is gebeurd. Ze is er niet meer. Sabinus en ik hebben om haar gerouwd en haar as in een tombe geplaatst, naast die van onze vader. Iets anders kunnen we niet meer doen, behalve haar nagedachtenis in ere houden.' Hij deed een stap terug en keek Caenis recht aan. 'En proberen al haar onaangename trekjes te vergeten,' voegde hij er grijnzend aan toe. 'Met die misprijzende blik van haar kon ze me echt op mijn zenuwen werken.'

Caenis lachte.

'In elk geval is mijn leven er wat eenvoudiger op geworden nu mijn moeder en mijn vrouw niet voortdurend meer om mijn aandacht vechten met hun onnozele ruzies, die ik dan weer moest beslechten.'

'En je minnares? Waar staat zij in die strijd om je aandacht?'

'Op de allereerste plaats, mijn lief. Als de allermooiste, met de meeste aandacht.'

'De meeste aandacht? Nou, niet helemaal.'

'Hoe bedoel je?'

'Ik wist niet eens dat je weer in Rome was. Daarom heb ik mensen te eten.'

'Dat weet ik. Je portier zei het al. Maar hij vertelde niet wie.'

'Dat weet hij ook niet, want ze zijn hier incognito.'

'O? Interessant.'

'Vooral omdat ze, toen jij zo onverwachts arriveerde, zeiden dat ze graag met je wilden praten als je bereid was de strijdbijl te begraven met een van hen.'

'Nu word ik pas echt nieuwsgierig.' Hij trok vragend een wenkbrauw op. 'Wie zijn het?'

'Pallas en Agrippina.'

Vespasianus informeerde beleefd naar de gezondheid van de andere twee gasten, tegenover hem aan de tafel, terwijl een paar slavinnetjes zijn toga en sandalen van hem aannamen, zijn handen en voeten wasten en hem zachte slippers aan zijn voeten staken voordat ze hem naar een bank brachten, naast Caenis, en een servet voor hem uitspreidden op de mooie bekleding. Al die tijd vroeg hij zich af wat Agrippina van hem wilde. Ze was al zijn gezworen vijand sinds ze met haar oom Claudius was getrouwd en de machtigste vrouw in Rome was geworden. Het was Agrippina die zijn carrière in de weg had gestaan. Zij had hem het bestuur van een provincie onthouden, hoewel hij daar na zijn periode als consul recht op had gehad. En het was ook Agrippina die zijn aanstelling als consul had beperkt tot de laatste twee maanden van het jaar, een belediging die hij maar moeilijk had kunnen verkroppen. Aan de andere kant was haar minnaar, Pallas, juist Vespasianus' grootste steunpilaar geweest aan Claudius' hof, ook al had hij de keizer bedrogen door met diens vrouw, Vespasianus' grootste vijand, te slapen.

'Het nieuws over de dood van uw moeder deed me verdriet,' zei Pallas, hoewel zijn gezicht, met een grijze baard in Griekse stijl, geen spoor van verdriet vertoonde. Er stond trouwens geen enkele emotie op te lezen. Het bleef uitdrukkingsloos, zoals altijd. 'Ze was een goede, fatsoenlijke vrouw.'

Vespasianus droogde zijn handen aan het servet. 'Dank u, Pallas. Ze had ook grote achting voor u.'

Agrippina deed geen moeite haar medeleven te betuigen, maar dat verbaasde Vespasianus niet. Ze knabbelde op een kippenpootje, en haar donkere ogen staarden Vespasianus koel en onverschillig aan, wat al een hele verbetering was vergeleken bij de venijnige blikken die ze hem meestal toewierp.

'Hoe bevalt het leven op het platteland, Pallas?' vroeg Vespasianus nadat er een stilte was gevallen die bijna pijnlijk lang duurde.

Tot zijn verbazing was het Agrippina die antwoord gaf. 'Saai. En vrij zinloos.'

'Het spijt me dat te horen. Zelf ben ik erg op mijn landerijen gesteld.'

'Ja, ik hoor wel dat je een boerenkinkel bent aan dat Sabijnse accent van je. Die klinkers! Alsof ik met mijn zwijnenhoeder praat – niet dat ik dat ooit doe, natuurlijk.'

Vespasianus slikte de belediging maar en nam wat kip.

Pallas legde een hand op Agrippina's arm. 'Dat is niet de manier om iemands hulp te vragen, lieve.'

Dat Agrippina zijn hulp nodig had, kwam als een lichte schok voor Vespasianus. Hij keek eens naar Caenis, die heel even knikte, als teken dat ze wist waar het over ging en ermee instemde.

Hij nam een slok wijn en liet die ontspannen door zijn mond spoelen. Toen slikte hij, depte zijn lippen met het servet en nam alle tijd voordat hij Agrippina aankeek. 'Waarom denk je dat ik je zou willen helpen, en waarom zou juist jij mijn hulp willen vragen?'

Agrippina's kille ogen bleven op hem gericht en ze trok afkeurend haar neus op. 'Omdat jij helaas de enige lijkt die in een positie is om ons te helpen.'

'Als dat zo was, zou het een extra reden voor me zijn om geen vinger voor je uit te steken. Jij hebt alles in het werk gesteld om mijn carrière te frustreren.' Vespasianus keek haar nu woedend aan. 'Je hebt me het gouverneurschap van Afrika afgenomen. Je hebt ervoor gezorgd dat ik het minst eervolle consulaat kreeg, en waar had ik dat aan verdiend? Ik heb Messalina een zwaard aangeboden zodat ze zich van kant kon maken toen ik met Burrus en zijn executiepeloton bij haar schuilplaats in de Tuinen van Lucullus aankwam. Wat was daar verkeerd aan?'

'Je was mild voor haar. Burrus heeft het me later bevestigd.'

'Burrus loog om bij je in de gunst te komen. En blijkbaar werkte dat, want jij hebt hem laten benoemen tot prefect van de praetoriaanse garde. Maar ik was niet milder tegenover die furie dan ik zou zijn tegenover degene die haar opvolgde: jij. Ik heb haar een zwaard gegeven zodat ze eindelijk in dezelfde situatie kwam waarin ze zoveel andere mensen had gedwongen, en ik was blij toen ik haar lafheid zag, op het eind, en het ongeloof op haar gezicht toen Burrus haar ten slotte met zijn zwaard doorboorde. Ik had totaal geen medelijden met haar, en ik wilde jou zeker niet als keizerin, zoals je scheen te denken, naar ik hoorde.' Hij keek even naar Pallas, die het hem verteld had. De Griek bleef onverstoorbaar, zoals altijd. 'Wat maakt het mij uit welke furie er in het bed van de keizer ligt – als ze er tijd voor kan maken in haar drukke seksuele agenda?'

Dat werd Agrippina toch te veel. Ze smeet de kippenpoot naar hem toe en raakte zijn voorhoofd. 'Hoe dúrf je zo tegen me te spreken, brutale boer?'

'Ik zal tegen je spreken zoals ik wil. Jij vraagt toch mijn hulp, had ik begrepen?'

'Achterlijke Sabijnse ezelfokker! Mijn familie was al...'

'Hier schieten we weinig mee op,' kwam Pallas tussenbeide, en hij legde een hand op Agrippina's arm om haar tot kalmte te manen. 'We zijn hier gekomen om Caenis te vragen of ze wilde bemiddelen tussen ons en u, Vespasianus. Toen u onverwachts zelf opdook, leek het ons nuttig om rechtstreeks met u te spreken. Mijn excuses als dat een domme gedachte blijkt te zijn.' Hij greep Agrippina's arm nog steviger vast om haar in te tomen. 'Ik begrijp dat u niet staat te trappelen om ons te helpen, zeker niet na deze vertoning, maar ik doe toch een beroep op u, uit mijn naam, gezien alles wat ik heb gedaan voor uw carrière en die van uw broer.'

'U bedoelt die missie naar Armenia, waardoor ik twee hele jaren in een cel terecht ben gekomen? Of die expeditie van Sabinus en mij naar Germania Magna, waar we bijna zijn vermoord door dat stelletje primitieve barbaren? Dat noem ik niet echt behulpzaam.'

'Ik heb uw broer zijn positie als prefect van Rome bezorgd. Dat lijkt me toch een wederdienst waard, is het niet?'

Vespasianus wist zijn verbazing te verbergen, hoe nieuwsgierig hij ook was. Sabinus en hij hadden nooit de identiteit van Sabinus' weldoener kunnen achterhalen. Ze waren niet op het idee gekomen dat het Pallas zou kunnen zijn, die tegenwoordig op een zijspoor stond. 'Daar geloof ik niets van.'

Pallas trok een mondhoek op, wat bij hem een glimlach moest voorstellen. 'Dat ik uit Rome ben verbannen, betekent nog niet dat ik al mijn invloed kwijt ben. Vergeet niet dat ik twaalf jaar secretaris van de schatkist ben geweest en daarna ook eerste secretaris. Dat heeft me een rijk man gemaakt. Met meer dan driehonderd miljoen sestertiën ben ik waarschijnlijk de rijkste Romein op de keizer na, in elk geval rijker dan Seneca, een feit waar ik regelmatig gebruik van maak omdat hij nu eenmaal tot alles bereid is voor geld. Ik heb Sabinus' benoeming gekocht voor tien miljoen sestertiën; een koopje, zou ik denken.'

'Tien miljoen!' Vespasianus begreep er niets meer van. 'Waarom, in vredesnaam?'

'Met het oog op een situatie zoals deze. De functie was vacant en niemand anders wilde het bedrag betalen dat ik Seneca had geboden. Bovendien had ik een goed politiek argument om Sabinus te benoemen.'

'Wat dan?'

'Dat hij het heel goed had gedaan in Moesia en Thracië, misschien wel té goed. Daarom leek het me beter hem naar Rome terug te halen en hem te belonen met een positie waarvoor hij in de stad moest blijven, zodat we zijn ambities beter konden volgen. Mensen die hun macht proberen te beschermen, zijn altijd gevoeliger voor negatieve dan voor positieve argumenten.'

'Zoals u maar al te goed weet, Pallas.'

Pallas verbaasde hem door nu bijna echt te glimlachen, iets wat Vespasianus zelden had meegemaakt. 'Inderdaad. En Seneca begreep dat argument heel goed; zoals hij ook die tien miljoen begreep. Dus borg hij het geld in zijn steeds vollere schatkist en overlegde met Nero. Sabinus werd uit de provincie teruggeroepen en tot prefect van Rome benoemd.'

'Goed geregeld. Maar waarvoor?'

'Voor deze situatie, zoals ik al zei. We hebben uw hulp nodig, en uw familie is me iets schuldig.'

'Sabinus, ja. Ik niet.'

'Maar u bent in een betere positie om ons te helpen.'

'Hoe dan?'

'Uit uw periode in Britannia kent u Cogidubnus nog wel, de koning van de Regni en de Atrobates.'

Vespasianus herinnerde zich de bevriende Britannische koning die hij al meer dan tien jaar niet had gezien en aan wie hij ook zelden dacht: de man die hij had verslagen op het eiland Vectis voor de zuidkust van Britannia, en die later zijn vriend en bondgenoot was geworden. Hij had zijn leven te danken aan de Britanniër, die hem bovendien had geholpen om Sabinus van de druïden te redden. 'Maar mijn broer kent hem ook.'

'Klopt, maar als prefect moet Sabinus binnen honderd mijl van Rome blijven. Om verder te reizen moet hij toestemming vragen aan de keizer.'

Vespasianus kreeg het akelige vermoeden dat Pallas hem weer eens ging dwingen tot iets waar hij helemaal geen zin in had. 'Wat het ook is, Pallas, ik ben niet geïnteresseerd.'

'Wat wij willen,' zei Agrippina, zonder acht te slaan op Vespasianus' protest, 'is dat jij terug naar Britannia gaat om namens ons met Cogidubnus te spreken.'

'Waarom?'

'Kort nadat ik met Claudius was getrouwd, hebben Pallas en ik in onze nieuwe provincie geïnvesteerd – veel geld in mijnen en landerijen. Die waren toen nog niet veel waard, maar met goede opzichters hebben we ze winstgevend gemaakt, zodat ze nu zeker drie keer zoveel opbrengen. We hebben ook geld gestoken in land van de Regni en de Atrobates, omdat die stammen Romeinsgezind waren en Cogidubnus zich vriendschappelijk opstelde.'

'Bovendien had hij kapitaal nodig,' voegde Pallas eraan toe, 'voor een bouwproject in onze stijl, waaronder zijn eigen nieuwe paleis.'

Vespasianus kon zich goed voorstellen dat de trotse Britannische koning een residentie in Romeinse stijl wilde, passend voor de vorst van de verenigde stammen. 'Wat zou ik dan moeten doen, in het onwaarschijnlijke geval dat ik bereid zou zijn je te helpen?' De vraag was gericht aan Pallas, omdat hij zeker niet van plan was iets voor Agrippina te doen.

'U zou uw vriendschap met Cogidubnus moeten gebruiken om hem te overreden onze investeringen terug te kopen.'

'Tegen de huidige marktprijs,' voegde Agrippina eraan toe.

Vespasianus keek haar een moment ongelovig aan voordat hij in de lach schoot. 'Dus ik zou helemaal naar Britannia moeten reizen om een oude vriend, die ik al jaren niet heb gezien, te vragen de bezittingen terug te kopen die hij jullie ooit heeft verkocht – voor drie keer het bedrag dat jullie hem hebben betaald? Vat ik het zo goed samen?'

'Natuurlijk is het een eer voor hem om zaken te doen met de moeder van de keizer,' zei Agrippina bits.

Vespasianus negeerde haar arrogante commentaar en keek Caenis aan. 'Had jij me echt zo'n krankzinnig idee willen voorleggen?'

Caenis glimlachte en streelde zijn arm, zodat hij de haartjes overeind voelde komen. 'Maar natuurlijk, mijn lief.'

'Waarom, in vredesnaam? Je weet toch ook wel dat ik meteen nee zou zeggen?'

'Om te beginnen hebben ze me heel goed betaald voor mijn bemiddeling.'

'Hoeveel?'

'Ach lieverd, niet alles gaat om geld. Nee, ze hebben me betaald in veel waardevollere valuta: informatie.' En ze klopte op een leren perkamentkoker die naast haar lag.

'Jij kunt wel goed betaald zijn voor je bemiddeling, maar daarom hoef ik nog geen ja te zeggen, of zelfs maar te luisteren.'

'Als u niet luistert, krijgt u ook dat interessante verhaal niet te horen.'

Vespasianus wendde zich weer tot Pallas. 'Interessant? Waar gaat het dan over?'

'Daar kom ik nog op.' Pallas wachtte even voor het dramatische effect, nam een slok uit zijn kroes en liet de wijn door zijn mond spoelen zoals Vespasianus dat ook had gedaan. 'Door naar Britannia af te reizen, betaalt u me in de eerste plaats de gunst terug die ik Sabinus heb bewezen. Goed. Maar zelfs als dat voldoende reden voor u was om te gaan, zie ik wel aan uw cynische gezicht dat u er weinig zin in hebt, omdat u niet denkt dat het kans van slagen heeft.'

'Wie koopt nu iets terug voor drie keer het bedrag dat hij er zelf voor heeft gekregen?'

'We nemen ook genoegen met het dubbele bedrag.'

'Nee! Drie keer zoveel!' Agrippina's stem sloeg over.

'Het dubbele bedrag, lieve,' wees Pallas haar terecht. 'En dan hebben we een leuke winst gemaakt. Cogidubnus beseft ook wel dat die bezittingen nu veel meer waard zijn. Ik denk dat hij hier wel op in zal gaan.'

Agrippina ziedde en keek Vespasianus vernietigend aan.

'Hoewel uw openingsbod natuurlijk drie keer zo hoog ligt,' vervolgde Pallas. 'Maar als u het dubbele krijgt, dan zijn wij tevreden, en hebt u ook uw beloning verdiend.'

Vespasianus was nu toch nieuwsgierig. 'En dat is?'

'Seneca's hebzucht kent geen grenzen. Als ik voor Sabinus een positie kan kopen als prefect van Rome, zal ik hem zonder probleem kunnen omkopen om u gouverneur van Afrika te maken.' Hij keek Vespasianus vragend aan.

Vespasianus' hart maakte een sprongetje. Het volgende moment vervloekte hij Pallas in stilte, omdat de man hem altijd wist te bespelen. 'Afrika?'

Pallas knikte. 'De provincie die u was ontstolen.'

'En als Seneca niet meewerkt?'

'Voor nog eens vijf miljoen sestertiën – een vijfde van de winst die wij op de overeenkomst met Cogidubnus maken als wij onze investering slechts verdubbelen – is Seneca tot alles bereid. U kunt pas vertrekken als de zeeroute volgend jaar weer openligt, dus als u geïnteresseerd bent, kom dan na de idus van maart naar Agrippina's landgoed bij Bauli aan de Golf van Neapolis, dan geven wij u de eigendomspapieren van alle bezittingen. Aan het begin van de lente, als de zeeroute weer vrij is, neemt u een schip van Misenum naar Porta Julii aan de zuidkust van Gallië.'

Vespasianus schudde zijn hoofd en kon bijna niet geloven wat hij nu ging zeggen. 'Goed, Pallas, ik doe het. Maar nog één vraag. Waarom hebben jullie zo'n haast om alles te verkopen?'

De Griek streek met een hand over zijn volle baard. 'Dat ligt toch voor de hand? De keizer geeft steeds meer geld uit, terwijl het intussen kapitalen kost om de provincies in de hand te houden. Dat loopt spaak. Als je één en één bij elkaar optelt, wat is dan de onvermijdelijke conclusie?'

Niet waar Vespasianus op had gehoopt, integendeel. 'Maar we kunnen ons niet terugtrekken uit Britannia! Dat ondermijnt de stabiliteit van het hele rijk.'

'Niet als we er drie satellietstaten van maken, drie koninkrijken, met Cogidubnus als vorst over het zuiden, Cartimandua als koningin van het noorden en Prasutagus van de Iceni als koning van het westen. Dan redden we ons figuur door te roepen dat onze missie een succes is geweest en dat alle koninkrijken aan de grenzen van het rijk nu aan ons gelieerd zijn. Er is handel, en we hebben geen reden meer om Romeins of Britannisch bloed te vergieten. Zo zou ik het doen, en Nero zal binnenkort ook wel inzien dat het de beste oplossing is. Het wordt tijd om Britannia te verlaten.'

HOOFDSTUK IV

De wellust stond op Nero's gezicht te lezen toen hij Poppaea Sabina van hoofd tot voeten opnam.

Otho, die naast haar stond, keek wat ongemakkelijk. Zijn holle lach weerkaatste door het grote atrium van het keizerlijk paleis op de Palatijn. 'Wat heb ik u gezegd, princeps?' vroeg hij. 'Is ze geen zeldzame schoonheid?'

Nero was te afgeleid om te antwoorden.

Acte, die met de keizer was meegekomen, stond achter hem, volledig genegeerd en ziedend van woede.

In plaats van zedig te blozen en haar ogen neer te slaan, stond Poppaea Sabina kaarsrecht, met haar borsten pront naar voren. Ze keek Nero strak aan, met haar lippen enigszins vaneen, vochtig, pruilend en uitnodigend.

Vespasianus volgde de ontmoeting samen met zo'n veertig andere senatoren die waren ontboden om te kiezen tussen de stem van hun keizer en de schoonheid van deze vrouw. Poppaea was inderdaad bijzonder knap, moest Vespasianus toegeven, ook al werd haar gezicht misschien iets te veel overheerst door haar krachtige, rechte neus. Haar huid was bijna melkwit, alsof ze nog nooit in de zon was geweest. Volgens Gaius, die het hem in zijn oor fluisterde, stapte ze elke dag in een bad met melk om haar huid zo blank te houden. Haar zwarte krullen waren boven op haar hoofd vastgespeld in een kroon van drie lagen, die spectaculair contrasteerde met haar albasten huid. Maar het waren vooral haar ogen die de aandacht trokken: donkere amandelen, tegelijk onschuldig en vol seksuele suggestie, een openlijke uitnodiging om haar te beschermen maar haar ook met geweld het bed in te sleuren, omdat niets te smerig en schandalig was voor Poppaea Sabina. Kortom, ze was geschapen voor genot, een sensueel wezen dat alle behoeften kon bevredigen, hoe bizar en extreem dan ook. Iedereen om haar heen zag wat ze was en wist dat ze met haar trillende pruillipje de keizer al volledig had verleid.

Nero stak voorzichtig een hand uit en streek met de achterkant van een vinger over haar zachte wang. De suggestieve zucht van Poppaea was voor iedereen te horen, en niemand in de zaal – Gaius en Acte natuurlijk uitgezonderd – bleef onberoerd. Heel wat harten begonnen sneller te slaan en heel wat scrotums reageerden.

Eindelijk wist Nero zijn blik los te maken van die openlijke belofte van ongebreidelde passie tegenover hem en keek zijn oude vriend Otho aan. 'Nu mag je kiezen.' En hij wenkte Terpnus met zijn lier.

Vespasianus en de andere senatoren zetten zich schrap. De leider van Rome stond op het punt zich aan te stellen als een slaaf of vrijgelatene – een schokkende vertoning.

Een melodisch akkoord weerklonk. Ergens vanuit Nero's keel welde een geluid op dat er vaag iets mee te maken had, en het volgende moment barstte hij uit in een liefdeslied dat niemand ooit eerder had gehoord – of dat geen mens herkende.

Hoe lang Vespasianus daar had gestaan om het gekweel aan te horen, kon hij zich later niet eens herinneren. Hij wist alleen dat het een bijzonder pijnlijke situatie was voor alle getuigen van dit bizarre gedrag. Alleen Poppaea en Otho schenen het heel gewoon te vinden. De jonge vrouw leek Nero mentaal te pijpen met haar wellustig opengesperde lippen en de lichte beweging van haar hoofd, terwijl Otho de keizer aanstaarde alsof hij betoverd was door de kakofonie van naar het leek willekeurige noten die Nero voortbracht. Terpnus plukte aan de snaren en keek stralend naar zijn pupil, met de trots van een *grammaticus* die zijn favoriete leerling een lange passage van Homerus in het Grieks hoorde declameren. Acte trachtte Nero's aandacht te trekken door haar genitaliën tentoon te spreiden, duidelijk zichtbaar door het doorschijnende hemdje dat voor een jurk moest doorgaan.

Maar haar pogingen waren vergeefs. Nero had enkel oog voor Poppaea's lippen, en terwijl het lied maar voortduurde, twijfelde niemand eraan wat ze nog voor het einde van de dag samen zouden doen.

Ten slotte kwam er een eind aan de beproeving, toen de laatste noot verstierf met een zwak gerochel en Nero zijn publiek aankeek, dat onmiddellijk uitbarstte in een luid applaus. Sommige mensen wisten er zelfs een paar tranen van ontroering uit te persen, mogelijk geholpen door de kwaliteit van het optreden, dat om te huilen was. Maar Nero zelf weende van blijdschap, drukte Terpnus tegen zijn keizerlijke borst en overlaadde zijn mentor met kussen, overmand door de heftige emotie van het hele gebeuren.

De toejuichingen gingen een eeuwigheid door, omdat niemand de eerste wilde zijn die stopte en Nero geen enkel teken gaf dat hij het zo wel voldoende vond. Hij weende, hij omhelsde en hij trok een quasibescheiden gezicht, dankbaar en verrast, steeds met de bijbehorende, zorgvuldig gerepeteerde pose, totdat hij uiteindelijk vond dat hij de mensen moest geven waar ze om vroegen. Dus maande hij de zaal tot stilte en herhaalde zijn triomf.

Nu volgden heel wat toehoorders zijn voorbeeld en lieten hun tranen de vrije loop toen de voorstelling maar doorging en doorging, terwijl anderen zich verscholen achter een masker van blijdschap of dankbaarheid, om hun ongeloof over Nero's grootheidswaan te verbergen. De tweede keer klonk het lied nog bedroevender. De melodie was te eentonig, de coupletten rijmden niet en het metrum leek nergens op. Nu pas drong het tot Vespasianus door waar ze naar luisterden. 'Het is een eigen compositie, oom!' fluisterde hij tegen Gaius.

'Alle goden, je hebt gelijk,' mompelde Gaius met opeengeklemde kaken, een vastgeroeste grijns op zijn gezicht. 'Laten we hopen dat wij de enigen zijn die dat doorhebben.'

En Nero zong maar door. Zijn stem werd zwakker en heser bij ieder couplet. Poppaea's boezem zwoegde terwijl ze hem aanstaarde met onverholen, dierlijke lust, haar duim spelend met het puntje van haar tong. En al die tijd sloeg haar echtgenoot de keizer vol verbazing gade.

Toen het laatste couplet eindelijk geklonken had en Terpnus melodramatisch zijn laatste akkoord aansloeg, stapte Gaius naar voren. 'Een compositie van uw eigen hand, princeps?' riep hij, vlak voordat het applaus opklaterde. 'Wat een inspiratie! We voelen ons bevoorrecht dat u dit met ons hebt willen delen.'

Het applaus aarzelde een moment, toen de rest van het publiek besefte hoe het zat. Nero had het lied inderdaad zelf geschreven, vandaar de treurige kwaliteit. Mensen juichten van bewondering voor zijn talent en vroegen waarom hij dat zo lang verborgen had. Te laat. Stralend van vreugde stapte Nero al op Gaius af, greep hem bij de schouders en keek hem heel even aan alsof de oudere man de prachtigste en zeldzaamste edelsteen was die hij ooit had gezien.

'De Pharos heeft gelijk,' verklaarde Nero. 'Het was inderdaad mijn eigen compositie.'

'Een geniaal werk, princeps,' bevestigde Gaius nog eens, zonder te reageren op Nero's gebruik van wat hopelijk niet zijn bijnaam zou blijven.

'We waren totaal overdonderd,' deed Vespasianus een duit in het zakje, 'toen dat tot ons doordrong.'

'En jij, Vespasianus?' Nero draaide zich naar hem toe. 'Herkende jij het ook als mijn eigen werk?'

'Onmiskenbaar, princeps,' antwoordde Vespasianus naar waarheid.

'En mijn stem?'

'Niet te beschrijven, princeps. Uniek, ik kan het niet anders zeggen.'

'Jullie hebben allebei mijn dankbaarheid verdiend.' Nero richtte zijn aandacht nu op Otho, terwijl de andere senatoren Vespasianus en Gaius knarsetandend gelukwensten met hun gewaagde pluimstrijkerij, teleurgesteld dat zij zelf de ballade niet hadden herkend als Nero's eigen werk. 'Goed, Otho. Het moment is aangebroken. Je zult nu je keuze moeten maken tussen Poppaea's schoonheid en mijn stem. Wie of wat is mooier?'

Otho aarzelde geen moment. 'Uw stem, princeps. Uw stem, geen twijfel mogelijk. Hoe zou een gewone vrouw zich in schoonheid ooit kunnen meten met een stem zo zoet als honing en ambrozijn?'

Poppaea viel hem bij. 'Mijn schoonheid valt in het niet bij de stem van een levende god, princeps.' Ze liet haar tong zachtjes langs haar bovenlip glijden en wierp Nero een blik toe met smeulende, half geloken ogen, in een vruchteloze poging om aan te tonen dat ze nooit zo mooi zou kunnen zijn als Nero's stem of iemand tot zo'n vervoering zou kunnen brengen.

Het was meer dan Nero kon verdragen. 'Otho, je zei dat je de winnaar eens flink wilde pakken. Daarom verklaar ik de strijd maar onbeslist.' Hij nam Poppaea en Otho allebei bij de arm en trok hen met ongepaste haast mee naar zijn persoonlijke vertrekken – waar ze voorlopig niet meer vandaan zouden komen, vermoedde Vespasianus.

Acte slaakte een kreet van woede. Ze begon te stampvoeten, trok de spelden uit haar ingewikkelde kapsel en smeet die het drietal achterna. Maar niemand nam nog notitie van Acte. Ze had haar tijd gehad.

'Dat was... hoe moet ik het zeggen... een flagrant... ja, flagrant... staaltje huichelarij. Daar zullen jullie allebei nog plezier van hebben.'

Vespasianus draaide zich om naar de stem. 'Dank je, Seneca. Het verbaast me dat je zelf niet op het idee gekomen was.'

Er gleed een samenzweerderige uitdrukking over Seneca's vlezige gezicht en hij legde een arm om de schouders van Vespasianus en zijn oom. 'Dat had geen zin, omdat ik het geheim al kende. Gisteren heb ik de hele voorstelling al vier keer uitgezeten. Helaas wist ik de keizer niet te overreden zijn geniale talent voor zichzelf te houden. Laten we hopen, in naam van de keizerlijke waardigheid, dat hij geen plannen heeft om in nog bredere kring te gaan optreden.'

Vespasianus hield zijn mening maar voor zich.

'Je hebt helemaal gelijk,' zei Seneca, die Vespasianus' stilzwijgen op de juiste manier interpreteerde. 'De vraag is hoe we de schade kunnen beperken die... wat is de beste term, decorum... ja, die het decorum van het principaat is toegebracht.' Seneca zweeg een moment, maar scheen geen antwoord te verwachten. 'Eén ding wil ik wel zeggen. Na jullie flagrante huichelarij is de kans nog groter dat Nero de moed zal opvatten om voor het volk te gaan optreden, eerder dan wanneer jullie je mond hadden gehouden.'

'Als wij niets hadden gezegd, Seneca,' antwoordde Vespasianus, 'zou een andere hielenlikker het wel hebben gedaan. Wij hebben gewoon gebruikgemaakt van de situatie omdat – voor het geval het je is ontgaan – wij geen van beiden in een goed blaadje staan bij de keizer.'

'Dat is precies de reden waarom ik jullie even apart wilde nemen.' Seneca lachte hen stralend toe, als een vriendelijke oom. 'Vespasianus, ik heb een idee hoe je bij Nero in de gunst kan komen, een missie die hij je maar al te graag zal toevertrouwen nu je weer wat krediet bij hem hebt. Wie weet, misschien gunt hij je zoon Titus zelfs die post als militaire tribuun waar jullie zo op hopen.'

Vespasianus liet niets blijken. 'O ja?'

'Ja. Met de kans op werkelijke actie, langs de Rijn in Germania Inferior. Geïnteresseerd?'

'Natuurlijk.'

'Mooi. Dan ga je nu een bijeenkomst organiseren. Nee, dat is niet het juiste woord. Een verzoening, moet ik zeggen. Ja, ik wil dat je een verzoening organiseert. En met "ik" bedoel ik eigenlijk "wij".'

'Jij en Burrus?'

'O, nee. Nee! Met "wij" bedoel ik de keizer en ik, of beter gezegd: de keizer.'

'En met wie wil hij zich verzoenen?'

Seneca keek Vespasianus aan alsof hij niet goed wijs was. 'Met zijn moeder, natuurlijk. Hij vindt het hoog tijd dat hij en Agrippina hun ruzie bijleggen. Eens en voorgoed.'

'Heel prijzenswaardig. Ik vraag me af wat Agrippina zou hebben gevonden van dit optreden, zojuist.'

Seneca trok een pijnlijk gezicht bij de herinnering aan Nero's capriolen. 'Als we Nero met zijn moeder kunnen verzoenen, hoop ik dat Burrus en ik een bondgenote in Agrippina zullen vinden om te voorkomen dat dit soort dingen uit de hand loopt.'

'Volgens mij is het al uit de hand gelopen,' merkte Gaius op, die blijkbaar was vergeten hoe huichelachtig hij – uit eigenbelang – de keizer had geprezen en aangemoedigd. 'Net als die overvallen van hem op fatsoenlijke burgers. Wat ga je daar eigenlijk aan doen?'

'Zelfs vanaf de vuurtoren van Pharos zou ik in de verste verte geen oplossing zien.'

Gaius' hangwangen trilden van verontwaardiging bij die grap.

Vespasianus had moeite niet te grinniken. 'Wat stel je precies voor, Seneca?'

'Dat jij als bemiddelaar optreedt tussen Nero en Agrippina.' Hij zweeg, trok zijn wenkbrauwen op en keek Vespasianus veelbetekenend aan. 'Ik hoorde dat je op haar landgoed bij Bauli bent uitgenodigd, na de idus van maart, volgend jaar.'

'Ben je uitgenodigd in dat wespennest?' sputterde Gaius, die zijn boosheid alweer vergeten was. 'En daar ben je op ingegaan?'

'Dat leg ik later wel uit, oom. Door al dat gedoe van gisteravond heb ik nog niet de tijd gehad het u te vertellen.' Hij beantwoordde Seneca's veelbetekenende blik. 'O ja?'

Seneca haalde zijn schouders op, alsof het niets bijzonders was dat hij al zo snel op de hoogte was van een geheime ontmoeting. 'Ik hou die zaken goed bij.'

'Maar alleen Agrippina, Pallas, Caenis en ik waren erbij toen die afspraak werd gemaakt...' Hij zweeg en dacht even na, met een akelig gevoel in zijn maag toen de omvang van het verraad tot hem doordrong. Agrippina en Pallas zouden hun plannen nooit met Seneca hebben gedeeld. 'Ach, natuurlijk. Caenis is nu jouw secretaresse.'

Seneca glimlachte, zonder Vespasianus' verdenking te ontkennen of te bevestigen. 'De keizer zei gisteren nog tegen me dat hij een manier zocht om Agrippina uit te nodigen zonder dat ze achterdocht zou krijgen. Toen ik zag dat Nero jouw huichelachtige complimenten voor zoete koek slikte, besefte ik opeens dat jij de ideale tussenpersoon bent, omdat je over vijf maanden toch al bij Agrippina bent uitgenodigd. Dat geeft de keizer voldoende tijd om zich voor te bereiden. Hoewel ik moet zeggen dat Pallas en Agrippina nogal... overhaast... ja, overhaast te werk gaan door hun bezittingen in Britannia nu al terug te verkopen aan Cogidubnus. Er valt heus nog wel wat geld te verdienen in die provincie, denk je ook niet?'

Vespasianus was te verbouwereerd om te antwoorden. Het enige wat hem bezighield was de vraag of Caenis hem had verraden.

Maar Seneca ging onverstoorbaar verder. 'We zullen Agrippina uitnodigen voor een feestmaal, ter verzoening met Nero, in zijn villa aan zee bij Baiae, niet ver van haar landgoed aan de kust. Daar zal hij haar ontvangen met alle hoffelijkheid en zorg die een moeder van haar zoon mag verwachten. Hij zal zelfs zijn eigen schip sturen om haar op te halen, voorzien van alle luxe om haar reis zo aangenaam mogelijk te maken. En natuurlijk zal het schip ook klaarliggen om haar aan het einde van de avond weer naar huis te brengen. Dus... wij zijn akkoord?'

Vespasianus had nauwelijks geluisterd, gebiologeerd als hij was door het beeld van zijn minnares die Seneca al zijn geheimen toefluisterde.

'Je gaat akkoord?' vroeg Seneca nog eens.

'Beste jongen,' zei Gaius, 'de man stelt je een vraag.'

Vespasianus fronste. 'Eh... oom?'

'Seneca geeft je de kans om je verdienstelijk te maken voor de keizer en zijn moeder. Die afspraak, in maart. Voel je ervoor?'

Vespasianus wierp een vage blik om zich heen voordat zijn oog weer op Seneca viel. 'O. Ja, akkoord. Natuurlijk doe ik dat. Ik doe al mijn hele leven dingen voor andere mensen waar ik helemaal geen zin in heb. Waarom nu dan niet?'

Seneca glimlachte welwillend en klopte Vespasianus op zijn arm. 'De keizer is van plan om op de idus van maart naar Baiae te reizen en daar drie dagen later aan te komen. De avond daarna geeft hij het feestmaal. Zodra zijn plannen vastliggen, ergens in de komende maanden, zal ik een uitnodiging aan Agrippina laten opstellen en bij jou laten bezorgen voordat je vertrekt. Dat kan ik Caenis wel vragen, geen probleem.'

'Dat zou ik niet doen, als ik jou was! Tenzij je wilt dat ik die uitnodiging verscheur en haar in het gezicht smijt. Ik stuur een van mijn vrijgelatenen, Hormus, wel naar haar toe om de brief op te halen.'

'Zoals je wilt.' Seneca draaide zich om en verdween. Vespasianus voelde zich nog steeds beroerd.

'Beste jongen...'

'Geen woord, oom Gaius! Geen woord!' snauwde Vespasianus en hij stormde weg.

'Ik zeg alleen dat u geen enkel concreet bewijs hebt,' merkte Magnus op, terwijl een forse, bleke Britannische masseur zijn linkerschouder kneedde.

Vespasianus bromde wat en kneep zijn ogen dicht toen zijn diepe massage bijna de grens tussen genot en pijn bereikte. Hij had moeite zich te ontspannen onder de vaardige handen van zijn masseur. 'Wie kan het anders zijn geweest?'

'Stel dat Seneca een spion heeft in Caenis' huishouding?'

'Dat zou ze toch moeten weten? Ze is zijn persoonlijke secretaresse.'

Magnus slaakte een diepe, grommende zucht van voldoening, als het spinnen van een grote kat, toen zijn masseur met de zijkant van beide handen zijn hele ruggengraat beklopte, van boven tot onder. Hij bleef grommen en zuchten, de hele behandeling door, en zelfs nog langer. 'Geef haar in elk geval de kans zich te verdedigen. Au!' Hij keek de Britanniër aan. 'Voorzichtig met die knokkels, bleke waterrat. Hier is geen mist of nevel om je in te verschuilen als je me kwaad maakt.' Met nog een tevreden zucht toen de slaaf wat minder druk zette, liet hij zich weer terugzakken op de leren bank. Om hen heen genoten Romeinse mannen van alle rangen en standen van een massage onder de hoge koepel in het midden van de Thermen van Agrippa op de Campus Martius. De drukke gesprekken, onderbroken door gevloek en gezucht, weerkaatsten tegen het marmer en de tegels van de wanden, de vloer en het hoge plafond van de grote ruimte. Het geroezemoes vormde een achtergrondgeruis dat nauwelijks meer opviel. 'Ik bedoel, stel dat ze er echt niets mee te maken heeft? Wat dan? Als u haar beschuldigt en de waarheid ligt anders, dan staat u voor schut en wil ze misschien nooit meer een woord met u wisselen – als u begrijpt wat ik bedoel.'

Dat begreep Vespasianus heel goed, maar toch was hij niet overtuigd. 'Dacht je echt dat Agrippina of Pallas aan Seneca heeft doorverteld dat ik in maart naar Bauli kom om de eigendomspapieren van die landerijen mee naar Britannia te nemen en terug te verkopen aan Cogidubnus? Nog geen dag nadat ze mij zover hadden gekregen? Onzin.'

'Waarom rijdt u niet een paar rondjes met de paarden? Wat frisse lucht, een helder hoofd...'

'Mijn hoofd is helder genoeg.'

'Dan moet u het zelf weten. Maar als ik u was, zou ik eerst mijn licht opsteken voordat ik ervan uitging dat de vrouw die ik al zoveel jaren liefheb informatie over mij – informatie die op allerlei manieren kan zijn uitgelekt – zou hebben verraden aan een van de meest gewetenloze figuren in Rome. Let wel, zonder enig concreet bewijs, alleen omdat u toevallig geen andere verklaring ziet.' Om zijn argument kracht bij te zetten draaide hij Vespasianus zijn rug toe en concentreerde zich grommend op de ontspannende behandeling door zijn masseur, die hij allang weer vergeven had.

Vespasianus hield zijn ogen gesloten en bad tot Mars dat zijn vriend gelijk had. Maar iedere andere mogelijkheid leek zo vergezocht, dat hij er na een paar seconden toch op terugkwam.

Het móést Caenis wel zijn.

Somber draaide hij zich om, gaf zijn masseur met de rug van zijn hand een tik tegen de borst om hem weg te sturen, greep zijn handdoek en vertrok om troost te zoeken in de hitte van het caldarium.

Zo trof Sabinus zijn broer een halfuurtje later in de sauna aan, met zijn hoofd in zijn handen, terwijl een slaaf hem met een natte handdoek de warmte toewapperde. Sabinus keek een tijdje op hem neer en klakte toen met zijn tong. 'Magnus vertelde me waar je was en waarschuwde me voor je stemming, maar hij stelde het nog vrolijk voor. Wat ik hier zie, is een treurig geval van zelfmedelijden, als ik het zeggen mag.'

'Sodemieter op, Sabinus.'

'Mij best. Als je dat echt wil, ga ik wel weg. Dan kun je doorgaan met je zelfbeklag.' Sabinus legde een handdoek op de marmeren bank naast Vespasianus en ging zitten. Hij gaf de slaaf een teken om wat olie over hem heen te gieten en hem in te smeren. 'Nou, laat maar horen,' zei hij toen dat was gebeurd en hij op zijn gemak van de warmte kon genieten.

Dat deed Vespasianus. Hij vertelde Sabinus het hele verhaal over zijn onverwachte ontmoeting met Pallas en Agrippina bij Caenis thuis, en het gesprek met Seneca dat later volgde.

Toen hij uitgesproken was, staarden de broers een tijdje zwijgend voor zich uit, terwijl er mensen in en uit liepen, roddelend, ruziënd of in stilte.

'Dus Pallas is mijn heimelijke weldoener. Dat had ik nooit geraden. Maar eigenlijk is het wel logisch. Zo blijft hij actief bij de politiek betrokken, gebruikmakend van Seneca's hebzucht. Nu hij zelf uit de gratie is, rekent hij op ons als een soort vrienden, omdat hij ooit mijn leven heeft gered.'

'Nee, dat was ik.'

'Jawel, maar hij is degene die Narcissus overreedde mij niet te laten executeren, voordat jij de kans kreeg iets te doen. Maar daar gaat het nu niet om. Wat ik vreemder vind, is dat hij Seneca zoveel geld heeft betaald om mij een heel machtige en lucratieve positie te bezorgen en daarvoor niets anders terug wil dan een vrij onbelangrijke gunst van jou, die echt niet een miljoen sestertiën waard is, laat staan tien miljoen. Ik neem dus aan dat dit een veel groter spel is en dat hij probeert zo veel mogelijk mensen aan zich te verplichten, zodat ze hem kunnen helpen als Nero eindelijk probeert hem zijn kapitaal afhandig te maken – wat de keizer zeker zal doen. En nog interessanter is de vraag wie Seneca heeft verteld dat jij naar Bauli gaat.'

'Caenis natuurlijk!'

'Als je niets zinnigs te melden hebt, hou dan je mond en laat me nadenken. Want daar schijn jij op dit moment niet toe in staat te zijn.'

Vespasianus haalde zijn schouders op en de broers vervielen weer in stilzwijgen terwijl Sabinus een *strigil* pakte om de olie, het zweet en het vuil van zijn armen en benen te schrapen.

'Hier klopt gewoon iets niet,' zei Sabinus na een tijdje.

'Er klopt helemaal niets!'

'Ach, hou toch je mond. Ik heb het niet over jouw verdenkingen tegen Caenis, die nergens op slaan. Dat zou je toch moeten weten als je bedenkt wat ze de afgelopen dertig jaar of langer allemaal voor je gedaan heeft. Nee, ik heb het over Nero die zich met zijn moeder zou willen verzoenen, terwijl zij alleen maar op zijn macht aast. Ze zou hem zelfs van de troon proberen te stoten als ze geen vrouw was.'

Vespasianus tilde zijn hoofd op en keek zijn broer smalend aan. 'Maar ze ís nu eenmaal een vrouw, dus je kletst onzin.'

'Nee, helemaal niet. Agrippina wilde hem alleen keizer maken om zelf de macht te grijpen. En sinds hij daar een stokje voor heeft gestoken, heeft zij niets anders gedaan dan hem zwartmaken. Ze slikt zelfs openlijk tegengif, omdat ze beweert dat haar eigen zoon haar wil vermoorden. Volgens de geruchten heeft dat haar al twee of drie keer gered – en dan zwijg ik nog over die vreemde toestand vorig jaar, toen het plafond van haar slaapkamer naar beneden kwam terwijl ze in het paleis logeerde.'

Daar moest Vespasianus om grijnzen. Zijn gezicht klaarde op. 'Moedermoord? Nero had zich al verlaagd tot broedermoord en meervoudige incest met zijn moeder en stiefbroer, maar dit gaat alle perken te buiten, zelfs voor een Julio-Claudiaanse keizer.'

'Ja, maar denk even na. Als hij haar zou vermoorden, heeft hij een kritische lastpost uit de weg geruimd, maar meer ook niet. Ze kan hem geen echte schade berokkenen.'

Langzaam brak er een glimlach door op Vespasianus' gezicht. Hij begon het te begrijpen. 'Wie zou er wérkelijk profiteren als Nero zijn moeder vermoordde?'

'Precies, broertje. Voel je je al wat beter?'

'Ja, veel beter opeens. Ik kan je twee mensen noemen die het heel goed zou uitkomen als Nero zich van zijn moeder zou ontdoen. Om te beginnen Pallas, die nu eenmaal aan Agrippina vastgeklonken zit. Als zij van het toneel verdwijnt, heeft hij veel meer kans om zijn conflict met de keizer bij te leggen en misschien een deel van zijn oude macht terug te krijgen zonder dat Nero steeds aan zijn gehate moeder wordt herinnerd.'

'En Seneca?'

'Omdat haar aanzienlijke rijkdom dan naar Nero gaat en Seneca's snelgroeiende fortuin weer een jaar of twee veilig is voor de keizer. Dat geeft hem meer tijd om te investeren in afgelegen provincies als Britannia en zijn geld weg te sluizen uit Rome, bij Nero's grijpgrage vingers vandaan.' Vespasianus zweeg een moment en schudde zijn hoofd. Ongelovig keek hij zijn broer aan. 'Deze missie is helemaal niet bedoeld om geld uit Britannia terug te halen. Het is een complot om de moeder van de keizer te vermoorden. Pallas gaf al toe dat hij contact had met Seneca toen hij jouw positie van hem kocht. Het is dus heel goed mogelijk dat Pallas en Seneca dit samen hebben bekokstoofd, omdat ze er allebei belang bij hebben en ze het niet in hun eentje kunnen organiseren. Seneca weet van Nero's plannen om zijn moeder te vermoorden en wil hem een handje helpen, maar wel in het geniep. En ook Pallas wil zijn minnares uit de weg laten ruimen door haar zoon, zonder dat ze iets vermoedt.'

Vespasianus zweeg en bedacht hoe subtiel het complot van de twee voormalige rivalen in elkaar stak. 'Het is van een grote schoonheid, en als er iets verkeerd gaat, kunnen ze het op elk willekeurig moment glashard ontkennen. Met zijn expertise als voormalig secretaris van de schatkist kan Pallas Agrippina ervan overtuigen dat ze hun geld uit Britannia moeten terugtrekken – heel logisch, in het licht van Nero's roekeloze spilzucht. Vervolgens maakt hij haar duidelijk dat ik de enige ben die met Cogidubnus kan onderhandelen – ook dat klinkt logisch – en dus nodigt hij me over vijf maanden in Bauli uit, zodat Nero de tijd heeft om voorbereidingen te treffen, wat die ook mogen zijn. In Bauli krijg ik de eigendomspapieren mee, voordat ik in Misenum op de boot stap, maar toevallig hoort de keizer, die mij als senator toestemming moet geven om naar Britannia af te reizen, dat ik onderweg ook zijn gehate moeder nog zal zien. Dus vraagt hij mij, zogenaamd spontaan, om haar een uitnodiging over te brengen voor diezelfde avond. Dat lijkt heel impulsief, niet iets wat al lang van tevoren is bedacht. Agrippina zal veel eerder op zo'n spontaan verzoek ingaan dan op een uitnodiging die al maanden staat, met alle tijd voor een complot.'

Sabinus sloeg zijn broer op de schouder. 'Zie je wel? Het moet Pallas zijn geweest die Seneca heeft verteld dat je zou komen. Sterker nog, waarschijnlijk was het andersom en heeft Seneca tegen Pallas gezegd wanneer hij je in Bauli wilde hebben, zodra Nero klaar was met zijn voorbereidingen. Seneca heeft je deze missie niet gegeven als een gunst omdat je Nero zo hypocriet had geprezen, daar maakte hij alleen gebruik van om het een spontane inval te laten lijken in plaats van een vooropgezet plan. Je was al veel eerder voor die klus gekozen door Seneca en Pallas samen. Wie konden ze beter nemen dan de man die Agrippina's zaken in Britannia moest regelen? Jij was de ideale boodschapper om de uitnodiging van haar zoon voor een grootse en zogenaamd impulsieve verzoening aan haar over te brengen. Immers, waarom zou jij betrokken zijn bij een complot tegen haar en je voormalige beschermheer Pallas, terwijl jou de post van gouverneur was beloofd als je missie voor hen zou slagen? Je had toestemming van de keizer nodig voor die reis, dus Nero wist dat je vanuit Misenum zou vertrekken. Het lag voor de hand dat hij jou als boodschapper van de uitnodiging zou gebruiken. Heel logisch, allemaal, en volkomen onschuldig.'

'Maar hoe wil hij het doen?'

'Haar vermoorden? O, dat wordt zogenaamd een ongeluk, zodat Nero niet wordt besmet met het stigma van een moedermoord. Ik denk dat het gebeurt na een vrolijk familiediner, met talloze getuigen van de blije hereniging tussen moeder en zoon, die nog nooit zo gelukkig hebben geleken in elkaars gezelschap. Maar tragisch genoeg zullen ze juist op die prachtige avond voorgoed van elkaar worden gescheiden door een afschuwelijk ongeluk – dat maanden is voorbereid.'

Vespasianus knikte een paar keer langzaam. 'Nero stuurt een schip om haar te halen en na afloop weer thuis te brengen.'

'Een schip? O, dat kan gevaarlijk worden. En ik durf te wedden dat Pallas, als hij het nieuws over de dood van zijn onfortuinlijke minnares te horen krijgt, jouw reis naar Britannia zal afblazen, omdat die niet meer nodig is totdat haar nalatenschap is uitgezocht. Dat hele verhaal over het terugkopen van hun bezittingen van Cogidubnus, waarvoor jij de papieren moet ophalen in Bauli, is niets anders dan een aannemelijke smoes om jou daarheen te krijgen. Ze weten ook wel dat je nooit een uitnodiging van Agrippina zou hebben aangenomen.'

Vespasianus' opluchting was net zo groot als zijn wanhoop een paar uur eerder – opluchting dat de duisternis in zijn ziel toen het leek of Caenis hem had verlaten volledig was opgeklaard. 'Hoe heb ik haar ooit kunnen verdenken?'

'Omdat Pallas en Seneca je op die gedachte hebben gebracht. Jouw gevoelens of de hare interesseren hen niet, hoewel ze hen allebei trouw heeft gediend – nou ja, min of meer.'

'Die smerige intriganten! Ik zal ze krijgen.'

'Misschien komt die kans nog eens, maar voorlopig niet.'

'Je hebt gelijk. Maar ondertussen lijkt het in mijn voordeel dat hun complot inderdaad succes heeft en dat Agrippina op de bodem van de Golf van Neapolis belandt – maar misschien niet zo probleemloos als Nero had gehoopt. Het zou toch heel ironisch zijn als hij straks nog medeleven van het gepeupel verdient voor het vermoorden van zijn eigen moeder.'

'Precies. Om dat te voorkomen moet jij je rol zo goed mogelijk spelen. En om je rol goed te spelen moet je ze in de waan laten dat je niets vermoedt.'

'Natuurlijk.'

'Dus moet je weer terugvallen in die zielige toestand van zelfbeklag waarin ik je hier aantrof. De spionnen van Seneca en Pallas moeten ervan overtuigd raken dat je totaal van streek bent door Caenis' verraad, zoals jij dat ziet. Alsof je volledig van haar schuld overtuigd bent. Sterker nog, je moet ook Caenis laten geloven dat je echt denkt dat ze jou verraden heeft.'

Vespasianus slikte toen hij besefte dat zijn broer gelijk had. En dat besef drukte extra zwaar op zijn gemoed toen de realiteit ervan tot hem doordrong. Zodra hij de vrouw weer zag die hij liefhad, zou hij haar moeten mijden, niet een paar dagen, maar drie maanden lang.

HOOFDSTUK V

Vespasianus hurkte naast Sabinus en Magnus in een donker steegje bij een zijstraat van de Via Patricius, de belangrijkste straat naar de Porta Viminalis en het praetoriaanse kamp aan het eind ervan. Het drietal droeg mantels met kappen, diep over hun ogen getrokken, hoewel het zeker geen nieuwe maan was en er maar weinig licht door de regenwolken drong. Ze waren gewapend met messen en knuppels, maar die verwachtten ze niet nodig te hebben, omdat ze alleen kwamen observeren. Toch hadden ze niet gedacht dat ze in dit smerige steegje terecht zouden komen, waar ze hun toevlucht hadden gezocht nadat er een boodschapper voor Tigran hun vorige, wat minder ongezonde schuilplaats – de achtertuin van een taveerne, twee straten verderop – was gepasseerd.

Aan het einde van de steeg, bijna op het kruispunt met de zijstraat, konden ze nog net de silhouetten onderscheiden van tien of twaalf van Tigrans broeders, allemaal met de toneelmaskers voor hun gezicht die Nero op zijn strooptochten scheen te dragen. Vespasianus vroeg zich af hoe Tigran met maar zo weinig manschappen wraak wilde nemen op Terpnus, terwijl de vigiles die Nero dekking moesten geven bij zijn laatste strooptocht door de stad toch minstens met acht man waren en Nero's eigen gezelschap ongeveer hetzelfde aantal telde. Nog afgezien van de centurie van een van de stedelijke cohorten die Sabinus verplicht was paraat te houden, ergens in de buurt, om Nero zo nodig uit een benarde situatie te kunnen redden. Zachtjes deelde hij zijn twijfel aan zijn metgezellen mee.

'Geen zorg, heer,' fluisterde Magnus naast hem. 'Tigran weet wat hij doet.'

'Dat zal wel,' antwoordde Vespasianus, terwijl er een dronkenlap het steegje in liep maar onmiddellijk door een van de broeders bewusteloos werd geslagen, 'maar ik zou graag weten wat hij van plan is. Als dit misloopt en Sabinus en ik worden opgepakt, mogen we blij zijn als we de kans krijgen zelfmoord te plegen en onze familie haar bezittingen mag houden.'

'O. En de rest van ons?'

'Daar let niemand meer op als er twee senatoren worden betrapt die proberen de strooptocht van de keizer op de Viminaal te saboteren.'

'Ik dacht dat u hier alleen was om te observeren?'

'Dat is ook zo,' siste Sabinus, 'maar als het fout gaat, zijn wij misschien de klos.'

'Dan had u niet moeten komen. U had ook thuis kunnen wachten op de trofee die Tigran aan senator Pollo had beloofd.'

'Dan had ik de angst in zijn ogen niet gezien, en daar gaat het me juist om.'

'Zeur dan niet.' Magnus trok zijn mantel wat strakker om zijn schouders tegen de aanzwellende regen.

Vespasianus ging wat verzitten en masseerde zijn stijve dijbeen terwijl hij luisterde of hij iets hoorde boven de drukte uit van de mensen die zelfs in het achtste uur van de nacht nog de bordelen van beide seksen bezochten waar de Via Patricius, dertig passen rechts van hen, zo vermaard om was. Huiverend dankte hij Mars dat hij eindelijk de kans kreeg op wraak, de enige reden dat hij nog in Rome was. Daarna, en als Nero's verjaardag over vijf dagen achter de rug was, kon hij wat vaker de stad uit naar zijn landgoederen, tot het tijd werd om naar Bauli te vertrekken. Dan had hij minder kans om Caenis tegen het lijf te lopen. Natuurlijk zou hij nog wel voor bepaalde gelegenheden en feesten naar Rome moeten komen, maar die bezoekjes hoopte hij tot een minimum te beperken.

In de ongeveer twintig dagen sinds Sabinus en hij het onwaarschijnlijke complot tussen Pallas en Seneca hadden ontdekt, had hij zich somber en vol zelfbeklag door de stad bewogen, zoals zijn broer hem had opgedragen. Hij was gehoorzaam komen opdraven als de keizer dat wilde, terwijl hij de rol speelde van een man die zich probeerde groot te houden, vooral als Seneca erbij was, zoals meestal. De enige luxe die hij zichzelf toestond was wat ontspanning in de stallen van de Groenen, op de Campus Martius, bij zijn span Arabische schimmels. Sinds hij de paarden had gekregen van Malichus, de koning van de Nabatese Arabieren, in ruil voor zijn bemiddeling met Seneca over de jurisdictie van Damascus, had Vespasianus zich ontwikkeld tot een uitstekende wagenmenner voor een vierspan. Hij kon zijn frustratie grotendeels afreageren door met zijn span over het Circus Flaminius te draven, naast de stallen van de Groenen, in besloten wedrennen tegen een of twee andere wagens.

Ondertussen had hij alle brieven van Caenis genegeerd en zich een keer zelfs omgedraaid toen hij haar zag naderen in een gang van het paleis. Ze had hem nog iets nageroepen, maar hij had haar geschoffeerd in het bijzijn van minstens drie paleisslaven en een paar *equites* die zaten te wachten op een gesprek met Epaphroditus, een van Nero's vrijgelatenen, die snel carrière maakte. Met zoveel getuigen zou het incident zeker worden doorverteld aan Seneca. Bovendien stond Epaphroditus bekend als een roddelaar. Hoewel het hem pijn had gedaan Caenis zo te behandelen, troostte hij zich met de gedachte dat het nog meer pijn zou doen als hij nog altijd overtuigd was geweest van haar verraad. Maar die verdenking was net zo vals als de twee mannen die het hadden geïnsinueerd.

Pallas was weer uit Rome vertrokken met Agrippina, terug naar haar landgoed bij Bauli in het zuiden. Vespasianus wist inmiddels dat Pallas in Rome weinig gevaar liep van de keizer. Seneca moest zijn komst hebben geregeld, zodanig dat hij ontsnapte aan de aandacht van de stadscohorten bij de poorten, die opdracht hadden naar hem uit te kijken. Vespasianus werd nog kwaad als hij eraan dacht dat hij Pallas ooit als een vriend had beschouwd – en dat Caenis dat nog altijd deed. De man had geprobeerd hun relatie te vergiftigen met een valse verdenking van verraad. Juist dát was verraad; erger kon niet. Vespasianus' trouw aan de ooit zo machtige Griekse vrijgelatene had plaatsgemaakt voor een brandend verlangen naar vergelding. Maar eerst zou hij zijn oom moeten wreken, hopelijk met enige voldoening. Weer probeerde hij onderscheid te maken tussen al die geluiden vanuit de Via Patricius.

Maar toen hij hoorde waar hij op lette, kwam het niet uit de richting van de hoofdstraat, maar meer van links. Weer hoorde hij het, nu nog dichterbij – het gedruis dat Gaius hem had beschreven, een hoog en schril gejoel. Nero naderde, met een spoor van chaos en geweld, op een strooptocht door de stad die hij rechtvaardig hoorde te besturen. Vanavond, hoopte Vespasianus, zouden ze daar een eind aan maken door hem de schrik van zijn leven te bezorgen.

Een paar gedaanten renden langs de ingang van de steeg, vluchtend voor hun leven toen het gejoel dichterbij kwam. Tigran maakte een geruststellend gebaar naar de mannen om hem heen. Een kreet van pijn sneed door de straat en het gejoel verstomde een moment om plaats te maken voor ritmisch geklap en schor gebrul, zo nu en dan onderbroken door een vrouwenstem die om genade smeekte. Maar genade was dit slachtoffer niet gegund, en haar kreten werden steeds zwakker terwijl het geklap en gebrul nog aanzwol. Het bereikte een crescendo en ging weer over in het gebruikelijke gejoel, hoog en grimmig, bloedstollend als de strijdkreet van een barbaarse stam. Het kwam langzaam dichterbij, begeleid door de voetstappen van zware laarzen en het gejuich van jagers die een nieuwe prooi hadden ontdekt. Vespasianus hoefde niet lang te wachten voordat hij zag wat de aandacht had getrokken van Nero's bende. Een grote man, gekleed in een toga en met een brandende fakkel in zijn hand, rende langs de ingang van de steeg met een verbazingwekkende snelheid voor iemand van die omvang. Drie vrouwen volgden hem.

'Goed zo, Sextus,' mompelde Magnus. 'Een verleidelijk lokaas.'

Toen Sextus was gepasseerd, had het gejoel hen bijna bereikt. Even later zagen ze het mollige silhouet van Nero, vergezeld van een paar juichende schimmen, voorbijdraven. Twee tellen na het laatste lid van dat groepje kwam Tigran in actie en stormde de straat in. Maar in plaats van Nero te volgen, sloeg hij links af, met al zijn broeders in zijn kielzog. Vespasianus sloop naar het einde van de steeg. Links van hem klonken angstkreten en wapengekletter. Voorzichtig keek hij om de hoek en zag Tigran en zijn broeders nu vlak bij de verbaasde vigiles, die de keizer moesten beschermen. Drie van hen, onder wie hun *optio*, gingen neer, terwijl de andere vijf weinig verzet boden tegen een aanval van scherpe zwaarden en met spijkers versterkte knuppels. De kruispuntbroeders waren de vernedering die hun collega's een maand eerder hadden ondergaan nog niet vergeten. Met twee snelle klappen knuppelde Tigran de volgende neer, terwijl een ander lid van de Romeinse politie tegen de grond zakte met een opengesneden buik. Dat was wel genoeg voor de laatste drie, die ervandoor gingen in plaats van hun leven te offeren voor een verkrachter en plunderaar.

Vespasianus keek opzij, waar het forse silhouet van Sextus zijn fakkel als wapen gebruikte toen hij brullend in de aanval ging tegen een paar van Nero's metgezellen, geholpen door drie andere figuren, die weliswaar vrouwenkleren droegen maar hun zwaarden toch heel mannelijk wisten te hanteren. Gezamenlijk blokkeerden ze de zijstraat, zodat de keizer en zijn plunderende gevolg geen kant meer op konden toen Tigran zich met zijn broeders langs het steegje terugtrok en de val liet dichtklappen.

Nero keek om zich heen, wanhopig speurend naar een schuilplaats, maar die was er niet. Het enige wat hij zag waren stenen muren en door luiken beschermde ramen, aan weerskanten. Een van zijn makkers stapte naar voren. De man had zijn gezicht bedekt met een sjaal en hield zijn zwaard omhoog als teken dat hij het niet wilde gebruiken. 'Ik raad jullie ernstig aan ons door te laten,' zei hij. Vespasianus herkende de stem van Tigellinus. 'Jullie hebben geen idee wie je voor je hebt.'

'O, ik weet heel goed wie je bent, Tigellinus,' zei Tigran vanachter zijn masker. 'Sterker nog, ik was juist naar je op zoek.'

Tigellinus deed een stap terug, geschrokken van het onverwachte gebruik van zijn naam. 'Dan weet je dus ook wie er bij ons is?'

'Jazeker. En we zijn hier voor hem.'

Nero slaakte een kreet en liet zich op zijn knieën zakken, heftig snikkend, met zijn vingertoppen tegen de ooggaten van zijn onnozele toneelmasker gedrukt, alsof hij zijn tranen wilde opvangen. 'Genade! Genade voor uw keizer.'

'Natuurlijk, princeps,' antwoordde Tigran met verrassend veel respect. 'Wij zullen u heus geen kwaad doen. We vragen u alleen of u zich bij uw nachtelijke expedities wilt beperken tot de Palatijn. U kunt gaan, als u Terpnus maar aan ons overlaat.'

Nero keek van links naar rechts, alsof hij een valstrik vermoedde, voordat hij overeind sprong. 'Natuurlijk! Neem hem maar.' Hij draaide zich om, greep de ongelukkige muzikant en duwde hem naar Tigran toe. Twee van de broeders ramden hem tegen een muur toen hij probeerde zich los te rukken.

Tigran knikte naar Sextus en zijn als vrouw verklede manschappen. 'Laat ze maar gaan, mannen.'

Ze deden een stap opzij en Nero ging ervandoor, gevolgd door zijn makkers. Alleen Tigellinus aarzelde nog. 'Ik weet je wel te vinden!' snauwde hij.

'O nee, Tigellinus. Je hebt geen idee waar je moet zoeken. En als je in de buurt komt, vind ik jou eerst.'

Tigellinus staarde naar het uitdrukkingsloze masker en spuwde voor Tigrans voeten op de grond voordat hij zich omdraaide en waardig wegliep.

Tigran draaide langzaam zijn hoofd opzij en richtte zijn dreigend starre masker naar Terpnus.

'Wat moet je van me?' vroeg Terpnus angstig, met bevende stem.

Tigran zweeg, bracht zijn hand omhoog en rukte de sjaal voor het gezicht van zijn gevangene weg.

Terpnus' lippen trilden, en zweet parelde op zijn voorhoofd. 'Wat wil je van me?' vroeg hij weer, met nog zwakkere stem.

'Niet je leven. Laat dat een geruststelling zijn.'

Terpnus' gezicht ontspande zich wat.

'Alleen je talent. Sextus, doe je werk.'

Terpnus keek eerst nog verbaasd toen de forsgebouwde broeder op hem toe kwam, maar begon te beven van angst toen Sextus zijn rechterpols greep en Terpnus' hand plat tegen de muur drukte. Zijn fakkel wierp een flakkerend schijnsel over het tafereel.

'Nee! Ik smeek je!' gilde Terpnus toen hij de korte bijl zag glinsteren in Tigrans vuist. Hij probeerde zijn vingers te krommen, maar Sextus was veel te sterk en hield de hand van de lierspeler met gespreide vingers tegen de muur geklemd.

De bijl glansde als goud toen hij een boog beschreef, met een metaalachtige klap de muur raakte en zich in de baksteen boorde. Het bleef heel even stil voordat er een gekerm opsteeg dat overging in een kreet van wanhoop toen Terpnus zijn duim op de grond zag vallen. Het blad van de bijl kleurde rood. Tigran bracht zijn hand naar achteren voor een tweede klap, onder een iets andere hoek. Weer daalde de bijl neer, in een fontein van donkere druppels. Het gekerm verstomde niet, maar klonk nog schriller toen de wijs- en middelvinger omhoogvlogen, cirkelend naar Terpnus' gezicht. Een van de vingers raakte hem tegen de wang, in doodsangst nagestaard door de musicus. Weer suisde de bijl door de lucht en hakte de laatste twee vingers af. Eindelijk liet Sextus de pols van het slachtoffer los. Terpnus staarde met grote ogen van afschuw naar zijn verminkte hand. Hij krijste niet langer maar slaakte een geluidloze schreeuw.

'Dat voelt veel beter,' mompelde Sabinus tegen Vespasianus.

'Zo is het, broer.'

'Ik heb een idee, dat onze oom nog meer genoegen zal doen dan die trofeeën die Tigran hem had beloofd.' Sabinus deed een stap naar voren en raapte de duim en wijsvinger op. 'Laat hem maar bukken, Sextus.'

Sextus greep Terpnus grijnzend bij zijn nek en duwde de man voorover. Tigran begreep wat de bedoeling was en scheurde Terpnus de lendendoek van zijn lijf. Zonder plichtplegingen propte Sabinus de afgehakte duim, glibberig van zijn eigen bloed, in de anus van de man, gevolgd door de wijsvinger. Terpnus schokte en beefde over zijn hele lijf. Tigran verzamelde de andere drie vingers, die even later dezelfde weg gingen, voordat Sabinus zijn knie tegen Terpnus' gezicht ramde en zijn neus brak. 'Dat was de laatste keer dat je iemand van mijn familie vernederde, vuile klootzak!' Met een erkentelijk knikje naar Tigran draaide hij zich om en verdween naar de Via Patricius, met Vespasianus en Magnus in zijn kielzog.

'Je had niets tegen hem moeten zeggen,' merkte Vespasianus op toen ze de drukke hoofdstraat bereikten met zijn hoerenlopers en bestelkarren, die bij daglicht geen toegang hadden tot de stad. 'Misschien heeft hij je stem herkend.'

Sabinus haalde zijn schouders op. 'Hij lette helemaal niet op mijn stem. Hij had het te druk met kiezen – wat er het meest pijn deed, zijn hand, zijn neus, of die vier vingers en de duim die in zijn reet waren gestoken.'

'Dat wordt interessant poepen morgenochtend,' peinsde Magnus. 'Zeg maar dag met je handje.'

Vespasianus negeerde dat. 'Toch had je beter je mond kunnen houden, Sabinus. Misschien moet je Terpnus een tijdje ontlopen. Wees in elk geval voorzichtig op Nero's verjaarsfeest over vijf dagen. Als hij je hoort praten, gaat hem misschien een licht op.'

Dus wisten Vespasianus en Sabinus zogenaamd nergens van toen ze de verhalen hoorden over de gewetenloze, tragische overval op de beste lierspeler van zijn tijd. Met geveinsde verbazing bespraken ze het incident met de andere gasten op het feest ter ere van Nero's verjaardag, twee dagen na de idus van december.

'Het is blijkbaar hier op de Palatijn gebeurd, vlak onder onze neus,' zei Marcus Valerius Messalla Corvinus nadrukkelijk tegen zijn metgezel toen hij Vespasianus, Sabinus en Gaius passeerde, die op een terras van het keizerlijk paleis naar de ondergaande zon boven het Circus Maximus stonden te kijken. 'Waarom doet de prefect van Rome helemaal niets tegen dat soort geweld, in een buurt waar fatsoenlijke mensen wonen? Waar is die man mee bezig?'

'Het wordt hoog tijd om iemand anders te benoemen, Corvinus,' antwoordde zijn vriend op even luide toon.

'Precies hoe ik erover denk, Pedanius. Dat heb ik ook al tegen Seneca en de keizer gezegd. Ik zal het nog eens herhalen tegen Nero als hij vanavond arriveert. Dan kan ik jou meteen als kandidaat aanbevelen, als dank voor je eh... hulp bij mijn benoeming tot gouverneur van Lusitania.'

'Ik weet zeker dat ik het heel wat beter zou doen dan de man die er nu zit.'

'Dat is zo moeilijk niet.'

'Niet op reageren, beste jongen,' zei Gaius toen Corvinus en Pedanius lachend doorliepen. 'Ze weten precies hoe en waar het is gebeurd.'

'Bovendien,' merkte Vespasianus op, 'gelooft toch niemand de officiële versie van zulke incidenten.'

Sabinus spuwde over de balustrade in de tuin eronder. 'Het maakt niet uit of ze het geloven of niet als de officiële versie zogenaamd de waarheid is. Dus sla ik een figuur.'

Gaius pakte een pasteitje van het blad van een passerende slaaf. 'Ik hoop niet dat je spijt hebt dat je mijn vernedering op zo'n bevredigende wijze hebt gewroken.'

'Natuurlijk niet, oom,' antwoordde Sabinus, terwijl hij door de terrasdeuren een blik wierp op Terpnus, die om de paar seconden ongelovig naar het verband om zijn verminkte hand staarde. 'Hem zo te zien geeft me al een warm gevoel, maar dat wordt wel getemperd door etters als Corvinus en Lucius Pedanius Secundus, die hun venijn in het openbaar spuien.'

'En Corvinus krijgt meteen een gouverneurspost na zijn termijn als consul,' zei Vespasianus, duidelijk verbitterd.

'Nou, hij heeft er wel voor betaald, en het heeft hem een fortuin gekost, beste jongen. Seneca rekent een krankzinnige rente en hij moest Pedanius vragen om garant te staan – heel vernederend, omdat de hele wereld nu weet dat zijn familie het geld niet meer heeft.'

'Wij ook niet. Ik kan het me echt niet veroorloven om Seneca voor een gouverneurspost te betalen.'

'Nee, maar dat hebben wij nooit gekund. Corvinus' familie vroeger wel, maar nu niet meer. Hij wilde zo wanhopig hun financiën weer op peil brengen met die gouverneurspost dat hij zijn trots heeft ingeslikt en een enorme lening heeft afgesloten. Maar goed, dat zal hem een zorg zijn nu hij zijn provincie heeft gekregen.'

'En daar treitert hij mij graag mee, zodra hij de kans krijgt. Ik had liever dat hij nog dood was.' Corvinus had al zijn eed geschonden om zich als een dode te gedragen in Vespasianus' bijzijn, omdat Vespasianus zijn leven had gered na de val van zijn zuster, Messalina, iets waar Vespasianus allang spijt van had.

Vespasianus' klaagzang werd onderbroken door een schrille kreet van boven. Ze keken alle drie omhoog toen er een vaas van het balkon boven hun hoofd werd gesmeten, die in scherven uiteenspatte op een tegelpad beneden.

'Stuur hem dan weg!' hoorden ze een woedende vrouwenstem. 'En daarna die saaie, zure vrouw van je! Jij gaat me jouw keizerin maken, wat je moeder daar ook van vindt!'

'Voorzichtig, Poppaea.' Nero's hese stem was duidelijk te herkennen. 'Je mag dan mooi zijn, en vindingrijk in bed, maar onsterfelijk ben je niet. Wat ik doe, en wanneer, bepaal ik zelf en niemand anders.'

Of Poppaea toch schrok van de kille, dreigende toon in Nero's stem of dat ze gewoon van tactiek veranderde was niet duidelijk, maar het duurde niet lang voordat ze – aan de geluiden vanaf het balkon te horen – flink lagen te vozen.

'Ik ga weer eens naar binnen,' verklaarde Gaius, aan wie Poppaea's hijgen en steunen niet was besteed.

De twee broers volgden hem.

'Die kwestie met Terpnus heeft uw reputatie geen goed gedaan, prefect,' merkte Tigellinus op, met een valse grijns op zijn scherpe gezicht. Otho stond naast hem.

'Waar waren jouw vigiles, Tigellinus?' vroeg Sabinus op zijn beurt.

'Je had genoeg manschappen over, want je vertelde me zelf dat er op de Viminaal niet gepatrouilleerd hoefde te worden vanwege... nou, dat weet je wel.'

'Ja, dat weet ik.'

'Zullen we dus ophouden met het fabeltje dat Terpnus op de Palatijn is overvallen?'

'Ik weet waar het is gebeurd, want ik was er zelf bij, zoals je heel goed weet. De vraag is alleen wie er verder nog waren.' Zijn grijns werd nog valser. 'Nietwaar?'

'Wat?'

'Ik zal je iets interessants vertellen. Ik heb een paar leden van de West-Viminale Kruispuntbroederschap opgepakt voor ondervraging, en zelfs toen ze stevig aan de tand werden gevoeld, bleken ze niets te weten over Terpnus' vingers.'

'En?'

'Dus ik ga ervan uit dat zij het niet waren. Maar wie dan wel? Jij bent de enige die ik had verteld dat de Viminaal het doelwit was, zodat je voor alle zekerheid een centurie van je stadscohort paraat kon houden, zoals gewoonlijk. Aan wie heb je dat doorverteld? Nou? Wie moet ik nu ondervragen? Nou?' En daarmee draaide hij zich abrupt om en liep weg.

'Een lastig parket?' informeerde Otho, voordat hij Tigellinus volgde.

'Ik zal Tigran waarschuwen dat hij zich voorlopig gedeisd houdt,' zei Gaius toen Tigellinus en Otho zich onder de gasten mengden. Onderweg begroetten ze Faenius Rufus, Thrasea, de stoïcijn, en Gaius Calpurnius Piso.

Vespasianus wreef zich over zijn kale schedel en keek nog grimmiger dan gewoonlijk. 'Misschien moeten we iets bedenken om hem van de wijs te brengen.'

'Eerlijk gezegd, prefect,' zei Rufus, die onopvallend naar Sabinus toe was gekomen, 'vonden wij het niet meer dan een vorm van gerechtigheid wat er die avond is gebeurd. Iemand verdient een schouderklopje.'

Sabinus keek de man vragend aan. Rufus' eerlijkheid was nogal roekeloos. 'Ik heb geen idee wat je bedoelt.'

'Die gespeelde onnozelheid pleit voor je, Sabinus,' merkte Thrasea op.

'Maar we trappen er niet in,' zei Piso, zo zacht dat niemand hem kon horen in het geroezemoes. 'We weten allemaal dat de keizer is gedwarsboomd bij een van zijn walgelijke strooptochten en dat Terpnus is gestraft voor zijn schandalige behandeling van een man met enige invloed. Dit moet een bewuste afrekening zijn geweest. Wij zeggen alleen dat heel wat mensen hier begrip en waardering voor hebben en dat de excessen van de keizer hopelijk wat worden ingetoomd. En we weten ook dat deze overval onmogelijk had kunnen plaatsvinden zonder tenminste de stilzwijgende instemming van iemand zoals... uzelf, bijvoorbeeld.'

Sabinus wilde alles ontkennen, maar Piso gaf hem de kans niet. 'Zeg maar niets, prefect. Maar als u ooit wilt praten...' Piso glimlachte en verdween, met Rufus en Thrasea.

'Dat was nogal indiscreet van hem,' merkte Vespasianus op.

'Werkelijk, beste jongen? Ik zou zeggen dat hij een paar logische conclusies heeft getrokken uit feiten die nu wel algemeen bekend zijn. Het is goed te weten dat er mensen zijn die er net zo over denken als wij, maar laten we hopen dat niet iedereen zo slim is als Piso en Rufus – vooral Tigellinus niet. Toch zou ik niet met Piso gaan praten, zoals hij voorstelt, voor het geval hij met dit verhaal ook naar andere mensen is gestapt van wie hij onterecht veronderstelt dat ze aan onze kant staan.'

Voordat Sabinus daar iets op kon zeggen, klaterde er een applaus op toen Nero en Poppaea Sabina boven aan de trap verschenen. Blijkbaar was het een vluggertje geweest.

Halverwege de trap bleef Nero staan om nog even van de begroeting te genieten. Ten slotte vond hij het genoeg en hief een hand op om stilte. 'Vrienden, het komt niet vaak voor dat ik van gedachten verander. Ik vergis me nooit, dus is daar ook geen reden toe. Toch geloof ik nu dat ik misschien iets over het hoofd heb gezien toen ik een benoeming bekrachtigde.'

Vespasianus voelde dat Sabinus verstrakte, naast hem. Hij wierp een blik naar Pedanius, die ook gespannen en met grote interesse naar de keizer keek.

'Het was ook makkelijk over het hoofd te zien, omdat ik er zelf zoveel van bezit dat ik er bij anderen eigenlijk niet over nadenk. Maar deze keer had ik er toch rekening mee moeten houden: geld.'

Vespasianus was er nu van overtuigd dat Nero op een of andere manier lucht had gekregen van de tien miljoen sestertiën waarmee Seneca door Pallas was omgekocht. Maar deed dat er iets toe?

'Als je geen geld hebt, kun je niet optreden zoals een echte Romeinse patriciër betaamt, in welke situatie ook, dus daarom lijkt het me beter om Marcus Valerius Messalla Corvinus van zijn functie als gouverneur van Lusitania te ontheffen. Inmiddels weet ik dat zijn zes maanden als collega-consul hem veel meer hebben gekost dan hij heeft verdiend, waardoor het vermogen van zijn familie tot onder het vereiste bedrag voor een senator is gedaald.'

Er klonk een onderdrukte zucht vanuit de zaal en alle ogen gingen naar Corvinus, die als verstijfd stond, rood aangelopen van woede en met zijn kin nijdig vooruit.

Sabinus ontspande zichtbaar.

'Maar ik ben niet ongevoelig voor de afkomst van zijn belangrijke patriciërsfamilie, dus stel ik voor dat de Senaat hem een jaarlijkse toelage van een half miljoen sestertiën toewijst, zodat hij waardig met zijn armoede kan omgaan en toch zijn positie als senator zal behouden.'

Zo'n gebruik van publieke middelen leek heel vanzelfsprekend, en Nero werd uitvoerig geprezen, terwijl Corvinus opgelucht ademhaalde in het besef dat hij een aanzienlijk inkomen kon verwachten waarvoor hij geen spat hoefde uit te voeren.

'Ik word hier niet goed van. Die man heeft altijd geluk,' siste Vespasianus nijdig tegen Gaius.

'Zo is het, beste jongen. En hij hoeft Seneca niet eens dat smeergeld terug te vragen, omdat het toch al Seneca's geld was.'

'Maar wie moeten we nu in zijn plaats benoemen?' ging Nero verder. 'Ik zie maar één geschikte kandidaat, en dat is mijn goede vriend Marcus Salvius Otho.'

De uitdrukking op Otho's gezicht maakte duidelijk dat hij zichzelf zeker niet de enige kandidaat vond voor het gouverneurschap van een provincie die – hoe lucratief ook – in een uithoek van het rijk lag, ver van de verlokkingen van Rome.

'Dus, Otho, wens ik je veel geluk en beloof ik dat ik goed op je vrouw, Poppaea, zal passen totdat je weer terug bent. Hoewel echtscheiding me in deze omstandigheden een betere oplossing lijkt. Je kunt vertrekken.'

Otho deed een stap naar voren. 'Maar, princeps...'

'Ga! En blijf daar totdat ik je weer terugroep.'

Als dat ooit gebeurt, dacht Vespasianus, terwijl Otho besefte dat hij helemaal niets tegen Nero's besluit kon ondernemen zonder dat het hem de kop zou kosten.

Poppaea Sabina keek haar man triomfantelijk na, met haar hand om de arm van de keizer. Vespasianus zag haar zegevierende blik. Een van de drie obstakels op haar weg naar de troon was nu verwijderd. Alleen Nero's vrouw, Claudia, en zijn moeder, Agrippina, konden haar nog de voet dwars zetten. En beide vrouwen leken weinig kans te hebben tegenover de ambitie van deze nieuwe furie aan Nero's zijde.

'Heer,' zei Hormus toen Vespasianus een paar uur later de voordeur binnenkwam, nadat hij zijn escorte van Tigrans broeders naar huis had gestuurd in de kille nevel van de decembernacht. 'Het spijt me, maar ik kon haar niet tegenhouden. Ze was vastbesloten.'

'Wie bedoel je, Hormus?'

'Caenis, heer.' De vrijgelatene wrong zijn handen en ontweek de blik van zijn patroon toen ze door de hal naar het atrium liepen. 'Ze kwam een uurtje nadat u was vertrokken en speldde de portier op de mouw dat ze een belangrijk bericht voor u had van Seneca, dat ze persoonlijk in uw werkkamer moest afleveren. Daarna weigerde ze te vertrekken, hoewel ik haar zei dat u orders had gegeven om haar vooral niet binnen te laten.'

Vespasianus wierp een blik door het atrium, maar Caenis was nergens te bekennen. 'Waar is ze nu?'

'Bij uw vrouw, heer. Het spijt me.'

'Bij Flavia!'

'Ja, heer. Ze ging zo tekeer dat de meesteres kwam kijken wat er aan de hand was. Toen ze Caenis ontdekte, stond ze erop dat ze samen op u zouden wachten in het triclinium en dat ik hun daar het avondeten zou brengen.'

Vespasianus keek ontzet. 'Dan zitten ze al bijna drie uur bij elkaar!'

Hormus kromp ineen en wrong zijn handen zo heftig dat de knokkels wit wegtrokken. 'Ik weet het. Het is verschrikkelijk. Het spijt me, heer.'

Vespasianus slikte en keek eens naar de dichte deur van het triclinium. De enige andere keer dat hij zijn vrouw en zijn minnares ooit samen had gezien was toen ze allebei moesten toestaan dat hun huizen werden doorzocht na de moord op Caligula – heel vernederend en pijnlijk. Toch hadden Flavia en Caenis een goede band onderhouden en zelfs vriendschap gesloten toen Vespasianus zes jaar van huis was geweest met het Tweede Legioen Augusta in Germania en Britannia. Zijn twee oudste kinderen noemden Caenis zelfs tante. Maar Vespasianus zag hen liever niet samen, zeker niet nu hij Caenis zo nadrukkelijk had ontlopen, zonder haar duidelijk te maken waarom. Hij had haar opzettelijk niets over zijn motieven verteld, om zo goed mogelijk de schijn op te houden, maar nu zou hij toch met een verklaring moeten komen.

Hij zette zich schrap, liep langzaam naar de deur van het triclinium, aarzelde nog even met zijn hand op de klink, maar stapte toen naar binnen.

'Aha, daar ben je eindelijk,' zei Flavia, op een toon alsof hij te laat was voor een afspraak die hij zelf had gemaakt. Ze lag op een bank, met Caenis naast haar en de restanten van een flinke maaltijd op de tafel voor hen. 'Waar heb je gezeten?'

'Dat weet je best, Flavia. Daar behoor je niet naar te vragen.' Hij brak een stuk brood af en doopte het in een kom met olie voordat hij op een vrije bank ging zitten. Caenis hield haar ogen neergeslagen en keek hem niet aan. 'Hoe gaat het, Caenis?'

Zo onverwachts dat Vespasianus en Flavia ervan schrokken, smeet Caenis haar beker tegen de muur, waar hij uiteenspatte in een fontein van scherven en wijn. 'Wat heb ik misdaan?' Haar stem sloeg over.

'Niets, mijn lief, helemaal niets.'

'Waarom negeer je me dan? Waar heb ik het aan verdiend dat je je omdraait als je me ziet aankomen in een gang? Waarom reageer je niet op mijn briefjes? Wat is er aan de hand? Heb je een jongere minnares gevonden? Ben ik te oud, op mijn drieënvijftigste? Ben ik gerijpt als melk in plaats van wijn?' Er stonden tranen in haar ogen en Vespasianus zou haar het liefst in zijn armen hebben genomen om haar gerust te stellen en te troosten. Maar dat ging niet, in het bijzijn van zijn vrouw. Het feit dat Caenis hier met Flavia zat, bewees hoe wanhopig ze zich voelde.

'Ik had geen keus en ik kon niet met je praten uit angst dat een spion bij jou of mij thuis zou horen dat ik heel goed weet dat jij me niet aan Seneca hebt verraden.'

'Natuurlijk zou ik jou niet aan Seneca verraden, ook al werk ik voor hem.'

'Dat weet ik nu ook, maar niet op de ochtend na ons gesprek met Pallas en Agrippina, toen Seneca al op de hoogte bleek te zijn van mijn komende reis naar Bauli. Het leek toen logisch dat jij hem dat had verteld.'

Ze keek hem vernietigend aan, en haar stem klonk scherp. 'En waarom geloof je dat niet langer?'

Hij had geen andere keus dan haar het hele verhaal te vertellen, over de list van Pallas, de belofte van een gouverneurspost, de uitnodiging naar Bauli en het hele schandelijke complot om Agrippina te vermoorden – waaraan hij wel moest meewerken, omdat de afschuw onder het volk van Nero's misdrijf uiteindelijk in zijn voordeel zou werken en bovendien Titus een goede positie als militaire tribuun zou bezorgen.

'Heilige Moeder Isis!' fluisterde Flavia toen hij uitgesproken was. De uitdrukking op haar gezicht maakte wel duidelijk hoe ze over zijn verhaal dacht.

Ook Caenis was geschokt. 'Je hebt vorige maand je eigen moeder begraven en nu wil je Nero helpen de zijne te vermoorden? Heb je dan helemaal geen respect voor het heilige moederschap? Moedermoord is een onvergeeflijke misdaad, een belediging voor iedere god, niet alleen Isis of de grote Moeder Cybele, nee, voor allemaal! In de geschiedenis wemelt het van de mannen die hun moeder iets hebben aangedaan, en met geen van hen loopt het goed af. De toneelstukken over hen zijn allemaal tragedies. Heb je daar wel aan gedacht? Er is geen enkele komedie bij. Ja, Agrippina is een furie die alle ellende verdient die haar kan overkomen, maar als ze door haar eigen zoon wordt vermoord, zal ze eerder met medeleven dan met minachting worden herinnerd. En iedereen die Nero helpt bij zo'n schandalig plan zal delen in die afkeer. Ik vraag je dus dringend, Vespasianus, om er nog eens goed over na te denken.'

Vespasianus keek van zijn minnares naar zijn vrouw, maar kon bij geen van beiden een zweem van sympathie ontdekken voor zijn positie. 'Ik kan nu geen nee zeggen tegen Seneca. Ik heb al afgesproken dat ik die uitnodiging aan Agrippina zal overbrengen als ik de eigendomspapieren ga ophalen.'

Caenis schudde haar hoofd, keek hem niet langer aan en scheurde verongelijkt een stuk brood af. Maar Flavia zat hem nog altijd aan te staren, een beetje peinzend, alsof ze een lastig besluit moest nemen. 'Dus Titus zou een aanstelling krijgen. Dat is zeker?' vroeg ze ten slotte.

'Ja, daar ga ik van uit.'

'Dan kun je niet meer terugkomen op je belofte aan Seneca, anders zal niemand in deze familie nog carrière maken. Titus moet zo snel mogelijk de cursus honorum doorlopen, anders krijgt hij geen kans meer. Zijn leertijd bij de lagere magistraten van de *vigintiviri* is al bijna twee jaar geleden. De vraag is alleen of we zijn carrière vooruit moeten helpen met een misdaad tegen de goden. Want als we dat doen, zullen zij hem dan niet straffen met een soortgelijk lot?'

'Hoe bedoel je? Dat hij ooit vermoord zal worden door zijn zoon?'

'Door zijn zoon, zijn dochter, zijn neef, wie dan ook.'

'Eerder door zijn broer.' Maar Vespasianus had meteen spijt van die opmerking, omdat hij weer het gevoel had dat hij Domitianus onrecht deed.

'Dat weet ik niet. Maar wat ik heel zeker weet, is dat de goden meestal het laatste woord hebben en dat hun gevoel voor humor nogal macaber is.'

De richting van het gesprek beviel Vespasianus niet erg, omdat hij vreesde dat Flavia gelijk had. De goden stonden erom bekend dat hun straffen soms uitblonken door een onaangename zwarte humor. 'Wat zou jij dan doen, Flavia?'

Flavia keek hem verbaasd aan. 'Volgens mij is dat de eerste keer dat je me ooit om raad hebt gevraagd, lieve. Daarvoor ga je altijd naar Caenis.'

'Dat was politiek advies,' zei Caenis, kauwend op een stuk brood. 'Dit is een godsdienstige kwestie, en met jouw diepe geloof in Isis ben jij de aangewezen persoon om raad te geven.'

'Dank je, lieverd, dat is heel ruimhartig van je.'

De twee vrouwen schonken elkaar een warme glimlach, die Vespasianus de rillingen over de rug deed lopen.

Toen die plichtplegingen achter de rug waren, dacht Flavia even na en streek met haar wijsvinger over haar lippen. 'Ik vereer Moeder Isis al bijna heel mijn volwassen leven, en daarom heeft ze een speciale belangstelling voor mijn familie en vooral voor Titus, mijn oudste kind. Deze misdaad waarmee je Titus vooruit wil helpen is een belediging voor het moederschap, dus moeten we de godin verzoenen die voor mijn familie dat moederschap vertegenwoordigt.'

Vespasianus was het met zijn vrouw eens. 'Dat klinkt logisch. Ik zal onmiddellijk een offer organiseren.'

'Nee, mijn echtgenoot. Doe dat maar over een maand of twee, vlak voordat je vertrekt, om het offer zo vers mogelijk te houden in de gedachten van de godin.'

'Als jij het zegt. Wat zou geschikt zijn – een witte os, of een zeug?'

'Nee. Dit moet iets heel persoonlijks zijn. Je moet de godin laten zien dat je haar bescherming echt nodig hebt voor onze zoon. Je zult dus een groot offer moeten brengen, een groot persoonlijk offer.'

Vespasianus wist waar ze naartoe wilde en probeerde wanhopig een alternatief te bedenken, maar tevergeefs. 'Weet je het zeker, Flavia?'

'Ja. Ik zie geen andere mogelijkheid. Het hoeft er maar één te zijn van het span, maar wel de snelste.'

Vespasianus voelde zich verslagen. 'Het zal gebeuren.' Hij boog zich over de tafel en pakte Caenis' uitgestoken hand, terwijl hij zich afvroeg of hij werkelijk in staat was om het snelste van zijn Arabische renpaarden aan Isis te offeren.

'Weet u het zeker?' vroeg Magnus, terwijl hij de neus van de trotse Arabische hengst streelde die het ongeluk had om door de stal van de Groenen – waar met de paarden werd geoefend en ze onderdak hadden – te zijn aangewezen als de snelste van Vespasianus' span. Het dier snoof even en wreef zijn hoofd stevig tegen Magnus' hand. 'Ik bedoel, stel dat Flavia dat enkel heeft gezegd omdat ze jaloers is en vindt dat u meer aandacht hebt voor de paarden dan voor haar.'

'Natuurlijk niet. Ze weet alleen hoeveel deze dieren voor mij betekenen.' Vespasianus' stem droop van emotie. Hij hield van zijn huisdieren – zoals hij ze zag. En hij was er trots op. In de vijf jaar dat zijn Arabieren voor de Groenen aan de wedrennen in het Circus Maximus hadden deelgenomen hadden ze drieëntwintig wedstrijden gelopen, waarvan ze er maar liefst negentien hadden gewonnen. Ze waren het beste span uit de Groene stal en waarschijnlijk zelfs het beste span van heel Rome. Al twee maanden lang was het elke dag weer een hartverscheurende gedachte dat hij een van de paarden aan Isis zou moeten offeren, maar hij begreep Flavia's redenering heel goed en vervloekte de intriges van Pallas en Seneca, die hem in deze situatie hadden gebracht. En nu was de noodlottige dag dan aangebroken. 'In elk geval heb ik er nog vier over die als span kunnen meedoen,' zei Vespasianus spijtig, terwijl hij de flanken van het dier streelde, waar de damp vanaf sloeg na zijn allerlaatste ren over de baan die Vespasianus had bevolen. Hij greep de halster en liep door de open poort van het Circus Flaminius naar de tempel van Isis, waar Flavia en Caenis op hem wachtten.

'Ik aanschouwde een groot wonder aan de hemel, een vrouw gekleed in de Zon, met de Maan aan haar voeten. En op haar hoofd droeg ze een diadeem van de twaalf sterren. Hoor mij aan, o, Moeder Isis, hoor mij aan en sta me bij. O, koningin van liefde en genade, die gekleed gaat in de Zon, gekroond is met de sterren en geschoeid met de Maan, gij met uw milde, stralende gelaat, als gras dat verfrist wordt door de regen...'

Vespasianus had een plooi van zijn toga over zijn hoofd geslagen toen de priesteres van Isis de godin aanriep om hun smeekbede te horen. De prachtige hengst naast hem maakte zo nu en dan een klein sprongetje, zodat zijn hoefslag tegen de zuilen van de schemerige tempel weerkaatste, waar de bedompte geur van wierook zweefde. Flavia, die tegenover het beeld van Isis stond, hield haar handen tegen haar borst gedrukt, gekleed in een jurk van hetzelfde diepe blauw als de godin. Haar ogen waren vochtig – door haar contact met haar godin of door de zware lucht van de wierook, dat kon Vespasianus niet bepalen. Magnus staarde alleen naar de hengst. Ook in zijn ene goede oog blonken tranen, maar Vespasianus wist dat dit een oprechte emotie was om de dood van het paard dat, samen met zijn makkers, meer geld voor Magnus had gewonnen dan enig ander dier in al die jaren dat hij nu al op zijn geliefde Groenen wedde. Er heerste een droevige sfeer toen de priesteres klaar was met haar gebed en het fatale moment steeds dichterbij kwam.

'Moeder Isis, hoor ons aan,' smeekte Flavia, terwijl ze deemoedig haar handen strekte. 'Aanvaard dit offer en houd uw beschermende hand boven mijn zoon, Titus. Verschoon hem van het misdrijf dat op het punt staat te geschieden. Neem deze hengst, Moeder Isis, met uw sterrenkroon, als verzoening voor het kleine aandeel van mijn echtgenoot in deze aanslag op het moederschap. Neem, hoor, en verhoor!' Flavia boog haar hoofd en kruiste haar armen weer voor haar borst terwijl de priesteres met luide stem een gebed zegde als eerbetoon aan de godin.

Vespasianus keek naar Magnus. Het was zover. Vier hulppriesters, jongens in een Isisblauwe tuniek, versierd met een cirkel van de twaalf gouden sterren van de godin, stapten uit de schaduw. Twee van hen droegen een grote bronzen schaal, die ze op de grond zetten voor het paard, dat er verbaasd naar keek en onderzocht of er voedsel of water in zat. Dat was niet zo.

De derde hulppriester gaf Magnus de verdovingshamer, de vierde reikte Vespasianus een bronzen mes aan van een el, voorzien van een ivoren heft, ingelegd met zilveren maantjes en gouden zonnen. De hengst nam er geen notitie van en stampte een paar keer met zijn voorbeen, alsof hij ongeduldig afwachtte tot deze ceremonie – wat het ook mocht zijn – eindelijk voorbij was.

Vespasianus stapte naar voren en bleef naast de hals van het paard staan, terwijl twee van de hulppriesters de halster van het dier vastgrepen. Dat beviel de hengst niet, en hij begon te trekken. Vespasianus en Magnus wisselden een snelle blik. Magnus' rechterarm beschreef een bliksemsnelle boog, en er klonk een klap toen de hamer neerkwam op het voorhoofd van het paard, vlak boven de ogen. De voorbenen trilden en de hengst wankelde, maar hij bleef overeind toen Vespasianus een snee maakte, langzaam en diep, dwars door de hals. Een stroom van warm, naar ijzer geurend bloed kleurde zijn arm rood en kletterde in de bronzen schaal. Te versuft door de klap om te beseffen wat er gebeurde, bleef de hengst nog altijd staan, trillend en schokkend toen het bloed zijn lijf verliet en over zijn vetlokken sproeide. Zijn ogen draaiden weg, totdat alleen het wit nog zichtbaar was, en rood schuim borrelde uit zijn mond en neusgaten. Blijkbaar begreep het paard nu wat er gebeurde, want het vocht tegen de halster en schopte met zijn achterbenen. Tevergeefs. De hulppriesters hielden het dier stevig vast totdat het verzet langzaam afnam en de krachten wegvloeiden. Ten slotte, met een afschuwelijk gerochel uit de gapende wond, zakte de hengst door zijn voorbenen en sloeg met zijn hoofd tegen de vloer. De bronzen schaal, vol met bloed, werd haastig weggetrokken. De dood kwam langzaam maar onontkoombaar, toen ook de achterbenen knikten en de hengst op zijn zij viel, met rollende ogen. Vespasianus vocht tegen de tranen die Magnus nu openlijk vergoot toen de hengst nog een paar zielige pogingen deed om weer overeind te komen, elke inspanning zwakker dan de vorige, totdat hij stillag en zijn borst nauwelijks meer rees en daalde.

En ook dat hield op.

Vespasianus voltooide de rest van het offer in een waas van verdriet. Hij merkte het nauwelijks toen hij het hart en de lever uit het dier sneed, onder de gebeden en het gezang van de priesteres en Flavia. Later kon hij zich niet eens herinneren dat hij het bloed over het altaar en de voeten van de godin had uitgegoten. Maar hij deed het, zoals het hoorde, zodat de procedure niet herhaald hoefde te worden en hij niet nog een van zijn geliefde paarden verloor. Met opluchting voerde hij de laatste handeling uit, in het besef dat Isis het offer had geaccepteerd. Maar met een somber voorgevoel daalde Vespasianus ten slotte samen met Magnus de trappen van de tempel af en begon aan zijn reis naar het zuiden, om zich medeplichtig te maken aan moedermoord.

HOOFDSTUK VI

'Niet te geloven!' Agrippina smeet de uitnodiging neer, die ze nauwelijks had gelezen, en keek Vespasianus aan. Hij was zich bewust van haar venijn. 'Ik weet zeker dat mijn zoon al twee keer heeft geprobeerd me te vergiftigen. En het zou hem zijn gelukt ook, als een vriend mij niet een brief had geschreven om me te waarschuwen en me had verteld welk tegengif ik moest slikken. De laatste keer dat ik onder zijn dak sliep, kwam het plafond van mijn slaapkamer door onverklaarbare oorzaak naar beneden. Het zou me hebben verpletterd als mijn bed niet toevallig naast een hoge, zware kast had gestaan. Waarom zou Nero zich na al die moeite nog met me willen verzoenen, alsof we een liefhebbende moeder en zoon zijn?'

'Misschien vreest hij de woede van de goden na zo'n schandelijke aanslag,' opperde Pallas, 'en wil hij het nu goedmaken door je de eer te bewijzen die je verdient. Daarom heeft hij je blijkbaar spontaan uitgenodigd om het feest van Minerva met hem te vieren.'

Vespasianus verbaasde zich niet eens over Pallas' schaamteloze leugen. Hij zat tegenover het stel in de schaduw van een olijfboom op een terras met uitzicht op de Golf van Neapolis. In de verte doemde het indrukwekkende silhouet van de Vesuvius op. Het gesprekje tussen het tweetal kwam hem inmiddels bekend voor na jaren ervaring met de troebele politiek van het Romeinse Rijk. Wat volgde, verwonderde hem meer.

'Bovendien,' vervolgde Pallas, 'zal Nero je echt niet durven te vermoorden waar iedereen bij is. Het volk zou onmiddellijk in opstand komen tegen een moedermoordenaar. Als er dus iets gebeurt, is het aan boord van dat schip. Daarom stel ik voor dat Vespasianus en Magnus je escorteren naar dat feest en terug, met je eigen lijfwacht Gallus om je tegen een eventuele aanslag op zee te beschermen.' Pallas keek Vespasianus onschuldig aan. 'Dat wilt u toch wel voor me doen, Vespasianus?'

Vespasianus knarsetandde, maar kon onmogelijk laten merken dat hij heel goed wist wat er ging gebeuren. 'Natuurlijk, Pallas, met alle genoegen.'

'Zie je wel, lieve? Geen probleem.'

Agrippina leek niet overtuigd. Ze tuurde over de zee, die glinsterde in de warme middagzon. Het wemelde van de vissersbootjes en in de verte voer een trireem naar het zuiden, op weg naar een van de havens aan de andere kant van de baai. 'Ik weet het niet, Pallas. Ik heb er geen goed gevoel over. Het is me te plotseling en het lijkt niet logisch. De laatste keer dat ik hem zag, aan het begin van de maand, hadden we nog grote ruzie over zijn gedrag met Otho's vrouw, Poppaea Sabina, nadat hij Otho in feite verbannen had als gouverneur van Lusitania. Ik probeerde hem uit te leggen dat hij door een scheiding van Claudia Octavia een groot deel van zijn legitieme positie als keizer zou verspelen. Ze is immers Claudius' bloedeigen dochter. Maar hij lachte me uit, niet bereid tot enige verzoening. Integendeel. Hij zei dat hij sliep met wie hij maar wilde en dat hij zelfs met Poppaea zou trouwen als hij Claudia moest laten executeren en Otho bevel moest geven zelfmoord te plegen als hij niet van Poppaea wilde scheiden. O, en hij dreigde nog eens mij te vermoorden als ik me ermee bemoeide.'

'Misschien beseft hij eindelijk dat zelfs een keizer de schijn moet ophouden.'

'Nee, ik heb mijn zoon niet opgevoed met de gedachte dat hij zich iets moet aantrekken van wat andere mensen denken. Ik heb hem opgevoed om te nemen wat hij wil, zonder aan anderen te denken. Ik heb hem opgevoed om keizer te worden. Toen hij nog een zuigeling was, heb ik zijn horoscoop laten trekken door twee verschillende astrologen, die allebei zeiden dat hij me zou vermoorden zodra hij keizer was. "Dat kan me niet schelen," zei ik tegen hen. "Als hij maar keizer wordt." Daar begin ik nu spijt van te krijgen.'

'Ik heb nooit geloofd in die belachelijke Babylonische pseudowetenschap van de astrologie,' zei Pallas smalend. 'Wichelarij, dat wel, want dat is een interpretatie van de wil van de goden op dit moment, op basis van de bliksem, of hoe de vogels vliegen, of wat dan ook. Maar de wil van de goden verandert met de omstandigheden. De gedachte dat de loop van een mensenleven is uitgestippeld door de stand van de planeten op het moment van je geboorte is onzinnig. Dat zou betekenen dat de goden geen enkele invloed meer hebben op ons leven, omdat alles is voorbestemd.'

Vespasianus kon die logica wel volgen. Hij zag dat Agrippina naarstig naar tegenargumenten zocht.

'Maar hij is wel keizer geworden,' zei ze.

'Natuurlijk, maar niet omdat de planeten dat hadden bepaald. Hij is keizer geworden omdat jij en je zoon veel fanatieker waren dan wie ook en iedereen elimineerden die hem in de weg stond.'

Terwijl Agrippina daarover nadacht, kwam er een vlucht ganzen over, in formatie, uit de richting van Nero's villa bij Baiae. 'Wat zou een vogelwichelaar daar dan over zeggen?' vroeg ze, wijzend naar de vogels.

Pallas haalde zijn schouders op. 'Ik heb geen verstand van wichelarij en het interesseert me ook niet echt. Wat denkt u, Vespasianus? Hebt u daar ervaring mee?'

'Ja,' loog Vespasianus, die wist dat Agrippina nog overtuigd moest worden. 'Ik heb ooit overwogen me bij Claudius aan te melden voor een positie in het College van Augures, maar...' Hij keek spijtig naar Agrippina. 'Toen raakte ik uit de gunst. Maar als ik dit teken moest interpreteren, samen met dat schip daar, dat naar het zuiden vaart, zou ik zeggen dat die vlucht ganzen naar het noorden betekent dat Agrippina veilig naar Baiae in het zuiden kan varen, en weer terug naar Bauli in het noorden.'

Agrippina keek de ganzen na. Op dat moment veranderde de formatie en nam een ander dier de leiding over aan de punt van de 'V'.

'Vernieuwing,' hoorde Vespasianus zichzelf zeggen, verbaasd over zijn eigen schaamteloze verzinsels. Hij had geen idee wat de vlucht van vogels kon betekenen. 'Het is duidelijk dat je terug zult keren als er vernieuwing heeft plaatsgevonden.'

Pallas borduurde daarop voort. 'En dat klopt helemaal met het doel van dit feestmaal, zoals de keizer heeft aangegeven – een verzoening, een nieuw vertrouwen.'

Met haar donkere ogen keek Agrippina haar minnaar doordringend aan. 'Denk je dat echt, of probeer je me de dood in te jagen?'

Pallas liet niet blijken wat hij werkelijk dacht; dat deed hij zelden. 'Ga dan niet, lieve, en zie wat er gebeurt als je de uitnodiging en de gastvrijheid van de keizer afslaat. Maar als jouw angst terecht is en hij je inderdaad uit de weg wil ruimen, dan zal hij je toch wel vermoorden, of je nu met dat schip meegaat of niet.'

Dat gaf de doorslag voor Agrippina. Ze knikte langzaam toen ze de logica van dat argument inzag. 'Ja, je hebt gelijk. Als ik ooit nog een kans wil hebben op enige macht, zal ik op zijn uitnodiging moeten ingaan. Ik ben al te lang overal van uitgesloten. Niemand luistert nog naar me. Dit is mijn laatste mogelijkheid, en als mijn zoon me een streek wil leveren, zal ik met opgeheven hoofd de dood tegemoet treden. Maar als hij het oprecht meent, zal ik alles doen wat in mijn macht ligt om hem weer aan mijn boezem te sluiten en hem daar te houden. Dus zal ik zijn uitnodiging accepteren.'

'Dat lijkt me de beste beslissing,' zei Pallas, hoewel hij wist dat het een flagrante leugen was.

Alleen besefte hij niet dat ook Vespasianus dat wist.

Magnus snoof eens toen de trireem langs de kust voer, de riemen rijzend en dalend in de maat van het hoge fluitje van de slagmeester. Lichtjes glinsterden al in de luxe villa's langs het water toen de schemering neerdaalde over deze speelplaats van de rijken. 'Ik zou geruster zijn als dit schip ons terug naar Rome bracht in plaats van ons af te zetten voor een feestmaal dat behoorlijk giftig kan aflopen, als u begrijpt wat ik bedoel.'

'Ja, ik begrijp het, maar ik denk niet dat Nero gif zal gebruiken.' Vespasianus keek eens naar Agrippina, die op een luxueuze bank op een verhoging bij de boeg van het schip lag, bewaakt door Gallus, een zwaargebouwde ex-slaaf. Ze was verleidelijk en duur gekleed. Alles wat ze droeg, zowel haar juwelen als haar kleding, was gekozen om haar nog altijd opvallende charmes te accentueren – charmes die ze zeker zou gebruiken tegen haar eigen zoon, in een laatste poging hem terug te lokken in haar incestueuze omhelzing. Twee vuurkorven hielden haar warm, terwijl haar persoonlijke slavin, Acerronia, haar kapsel bewaakte, zodat de lichte bries geen schade kon aanrichten.

'Toch ben ik niet van plan me aan de lekkere hapjes te wagen.'

'Maak je geen zorgen, je bent niet uitgenodigd. Ik denk niet dat Nero behoefte heeft aan types zoals jij terwijl hij zijn moeder om zeep wil helpen. Dus je hebt niets te vrezen.'

'En u?'

'Ik zal er waarschijnlijk wel bij moeten zijn als een van de getuigen van de grote verzoening, zodat ik achteraf kan zweren hoe geweldig ze het met elkaar konden vinden vlak voordat Agrippina zo tragisch bij de keizer werd weggerukt.'

Magnus dacht daar nog even over na, terwijl de aanlegsteiger van Nero's landgoed in zicht kwam. Twee grote fakkels aan het eind wierpen een lichtcirkel waarin vijf of zes donkere gedaanten stonden te wachten. De *trierarchus* van de trireem riep een paar scheepsorders. Ze minderden vaart, de riemen aan bakboord werden ingehaald en het schip beschreef een sierlijke bocht totdat het de steiger raakte en met enig gekraak tot rust kwam.

'Moeder, lieveling! Daar ben je dan eindelijk!' Nero maakte zich los uit het groepje silhouetten, met Burrus aan zijn zij, en strekte zijn armen uit naar Agrippina, die nog altijd op haar bank op de boeg lag. 'Laat me je aan wal helpen.' Hij wilde aan boord gaan, maar de loopplank was nog niet uitgelegd. 'Herculeius! Hoe durf je de vrouw te laten wachten die je keizer het leven heeft geschonken?' Hij klapte driftig in zijn handen. De trierarchus slaakte een serie zeemansvloeken, schopte de dichtstbijzijnde matroos tegen zijn reet en gaf twee anderen een draai om hun oren, zodat ze bijna struikelden en de loopplank lieten vallen in hun haast om te gehoorzamen.

Ten slotte, met nog een paar blauwe plekken hier en daar, hadden de mannen de loopplank uitgelegd en rende Nero het schip op, waarbij hij tegen een matroos op botste, die overboord viel. De pechvogel kwam op de steiger terecht, half tussen wal en schip, zodat de deinende boot zijn rechterbeen verbrijzelde. Maar de keizer lette niet op het gekerm toen hij zijn moeder overeind hielp en haar hartelijk omhelsde.

'O, moeder, mijn lieve moeder, het is veel te lang geleden. Een hele maand al!' jubelde Nero, boven het gekrijs van de gewonde zeeman uit. 'Ik weet echt niet hoe dat misverstand tussen ons zo lang heeft kunnen duren.' Hij wierp zijn hoofd in de nek, met zijn rechterhand theatraal tegen zijn voorhoofd, als een acteur in een tragedie. 'Het is allemaal mijn schuld, moeder, maar ik zal alles doen om het weer goed te maken met je.'

Agrippina, die nog niets van blijdschap of wat dan ook had laten blijken bij de hereniging met haar zoon, stond zichzelf eindelijk een lachje toe. 'In dat geval, lieve jongen, zul je je best moeten doen. Je hebt immers zoveel macht, dat je daarvan wel iets met je moeder mag delen nadat je me zo schandalig hebt verwaarloosd.'

Nero lachte die openlijke sollicitatie van Agrippina naar een machtspositie aan het hof vrolijk weg en escorteerde haar keurig en charmant naar de wal. Burrus en de lijfwacht van drie centuriones uit de praetoriaanse garde sprongen in de houding om haar te begroeten, terwijl de gewonde matroos door zijn kameraden werd afgevoerd, nog steeds jammerend van pijn.

Vespasianus en Magnus volgden het keizerlijke span op discrete afstand en zagen Seneca op de steiger staan. 'Hoe is het met haar?' vroeg de man fluisterend, met een angstige blik in het schijnsel van de fakkels. 'Ik bedoel, heeft ze... hoe zal ik het zeggen... bezwaren tegen deze verzoening met de keizer?'

Vespasianus keek onnozel, alsof hij en zijn broer niet allang de ware reden hadden geraden waarom Agrippina hier was uitgenodigd en wie de keizer zou helpen haar te vermoorden, zodat ook hij daarvan kon profiteren. 'Ze beseft dat het niet uitmaakt of de keizer haar belazert of niet. Zo niet, dan is dit haar laatste kans op enige macht. Zo ja, dan zal ze nooit meer bij hem in de gunst komen.'

Seneca grinnikte. 'Dat heeft het wijf goed gezien. Maar ik denk dat ze aangenaam verrast zal zijn, want de keizer wil oprecht weer vriendschap met haar sluiten. Vriendschap, ja, want hier is geen sprake van... hoe zal ik het zeggen... liefde, dat is het juiste woord, in dit geval.'

'O ja? Daar ben ik blij om,' zei Vespasianus, hoewel hij allesbehalve blij was met de leugens van Seneca over de zogenaamde motieven van de keizer.

'Nietwaar?' Seneca grinnikte weer en sloeg Vespasianus op zijn schouder. 'Ik hou wel van zo'n familiereünie. Altijd een vrolijke gelegenheid. Kom, mijn beste Vespasianus, je bent hartelijk uitgenodigd voor jouw aandeel in deze vreugdevolle bijeenkomst. Je kent Vologases, de grote koning van Parthië?'

'Ik heb hem een paar jaar geleden ontmoet. Hoezo?'

'Uitstekend, uitstekend. Kom, we hebben veel te bespreken en veel te vieren.'

Vespasianus wierp Magnus een blik toe van 'zei ik het niet?' en volgde Seneca naar Nero's vakantieverblijf aan zee.

De villa bood alles wat een mens maar kon verlangen. Het was een paleis vol luxe en genoegens. Met alle voorkeuren was rekening gehouden. Wie zijn lusten wilde botvieren, kon hier terecht voor beide seksen of iets ertussenin – mager, dik, mismaakt, oud of, inderdaad, ook jong. Maar als je geen zin had in seks, dan viel er ook genoeg te kiezen op het gebied van muziek, theater, verfijnde gerechten en wijn. Voor sportieve types was er een stal met de beste paarden die voor geld te koop waren, klaar voor een wedren over de ovale baan die Nero achter de villa had laten aanleggen. Er was zelfs een ruimte met toestellen voor lichaamsoefening naast het badhuis – niet dat Nero veel aan zijn conditie deed, maar hij vond het soms leuk om anderen daarbij gade te slaan, zeker als ze over een goed geoefend lijf beschikten. Alle wensen konden op dit landgoed in vervulling gaan, behalve één. Er vielen geen doden als amusement – alleen als straf. Nero had onlangs bepaald dat de gevechten tussen gladiatoren niet langer mochten doorgaan tot de dood. Het ging om de schoonheid van de strijd, vond hij, om de charme van het zwaardgevecht, de behendigheid van de gladiatoren. Daarom mocht er niet langer bloed vloeien in de arena. Een bijkomend voordeel voor de spilzieke keizer was dat hij nu een veel grootser spektakel kon organiseren zonder dat hij de gladiatorenscholen voor de dood van hun pupillen moest betalen. Tot verbazing van heel wat mensen hield Nero zich ook aan deze richtlijn op zijn eigen landgoed, maar daar viel zoveel te beleven dat niemand er bezwaar tegen had. En natuurlijk besefte iedereen dat iedere bezoeker die de keizer tegen de haren in streek niet onder dit verbod op bloedvergieten viel. De doodstraf bestond nog wel degelijk. De elite van Rome was nog altijd angstig genoeg in het bijzijn van de keizer. Zelfs Agrippina was daar niet vrij van. Om die angst te verbergen voor haar zoon, stortte ze zich met al haar energie in de genoegens van Baiae.

Maar Nero had zijn moeder niet naar Baiae laten komen om haar te laten genieten van alles wat hier werd aangeboden. Integendeel. Hij wilde haar het hof maken met zo veel mogelijk getuigen om dat later te kunnen bevestigen. Aan het eind van de avond moest Agrippina zich totaal ontspannen voelen in zijn gezelschap, en Nero deed er alles aan om dat te bewerkstelligen. Hij bracht haar zelf haar eerste beker wijn en proefde die eerst om te laten zien dat hij haar niet wilde vergiftigen, wat ze misschien ook van hem had gedacht. Nero vroeg haar welke muziek ze wilde horen van het orkest dat discreet achter kunstig bewerkte schermen van hout en ivoor stond opgesteld. Nero foeterde persoonlijk een slaaf uit die onhandig tegen haar arm stootte toen hij haar wat water inschonk bij haar tweede beker wijn. En in zijn woede om de brutaliteit van zo'n onbeholpen hond liet hij de ongelukkige man ter plekke geselen, totdat zijn bleke ribben te zien waren door het bloed en de vellen heen. Ja, Nero was de ideale zoon, die alles deed om zijn moeder een heerlijke, zorgeloze avond te bezorgen.

Vespasianus volgde het allemaal, samen met een paar dozijn andere senatoren die waren opgetrommeld om het feest bij te wonen. Hij zag hoe plechtig moeder en zoon hun gebeden zeiden en offers brachten aan de godin Minerva. Hij en zijn collega's stonden erbij, met een plooi van hun toga over het hoofd, als onderdeel van de ceremonie, terwijl de toekomstige moordenaar en zijn beoogde slachtoffer de heilige rituelen uitvoerden ter ere van de maagdelijke godin van de muziek en de dichtkunst. En Vespasianus en de anderen kregen een overvloedige maaltijd voorgezet, zo extravagant dat zelfs Caligula er misschien jaloers op zou zijn geweest. Ze proostten op Nero en proefden zijn eigen recepten, terwijl ze werden vermaakt door groepen dansers en acrobaten uit het hele rijk. Vespasianus luisterde aandachtig toen Nero zijn moeder prees, haar de beste van alle moeders noemde en benadrukte dat iedere goede zoon zo nu en dan een uitbarsting van zijn ouders moest tolereren om hen weer gunstig te stemmen. Hij en de andere getuigen deden alsof ze de onzedelijke kussen niet zagen die het herenigde stel uitwisselde, maar ze applaudisseerden uitbundig toen Nero zijn moeder overeind trok en verklaarde dat ze zich even zouden terugtrekken voor een wandeling en een onderonsje in de tuin. Toen het keizerlijke span niet veel later terugkwam, verwelkomden Vespasianus en zijn collega's hen met evenveel enthousiasme en vroegen zich maar niet af waarom Agrippina's stola grasvlekken vertoonde ter hoogte van haar knieën en waarom haar kapsel aan weerszijden zo was platgedrukt, alsof iemand haar hoofd in een stevige greep had gehouden.

Al gauw was het moment voor vertrek weer aangebroken en schreide Nero hete tranen bij de gedachte om van zijn moeder te worden gescheiden. Hij liet haar plechtig beloven dat hij haar al de volgende avond met een tegenbezoek mocht vereren. 'Moeder, je hebt me de gelukkigste zoon ter wereld gemaakt,' verklaarde hij, met een blik naar de hemel en zijn linkerarm geheven.

Agrippina speelde het spelletje mee, nam Nero's kin in haar hand, trok hem naar zich toe en kuste hem vol op de lippen. 'Zo met haar zoon te worden herenigd na een korte verwijdering is de droom van iedere moeder.'

Dat gevoel werd luidruchtig door iedereen gedeeld, en de vreugde leek grenzeloos.

'Anicetus!' riep Nero, zodra hij zijn emoties weer de baas was. 'Waar zit je? Ligt het al klaar?'

Er stapte een man uit de schaduw, een man van wie Vespasianus zeker wist dat hij nu pas op het toneel verscheen. Hij droeg het uniform van een prefect en Vespasianus herkende hem als een ex-slaaf van Nero, die kort geleden was benoemd tot commandant van de vloot bij Misenum, een paar mijl naar het noorden langs de kust.

'Nou?' vroeg Nero.

'Princeps, het ligt klaar en het is een lust voor het oog.'

Nero klapte in zijn handen als een opgewonden kind. 'Uitstekend!' Hij wendde zich tot Agrippina. 'Moeder, ik heb iets prachtigs voor mezelf laten bouwen, maar toch ben ik er in de verste verte niet zo gelukkig mee als met jouw reactie op mijn poging tot verzoening. Het maakt me zo blij dat er nu alleen nog liefde tussen ons is. Daarom, lieve moeder, wil ik je laten zien wat ik heb laten bouwen voor mijn plezier en wat ik je nu, heel spontaan, wil aanbieden ter gelegenheid van onze nieuwe vrede.' Hij pakte Agrippina bij de hand en nam haar mee de zaal door. Vespasianus en de andere senatoren volgden hen op de voet.

Ze liepen de villa door naar buiten, waar de avondbries kil en fris aanvoelde. Ze staken de grasvelden over, naar de zee beneden. En daar, tegen de steiger, aan de andere kant van de trireem waarmee ze waren aangekomen, lag een andere boot afgemeerd. Zelfs in het schijnsel van de twee fakkels die nog altijd brandden aan het hoofd van de pier, zag Vespasianus dat de boot helemaal witgeschilderd was, met verguld metalen beslag. En hij begreep nu ook waarom het vijf maanden had geduurd om deze avond voor te bereiden. De boot was werkelijk prachtig. De boeg had de vorm van een zwanenhals met zwanenkop, prachtig bewerkt en bedekt met witte veren, die allemaal afzonderlijk waren bevestigd. Midscheeps bevonden zich twee vleugels aan weerskanten, ook voorzien van echte veren. Uit de achtersteven, als een comfortabele bank, stak de staart van de vogel, zodat de hele boot het sprekende evenbeeld was van een zwemmende zwaan.

De senatoren slaakten kreten van verwondering en ongeloof dat zoiets kon worden bedacht, laat staan gebouwd. Vespasianus deed braaf mee, hoewel hij wist dat dit iets heel anders was dan het leek. Maar één blik op de oprecht verheugde glimlach op Agrippina's gezicht vertelde hem dat ze geen enkele verdenking koesterde. Blijkbaar dacht ze dat Nero nu te vertrouwen was en dat ze met haar vrouwelijke charmes hun relatie had hersteld. Dit geschenk moest daar het bewijs van zijn. Hoe kon deze prachtige boot, zo sierlijk en extravagant, iets anders zijn dan wat het leek: een cadeau van een keizer aan zijn moeder? Het kwam geen moment bij haar op dat dit een moordwerktuig was, dat haar einde zou betekenen. Ze sloeg haar armen om Nero's hals en kuste hem op de wangen. Hij, op zijn beurt, pakte haar borsten en begroef zijn gezicht ertussen. Moeder en zoon scheidden als de beste vrienden, zoals alle aanwezigen later zouden kunnen getuigen.

'U had die boot moeten zien aankomen,' zei Magnus, die naast Vespasianus opdook. 'Ik dacht echt dat er een reusachtige zwaan op ons afkwam, totdat ik de riemen eruit zag steken.'

Vespasianus keek naar de boot, onder de indruk van alle inspanningen die Nero zich had getroost om zijn ware bedoelingen te verbergen. 'Hij wil blijkbaar tot elke prijs voorkomen dat hij van haar dood kan worden beschuldigd.'

'Wil hij haar vermoorden in die boot? Hoe dan?'

'Door hem tot zinken te brengen, neem ik aan.'

Gallus, Agrippina's lijfwacht, hielp haar aan boord, terwijl Acerronia, haar slavin, vooruitging om de kussens van de bank onder de zwanenstaart op te kloppen. Toen Agrippina het dek op stapte, draaide ze zich om. 'Waar is Vespasianus? Hij en zijn lijfwacht zouden me escorteren.'

Vespasianus schrok. Hij was zeker niet van plan om aan boord te gaan. Dus trok hij zich in het donker terug.

'Waar zijn Vespasianus en zijn lijfwacht?' herhaalde Agrippina, wat scherper nu.

'Verdomme,' fluisterde Magnus. 'Moeten we echt mee?'

Nero keek om zich heen. 'Vespasianus?'

Vespasianus kon zich niet langer verbergen nu de keizer om hem riep. 'Hier ben ik, princeps,' zei hij, terwijl hij uit de menigte naar voren stapte.

Nero keek hem stralend aan. 'Aha, mooi zo. Jij en je lijfwacht brengen mijn moeder veilig terug.'

Vespasianus slikte. 'Zoals u wilt, princeps.' En hij liep in de richting van de boot.

'Princeps,' zei Seneca opeens, terwijl hij een hand op Vespasianus' schouder legde om hem tegen te houden. 'Eigenlijk had ik senator Vespasianus hier willen houden, de rest van de avond, in de hoop om... hoe zal ik het zeggen?'

'Zeg wat je wilt,' snauwde Nero, duidelijk geïrriteerd. 'Maar wel snel, want mijn moeder wacht.'

'Ik wilde hem lenen, princeps. Dat is het juiste woord. Ik wilde hem lenen.'

'Lenen? Wat bedoel je?'

'Ik hoopte dat hij me meer kon vertellen over de ideeën van de Parthische koning, Vologases, omdat hij de enige senator is die de man ooit heeft ontmoet en wij erover denken binnenkort een gezantschap naar hem toe te sturen voor overleg over de Armeense kwestie, in het licht van Corbulo's laatste successen met onze legioenen daar en onze eis dat hij de aanspraken van zijn jongere broer Tiridates op de troon zal afwijzen.'

Nero dacht even na. 'Waarom nu?'

'Een heel goed moment, princeps. Dan hebben we meer tijd om de verklaring van de ambassadeur op te stellen.'

Daar zag Nero wel iets in, dus gaf hij toe. 'Goed, je kunt Vespasianus lenen, maar zijn lijfwacht heeft hier niets te zoeken. Hij kan mijn moeder escorteren voor haar veiligheid.'

Seneca boog het hoofd. 'Dat is waar, princeps.' Hij keek Magnus aan en gebaarde naar de boot.

'Ik ben bang dat ik geen keus heb,' mompelde Magnus.

'Dat vrees ik ook, oude vriend.'

'Nou ja, ik moest toch ooit een keer leren zwemmen.' Magnus klopte Vespasianus op zijn schouder en liep naar de boot.

Vespasianus keek zijn vriend na toen hij de loopplank beklom, die achter hem werd ingetrokken. Met een paar bevelen werden de trossen losgegooid en de boot van de steiger geduwd. Riemen werden naar buiten gestoken en kwamen langzaam in beweging op het schrille fluitje van de slagmeester. De sierlijke boot verdween in de donkere nacht, terwijl de kille wind nog aanwakkerde en er schuim op de golven kwam, zodat het leek alsof de witte zwaan door witte paarden gedragen werd. Al gauw was het schip niets meer dan een schim op zee, totdat Vespasianus het niet langer kon onderscheiden.

Zodra Agrippina vertrokken was, kwamen Nero's trawanten tevoorschijn, de mensen met wie hij zich graag amuseerde maar die hij liever voor zijn moeder verborgen had gehouden, uit angst dat ze haar humeur zouden hebben bedorven en zijn bedrog verraden. Vespasianus liep terug naar het atrium en ging met Seneca in een hoek zitten terwijl het volkje uit alle hoeken en gaten opdook: oude wagenmenners, door de strijd getekend, acteurs en rauwe muzikanten, mismaakte figuren van beiderlei kunne, die zich aanboden aan iedereen die er behoefte aan had. Maar van Nero was geen spoor meer te bekennen, wat de senatoren enigszins in onzekerheid bracht, omdat ze niet wisten of ze moesten vertrekken of blijven wachten. Ze circuleerden maar wat door het atrium, in kleine groepjes, dronken de wijn die door slaven werd rondgebracht en praatten zachtjes met elkaar. Burrus deed de ronde, lachte en maakte grappen met iedere groep en verzekerde hun dat de keizer snel weer beneden zou zijn.

Nu hij en Seneca betrekkelijk ongestoord konden praten, voelde Vespasianus zich vrij om een paar vragen te stellen. 'Waarom heb je het gedaan?'

Seneca wist zogenaamd van de prins geen kwaad. 'Wat bedoel je, beste kerel?'

'Tussenbeide komen om mij van die onheilsboot te redden, terwijl ik moest toezien hoe mijn vriend zijn dood tegemoet liep?'

'Onheilsboot? Hoe kom je daar nu bij?'

'Ach, toe nou, Seneca. Dacht je dat ik niet wist hoe het zat? Dat je me opzettelijk in de waan liet dat Caenis me aan jou had verraden, om je werkelijke motief voor Agrippina's uitnodiging en je complot met Pallas verborgen te houden?' Hij gebaarde naar de senatoren. 'Of waarom je hier een heel leger getuigen van de gelukkige hereniging van moeder en zoon hebt opgetrommeld, die straks de tranen en het verdriet van de keizer zullen zien als hij hoort dat zijn moeder de weg van de veerman is gegaan? Zodat niemand Nero van zo'n walgelijke misdaad kan beschuldigen? Jij en Pallas hebben samen een plannetje beraamd om Agrippina uit de weg te ruimen, in jullie eigen belang en dat van de keizer. Jullie hebben mij als werktuig gebruikt. Maar op het moment dat Agrippina je onverwachts de kans gaf om je van mij – een mogelijke getuige van jullie complot – te ontdoen, besloot je me te redden. Waarom?'

Seneca grinnikte, oprecht geamuseerd. 'Wel, wel. Ik twijfelde al toen Pallas beweerde dat jij nooit het werkelijke motief voor die verzoening zou raden. Blijkbaar heeft hij je onderschat. Maar ik niet. Ik wist zeker dat jij nooit zou geloven dat Caenis jou had bespioneerd voor mij, dus ging ik er ook van uit dat je de werkelijke reden voor het complot wel zou beseffen...'

'Nou, eigenlijk was het mijn broer die erachter kwam.'

'Ook goed. Maar maak je geen zorgen, Titus krijgt zijn post in Germania. Het ging erom dat ik jou erbij wilde betrekken, om... hoe zal ik het zeggen... een stok achter de deur te hebben. Ja, zo is het. Een stok achter de deur!' Seneca keek Vespasianus stralend aan, een toonbeeld van tevredenheid. 'En die stok heb ik dus nu.'

'Jij hebt een veel groter aandeel dan ik in de moord op Nero's moeder, als die misdaad ooit bekend zou worden.'

'Misschien wel, maar dat is nog niet eenvoudig te bewijzen. Terwijl er genoeg mensen zijn die kunnen zweren dat jij het was die Agrippina... hoe zal ik het zeggen... de dood in hebt gelokt. Ja, zo is het. De dood in gelokt! En natuurlijk lekt die moord ooit uit. Het is een stom plan van Nero en Anicetus, maar ik kon de keizer er niet van afbrengen omdat ik zogenaamd nergens van wist. Een met lood verzwaard, instortend afdak in de vorm van een zwanenstaart, op een boot die omstreeks dit moment totaal uit elkaar zou moeten vallen? Een belachelijk idee! Van de vijftig bemanningsleden zijn er maar twintig op de hoogte van het plan. Maar de anderen dan? Er zullen er heus wel een paar dat ongeluk overleven, zodat de hele onnozele onderneming aan het licht komt. En dan?' Hij trok zijn wenkbrauwen op. 'Nou?'

Vespasianus hoefde niet lang over het antwoord na te denken. 'Dan heeft Nero zondebokken nodig.'

'Ja, iedereen die de aandacht van hem kan afleiden loopt op dat moment gevaar. Weet je, Vespasianus, ik ken Nero al heel lang en ik weet dat hij toch ergens, heel diep verstopt, een geweten heeft en dat hij het niet prettig vindt als mensen slecht over hem denken. Dat is natuurlijk een nadeel voor iemand die zich zo... hoe zal ik het zeggen... verachtelijk gedraagt. Ja, verachtelijk! Hoewel hij blijkbaar is gestopt met zijn strooptochten door de stad sinds die kwestie met Terpnus.' Seneca keek Vespasianus doordringend aan, alsof hij meer wist over het incident dan hem – Vespasianus – lief was. 'Dus afgezien van Anicetus, die Nero heel nuttig vindt voor het beulswerk, zijn van alle andere deelnemers aan dit complot de dagen al geteld. En van alle zeelui die het overleven. En als dat niet genoeg zondebokken zijn voor Nero, zou ik hem nog altijd op jou kunnen wijzen.'

'Niet jij, of Burrus?'

'Beste kerel, ik zei je al dat Burrus en ik niet van dat plan op de hoogte waren, zoals Nero heel goed weet. Goed. Ik zou dus mijn invloed bij Nero kunnen aanwenden om jou te redden. Dat is die stok achter de deur, zoals we het noemden, weet je nog? De macht die ik over je heb.'

Vespasianus kreunde. 'Wat wil je van me?'

'Nou, om te beginnen wil ik Venutius, de Britannische koning die jij veilig hebt opgeborgen bij Caratacus. Zorg dat hij heimelijk aan mij wordt overgedragen, zodat hij niet langer van die verhalen kan rondstrooien dat ik hem geld heb geleend.'

Vespasianus staarde de man verbaasd aan.

'Kijk maar niet zo verwonderd, Vespasianus. Als mensen met een grote schuld aan mij zomaar verdwijnen, zoek ik heus wel uit waar ze zijn gebleven. Of dacht jij van niet?'

'Ja, dat zal wel. Dus jij hebt ook nog een soort geweten, Seneca?'

'Niet als het om geld gaat. Maar toch wil ik graag gezien worden als een beschaafd, bedachtzaam en erudiet man, dus het lenen van grote sommen geld aan oorlogszuchtige Britannische vorsten en vorstinnen kan misschien... verkeerd worden uitgelegd. Zal ik het zo maar zeggen?'

'Ja. Dat past niet echt bij je wijsgerige verhandelingen, wat ik ervan heb gehoord. Goed, ik zal Venutius aan je uitleveren.'

'Zodra we terug zijn in Rome.'

'Akkoord. Maar daar blijft het bij.'

Seneca straalde weer. 'O ja? Ik dacht het niet, beste kerel. Nero heeft een ijzeren geheugen.'

Voordat Vespasianus kon protesteren, kwam de keizer zelf weer binnen, in het gezelschap van Poppaea Sabina, die hij ook voor Agrippina verborgen had gehouden. 'Vrienden,' declameerde hij met zijn hese stem, 'we zullen nog een offer brengen, als dank aan Minerva, de godin van twee van mijn grote passies, de dichtkunst en de muziek, en aan de goden van mijn huis, voor de behouden terugkeer van mijn moeder naar haar villa. Mogen zij hun beschermende hand boven haar houden op haar overtocht.'

Dus sloot iedereen zich bij Nero aan in de gebeden rond het *lararium*, en net toen de keizer de voortekenen als gunstig had beoordeeld – de godin zou inderdaad een beschermende hand boven Agrippina houden – stormde er een verfomfaaide man naar binnen, geëscorteerd door twee leden van de praetoriaanse garde.

'Princeps, princeps!' onderbrak hij de gebeden. 'Er is een ramp gebeurd!'

Nero wierp zijn handen in de lucht, rolde melodramatisch met zijn ogen en probeerde zo goed mogelijk de indruk te wekken van iemand die werd overvallen door verschrikkelijk nieuws. Vespasianus vond het een gênante vertoning. 'Wat is er, man? Laat horen!'

'De boot van de Augusta is gezonken en...'

Het gejammer dat Nero voortbracht was van epische proporties. Het weerkaatste tegen de zuilen van het atrium, luider en krachtiger dan enig ander geluid dat hij ooit had geproduceerd. Senatoren renden onmiddellijk naar hun keizer toe, die overmand leek door verdriet, terwijl Vespasianus tot Mars bad om het leven van Magnus, maar zonder veel hoop.

'Minerva!' jammerde Nero. 'O, wrede godin! Hoe kunt u het offer voor mijn moeder hebben aangenomen, om haar daarna zo in de steek te laten?'

'Maar... princeps. Princeps!' riep de boodschapper boven Nero's geweeklaag uit. 'De Augusta is veilig. Ze mankeert niets. Ze wist aan land te komen.'

Nero's houding veranderde op slag. Zijn gezicht, rood van verdriet, was opeens bleek van angst. 'Wát?'

Poppaea gilde.

De boodschapper leek verward door die reacties, maar ging toch door met zijn verslag. 'De Augusta is veilig naar de oever gezwommen.'

Burrus stapte naar voren. 'Weet je het zeker?'

'Ja, prefect. Mensen hebben gezien hoe ze naar de kant toe zwom, bij de boot vandaan, en werd opgepikt door een paar vissers, die haar naar haar villa bij Bauli hebben gebracht.'

'Maar dat is geweldig nieuws, princeps,' zei Burrus, en hij draaide zich naar de keizer om.

Vespasianus kreeg weer wat hoop voor Magnus, nu hij wist dat er vissersboten in de buurt van het wrak waren geweest.

Poppaea greep Nero's arm en fluisterde hem dringend iets in het oor.

Paniek blonk in Nero's ogen. 'Je hebt gelijk. Ze zal me vermoorden! Ze zal haar slaven bewapenen of soldaten sturen. De legioenen zijn altijd dol op haar geweest, omdat ze Germanicus' dochter is.'

'Blijkbaar heeft Minerva toch Nero's gebeden verhoord,' merkte Vespasianus droogjes tegen Seneca op.

'Ik geloof niet dat dat de bedoeling was,' mompelde Seneca, terwijl hij naar voren stapte. 'Princeps! Wat is er aan de hand? U bent in de war. Uw moeder is gered, dat moet toch goed nieuws zijn?'

Nero draaide zich met een woeste blik naar Seneca om, rende op hem af en greep hem bij de schouders. 'Nee, begrijp je het dan niet? Het was allemaal toneelspel. Ik wilde haar vermoorden. Ik wilde haar dood.' Hij keek om naar Poppaea. 'Wij wilden haar dood. Ze had moeten verdrinken met die boot, in plaats van te ontsnappen. Nu zal ze begrijpen dat ik erachter zat, reken maar! En ze zal wraak willen nemen, want ze kan een beest zijn als ze kwaad is, en haar zucht naar wraak kent geen grenzen. Ze zal me vermoorden!'

Seneca probeerde de raaskallende Nero uit de zaal vandaan te loodsen, omdat iedereen die deze scène had gezien wel moest begrijpen wat hij eigenlijk zei en wat een vreselijk misdrijf hun keizer had beraamd. Het was allemaal nog veel eerder bekend geworden dan Seneca had voorspeld.

Nero verzette zich tegen alle pogingen om hem daar weg te halen. 'Wat moet ik doen, Seneca, Burrus, mijn vrienden en beschermers? Ik wil niet sterven. Het is niet eerlijk als ik zou sterven en zij blijft leven. Wat moet ik doen? Ik weet het al. Ik neem een schip naar Alexandria, om me daar voor haar te verschuilen. Laat onmiddellijk mijn spullen pakken.'

'Princeps, wie is de keizer?' vroeg Seneca.

Nero kalmeerde wat. Het antwoord liet hem weer helder denken. 'Ik.'

'Precies. Laten we dan reageren zoals een keizer doet. Een keizer verschuilt zich voor niemand. Een keizer geeft bevelen. Een keizer staat boven de wet, want hij ís de wet.'

'Hij heeft gelijk,' siste Poppaea. 'Je moet haar vóór zijn. Stuur iemand om haar uit de weg te ruimen.'

'Maar dat kan ik niet doen, in koelen bloede. Wat zouden de mensen denken?'

Burrus twijfelde niet. 'Ze beraamt een complot tegen u, samen met figuren die liever Germanicus op de troon hadden gezien. De mensen zullen de goden danken dat u heelhuids bent ontsnapt aan een moordcomplot van uw eigen moeder. Ze zullen uw vastberadenheid prijzen in het belang van de vrede in het rijk. Ik zal de praetoriaanse garde onmiddellijk hun trouw aan u laten bekrachtigen. Dan kunt u hun een bonus geven als dank en zal deze hele zaak uitlopen op een grote triomf voor u, princeps.'

Nero vermande zich en knikte ernstig. 'Jullie hebben gelijk, allebei.' Hij glimlachte tegen Poppaea. 'En jij, mijn lieve duif, dank je wel.' Hij keek om zich heen en ontdekte al gauw degene die hij zocht. 'Anicetus, dit is jouw schuld.'

De prefect van de vloot van Misenum verbleekte toen Nero op hem toe stapte, maar keek opgelucht naar de deur, waar voor de tweede keer die avond enig rumoer ontstond. Een volgende bezoeker kwam binnen, geëscorteerd door een paar praetorianen in gestrekte pas.

'Wie hebben we hier?' vroeg Nero.

'Mijn naam is Agermus, princeps,' antwoordde de nieuwkomer. 'Ik ben een vrijgelatene van uw moeder. Ze heeft me gestuurd met de boodschap dat alles goed met haar gaat en dat ze aan het zinkende wrak van uw prachtige geschenk is ontkomen met slechts een kleine hoofdwond. Ze weet dat u vreselijk geschrokken moet zijn, maar u moet zich vooral niet schuldig voelen, zegt ze, omdat ze ervan overtuigd is dat u niets te maken had met dat instortende afdak, waardoor Gallus werd gedood. En natuurlijk wist u ook niets van de mannen die Acerronia hebben doodgeslagen. Ze zal u morgen niet kunnen ontvangen, omdat ze eerst een paar dagen nodig heeft om te herstellen. Hopelijk kunt u daar begrip voor opbrengen.'

'Leugens!' gilde Nero, en hij liep vlak langs Anicetus. 'Allemaal leugens! Ze heeft je hierheen gestuurd om mij te vermoorden, is het niet? Geef het maar toe!'

'N-n-nee, princeps.'

Zo onopvallend mogelijk greep de keizer het zwaard van Anicetus en liep naar de boodschapper van zijn moeder toe. Vlak voor hem bleef hij staan. 'Geef toe dat je bent gestuurd om mij te doden.'

'Nee, princeps, geen sprake van!'

Er klonk een metaalachtige klap en Nero deed een stap terug. Het zwaard lag aan Agermus' voeten.

'Wat valt er dan net onder je tuniek vandaan?' wilde Nero weten.

Agermus staarde ontzet naar het wapen. 'Dat is niet van mij, princeps! U liet het zelf vallen.'

'Ik? Waarom zou ik een wapen laten vallen voor de voeten van iemand die mij komt vermoorden? Dan zou ik wel gek zijn! Burrus, laat de man afvoeren en executeren.'

Terwijl de onfortuinlijke, vals beschuldigde boodschapper werd weggesleurd, wanhopig smekend om zijn leven, draaide Nero zich weer om naar Anicetus. 'Jij zult je fout moeten herstellen. Is dat goed begrepen?'

De prefect knikte zwijgend.

'Neem de trireem en een centurie zeesoldaten. Ga nu!'

Anicetus groette en draaide zich abrupt om.

Nero richtte zich nu tot de senatoren. 'Agrippina heeft uw keizer rechtstreeks bedreigd. U hebt het zelf gezien.'

Niemand maakte bezwaar tegen die versie van wat er gebeurd was.

'Na mijn hartelijke ontvangst hier, en alles wat ik voor haar heb gedaan, levert ze me dit!' Nero wees naar het zwaard, dat nog op de grond lag waar hij het had laten vallen. 'Ze is niet te vertrouwen, dus heb ik geen keus. En Vespasianus,' gromde Nero, en hij keek hem aan, 'ik geloof dat Seneca je nu wel lang genoeg heeft geleend. Jij was hier ook bij betrokken, dus ga met Anicetus mee om te zien of hij nu zijn werk wel goed uitvoert. Sluit dan de villa af en blijf daar, zodat niemand het lichaam te zien krijgt voordat ik daar arriveer, zodra het licht is.'

En zo, een paar uur later, toen de zon begon op te komen aan een wolkeloze hemel, liep Vespasianus met Anicetus en Herculeius, de trierarchus, de pier van Bauli af. Achter hen ging een centurie van zeesoldaten uit de trireem aan land. Voor hen uit doemde Agrippina's villa op in het ochtendlicht. Niemand zei iets, omdat er niets te zeggen viel. Geen discussie. Als ze hun opdracht van de keizer niet naar behoren zouden uitvoeren, was hun leven geen sestertie meer waard.

Vespasianus herinnerde zich hoe hij ooit aanwezig was geweest bij de executie van Messalina, deels het werk van Agrippina, die de weg wilde vrijmaken voor een huwelijk met haar oom Claudius, om de machtigste vrouw in Rome te worden. Hij glimlachte bij zichzelf om de duistere ironie van het lot. Agrippina moest nu sterven op last van Poppaea Sabina, die zich op haar beurt de machtigste vrouw van Rome wilde noemen. Als Agrippina uit de weg was geruimd, zou ze Nero er wel toe krijgen van Claudia te scheiden en haar keizerin te maken.

'Wat kijkt u grimmig,' zei een bekende stem.

Vespasianus draaide zich om en bleef staan, terwijl Anicetus en Herculeius verder liepen. 'Dus je hebt toch leren zwemmen?'

Magnus zat tegen de romp van een omgekeerde vissersboot geleund. 'Dat was uiteindelijk niet nodig. Die zwanenvleugels bleven heel goed drijven. Met een paar man hebben we ons eraan vastgeklampt en spartelend de kust bereikt.' Hij kwam overeind en liep met Vespasianus mee. 'Ik heb hier maar op u gewacht. Als Nero het nieuws over dat mislukte "ongeluk" zou horen, dacht ik, zou hij wel een legertje sturen om de klus te klaren. En omdat u er toch al bij betrokken was, zou u wel meekomen.'

'Nou, daar had je gelijk in. Ik heb het verhaal in grote lijnen gehoord. Hoe heeft Agrippina het er levend vanaf gebracht?'

Magnus lachte grimmig. 'Dankzij het egoïsme van haar slavin. Toen dat afdak naar beneden kwam en Gallus verpletterde, werden de twee vrouwen gered door de hoge leuning van de bank waar Agrippina op lag. De boot maakte water, maar bleef nog drijven. Een deel van de bemanning zat in het complot, maar de meesten waren doodsbang. Hoe dan ook, de klootzakken die de boot tot zinken moesten brengen hadden blijkbaar een of ander mechaniekje dat niet goed werkte. Daarom probeerden ze de boot te laten kapseizen door allemaal aan één kant te gaan staan. Dat hielp, want het water sloeg nu over de reling. Op dat moment begon Acerronia – die blijkbaar niet besefte dat dit een aanslag op Agrippina's leven moest zijn – te roepen dat zij Agrippina was en dat de bemanning haar moest redden. Dat verraste de moordenaars nogal, omdat ze dachten dat Agrippina onder het afdak was verpletterd. Ze wilden de boot alleen tot zinken brengen om zich van de bewijzen te ontdoen. Dus grepen ze een paar roeiriemen en sloegen Acerronia dood, terwijl Agrippina van de gelegenheid gebruikmaakte om in het donker overboord te springen. De boot begon ten slotte te zinken, en iedereen die zichzelf kon redden zwom naar de kust, terwijl ik en die andere sukkels hulpeloos wachtten tot Neptunus ons naar de zeebodem zou sleuren. Maar het liep anders, want hij stuurde ons die drijvende zwanenvleugel, wat ik heel jofel van hem vond. Zodra ik in de gelegenheid ben, zal ik een zwaan aan hem offeren.'

'Dat is wel het minste wat je kan doen.'

'Nou, twee dan.'

'Dat moet genoeg zijn. Zo te horen was het een groot fiasco. Waarom geef je Agrippina een bank met een hoge leuning aan boord van die boot als je van plan bent haar te verpletteren met iets van bovenaf? Zeker als ze de vorige keer, toen je het op dezelfde manier probeerde, werd gered door een hoge kast?' Vespasianus schudde ongelovig zijn hoofd. 'Als ze het een beetje vakkundig hadden aangepakt, had ik hier nu niet hoeven zijn om het karwei af te maken.'

'Nou ja, het heeft geen zin er nu nog over te zeuren.'

Vespasianus' aandacht werd getrokken door iemand die het huis ontvluchtte, vijftig passen verderop.

'Grijp haar!' riep Anicetus naar de centurio van de zeesoldaten.

Twee mannen werden achter de vrouw aan gestuurd en hadden haar al snel te pakken. Ze sleurden hun protesterende gevangene mee terug en smeten haar tegen de grond. Aan haar kleding te zien was ze een slavin; een jong meisje nog, niet onaantrekkelijk maar een beetje mollig, met vuurrood haar.

Anicetus sloeg haar een paar keer in het gezicht. 'Waar wilde je naartoe?'

'Alstublieft, heer, ik zag u aankomen en ik probeerde weg te komen.'

'Bij wie hoor je?'

'Agrippina, heer.'

'Is zij daarbinnen?'

'Ja, heer. Ze heeft zich in haar slaapkamer opgesloten.'

'En jij wilde je meesteres in de steek laten door weg te lopen?' Anicetus trok zijn zwaard. 'Je weet welke straf daarop staat?'

'Wacht,' zei Vespasianus. Hij greep Anicetus bij de arm en keek neer op de slavin. 'Is Pallas daar ook nog?'

Het meisje staarde doodsbang naar het zwaard, niet in staat te antwoorden.

'Zeg het maar, er zal je niets gebeuren. Anicetus, doe dat zwaard weg. Dit meisje staat nu onder mijn bescherming.'

Anicetus deed wat hem gezegd werd.

'Hoe heet je?'

'Caitlín, heer.'

'Nou, Caitlín, is Pallas al weg?'

'Ja, heer,' antwoordde het meisje, toen ze het zwaard weer in de schede zag verdwijnen. 'Zodra de meesteres gisteravond naar Baiae was vertrokken.'

'Waarom verbaast me dat niet? Magnus, jij past op haar. Neem haar mee en zorg dat haar niets overkomt.'

'Met alle genoegen,' zei Magnus, met de waarderende blik van een kenner op de volle rondingen van de jonge vrouw.

Vespasianus knikte naar Anicetus. 'Laat je mannen hun werk doen.'

'Centurio Obaritus!' riep Anicetus. 'Omsingel de villa en breng iedereen hier die probeert weg te komen.'

Obaritus salueerde en gaf een serie bevelen. Het legertje zeesoldaten splitste zich in eenheden van acht man om Anicetus' orders uit te voeren.

'Goed, daar gaan we,' zei Vespasianus toen de mannen in positie waren.

Anicetus ging met Obaritus en acht zeesoldaten op de voordeur af, die op slot zat. Zonder aarzelen ramden twee van de mannen hun schilden tegen de deur, die na drie pogingen bezweek. Anicetus stapte als eerste naar binnen. Het atrium was verlaten. Er brandden maar een paar lampen, zodat het er nog vrij donker was, ondanks het ochtendlicht van buiten.

'Waarheen?' vroeg Vespasianus aan het meisje.

Ze wees met een trillende vinger naar een gang, links van het atrium. 'Daar, heer. Aan het einde rechts.'

De soldaten renden de gang door. De spijkers onder hun sandalen sloegen vonken uit het marmer in de schemering. Dezelfde twee soldaten sloegen hun schilden tegen de deur aan het eind, die binnen een paar seconden scheef aan zijn scharnieren hing.

Vanuit de kamer klonk een kreet toen de mannen naar binnen stormden. Vespasianus volgde Anicetus en Herculeius en zag Agrippina in de kamer staan, vastberaden tegenover de soldaten, onverzettelijk tot aan het eind.

Een slavin maakte zich uit de voeten door een deur achter haar, maar Agrippina volgde niet. 'Verlaat jij me nu ook?' riep ze de vluchtende vrouw na, voordat ze zich weer omdraaide naar Anicetus. 'Als u de drenkeling komt bezoeken uit naam van mijn zoon,' zei ze met stemverheffing, 'kan ik u verzekeren dat ik er weer helemaal bovenop ben. Maar als u bent gekomen om een misdrijf te begaan, vraag ik u alleen of dat op bevel van Nero is.'

Anicetus en Herculeius namen niet eens de moeite om te antwoorden toen ze op haar toe kwamen. De trierarchus zwaaide met een knuppel, de ander met zijn zwaard. De knuppel beschreef een boog naar Agrippina's hoofd maar ze dook weg, zodat het wapen haar enkel schampte.

'Raak me hier maar, Anicetus!' gilde Agrippina. Ze rukte haar stola open en ontblootte haar buik. 'Raak me in mijn buik, want daar heb ik Nero ooit gedragen!'

Zonder aarzelen ramde Anicetus met een goedgerichte stoot zijn zwaard in haar schoot, schuin omhoog, en sneed haar lichaam open. Agrippina verstijfde en staarde haar moordenaar aan, haar lippen op elkaar geknepen, met opengesperde neusgaten, diep ademend tegen de pijn.

Vespasianus zag met afschuw en ontzag hoe ze zich vrijwillig aan de slachting onderwierp als een laatste daad van verzet tegen de zoon die ze zelf ter wereld had gebracht, de zoon die ze de macht had bezorgd en voor wie ze haar oom en echtgenoot Claudius, en vele anderen had vermoord. Daar stond ze, terwijl het bloed langs haar benen droop en haar ingewanden uit de lugubere wond puilden. Maar nog altijd bleef ze overeind. In een daad van genade tegenover een vrouw die zo dapper haar dood onder ogen zag, bewoog Anicetus zijn zwaard omhoog en doorboorde het hart dat zo vol trots had geklopt voor deze dochter van Germanicus. Na een lange zucht, want meer was het niet, draaiden Agrippina's ogen weg en sijpelde er een straaltje bloed uit haar mondhoek. Ze gleed van de punt van Anicetus' zwaard, zakte achterover tegen het bed en bleef daar liggen. Met nietsziende ogen staarde ze naar het plafond, een vaag lachje om haar lippen, alsof ze in haar laatste ogenblikken nog had gedacht aan de schuld die haar zoon de rest van zijn leven met zich mee moest dragen.

Gedurende een paar snelle hartslagen heerste er een diepe stilte in de kamer terwijl iedereen de enorme betekenis probeerde te verwerken van de moord die hier zojuist was gepleegd.

Vespasianus was de eerste die weer tot zichzelf kwam. 'Obaritus, laat je mannen deze kamer verzegelen. Niemand mag de villa betreden totdat de keizer is gearriveerd. Ik zal buiten op hem wachten.' Hij draaide zich om en verdween met snelle pas de gang door.

Magnus kwam haastig achter hem aan, met het roodharige slavinnetje nog bij de arm. Het meisje huilde om het gruwelijke tafereel waarvan ze getuige was geweest. 'Wat doe ik met haar?'

'Neem haar mee, als je wilt. Eén slavin zal niet worden gemist, zelfs als ze een inventaris zouden opmaken van Agrippina's bezittingen. Als ik mijn plicht tegenover de keizer heb gedaan en hij de dood van zijn moeder heeft vastgesteld, ben ik klaar hier. Dan gaan we terug naar Rome, rechtstreeks naar de baden. Ik heb heel wat vuil uit mijn poriën te zweten, en niet alleen de vunzigheid van anderen dan ikzelf.'

DEEL III

ROME, 60 N.C.

HOOFDSTUK VII

Ze beschreven synchroon een bocht en strekten de benen, vier Arabische hengsten op één lijn, dravend naast elkaar. Hun manen wapperden in de wind, zweet glansde op hun vacht en zand van het parkoers vloog op vanonder hun hoeven toen de lichte strijdwagen de scherpe bocht van honderdtachtig graden voltooide.

Vespasianus legde de vierstrengige zweep over de schoften van het span, niet als extra aansporing, want die hadden ze niet nodig, maar meer uit gewoonte bij het ingaan van de volgende ronde. Met nog maar één ronde te gaan van de zeven, lag hij voor op het andere span, en die voorsprong wilde hij behouden – tot aan het laatste rechte eind, waar hij zich natuurlijk zou laten inhalen om de keizer een nipte overwinning te gunnen. Dat luisterde nogal nauw. Niet dat er op dit moment iets op het spel stond voor de winnaar, maar niemand had Nero ooit verslagen, bij wat dan ook, dus was het onzeker hoe hij zou reageren bij verlies. En Vespasianus wilde niet de eerste zijn die dat ondervond.

De wind floot langs zijn hoofd en joeg het scherpe zand in zijn gezicht, dat in zijn turende ogen prikte en hem een droge keel bezorgde. Hij voelde dat de hengsten hun pas verlengden toen ze zich oprichtten bij de nadering van de volgende bocht aan het einde van de *spina*, het hek in het midden van de renbaan, die ooit door Caligula voor eigen gebruik was aangelegd aan de overkant van de Tiber, onder aan de Vaticaanse heuvel.

Hier kon Nero zijn passie voor de wagenrennen uitleven – in alle beslotenheid, want dat leek hem wel zo verstandig. En hier moest Vespasianus regelmatig met zijn vier overgebleven Arabieren komen opdraven voor een wedstrijd tegen de keizer.

Vespasianus hield de leidsels in, die om zijn middel zaten gewikkeld, met wat meer druk naar links, zodat het binnenste paard sterker afremde dan het buitenste. Het moest stevig op zijn benen staan om de drie andere paarden de bocht om te leiden, terwijl het buitenste dier, dat een langere afstand had af te leggen, juist sneller moest gaan, zonder uit de bocht te vliegen, zodat het span als één geheel bleef opereren, op dezelfde lijn, en niet in een chaos van paardenhoeven die bij de eerste hobbel al hopeloos ontregeld zouden raken. Weer gebruikte Vespasianus de zweep, maar niet zo scherp, deze keer, omdat hij voelde dat Nero's wagen hem nu op de hielen zat, hooguit nog één lengte achter hem. Zo had de keizer het graag, en dus was Vespasianus hem terwille, want een tevreden Nero was veel toeschietelijker na de wedstrijd – en Vespasianus zou hem om een grote gunst moeten vragen.

Sinds de 'zelfmoord' van Agrippina, zoals Nero het in zijn verdwazing noemde, had Vespasianus zich steeds meer in de sympathie van de keizer mogen verheugen. De reden was hem niet helemaal duidelijk, maar waarschijnlijk had het iets te maken met het feit dat hij de enige nog overgebleven getuige was van Agrippina's dood, afgezien van Anicetus, die hondstrouw aan zijn beschermheer was en nooit de ware toedracht bekend zou maken. Herculeius, Obaritus en de acht zeesoldaten van het peloton waren allemaal verdwenen. Vespasianus ging ervan uit dat ze niet meer leefden. Nadat hij een paar uur na de dood van zijn moeder bij de villa was aangekomen, had Nero bevel gegeven hen allemaal te arresteren en op te sluiten. Daarna was er nooit meer iets van het stel vernomen. Dat Magnus en het mollige, roodharige slavinnetje er ook bij waren geweest was aan Nero's aandacht ontsnapt en dat liet Vespasianus maar zo – evenals Magnus, die het meisje bij zich had gehouden en naar de verhalen te oordelen flink met haar tekeerging.

Vervolgens was Vespasianus met Nero meegegaan om Agrippina's lichaam te inspecteren. De keizer had het grondig onderzocht, de armen en benen betast, met zijn vingertoppen de contouren van het gezicht en de borsten gestreeld en steeds weer geroepen dat hij nooit had beseft hoe mooi zijn moeder eigenlijk was. Daarna verklaarde hij tegenover de leden van haar huishouding en de rest van de zeesoldaten dat Agrippina zelfmoord had gepleegd uit wroeging vanwege haar aanslag op zijn leven. Van een afstand had hij hun de wond in haar buik laten zien, alsof dat een bewijs was. Daarna liet hij het lichaam zonder plichtplegingen verbranden op een bank uit de eetzaal. Haar as werd zonder enig ceremonieel in de buurt begraven, voordat de keizer terugging naar Baiae voor een periode van rouw, jammerend om haar tragische zelfmoord terwijl ze zich juist met elkaar hadden verzoend. Maar de eerste maanden had hij niet naar Rome durven terugkeren, uit angst voor wat het volk zou denken. Daarom had hij Vespasianus, een man van proconsulaire rang en dus van onbesproken gedrag, tot enige getuige benoemd en hem opdracht gegeven zijn – Nero's – versie van de gebeurtenissen te geven als iemand informeerde naar Agrippina's dood. Het was inderdaad zelfmoord geweest, moest Vespasianus volhouden, en hij was helaas te laat gekomen om haar ervan te weerhouden. Natuurlijk was er niemand die hem geloofde, maar geen mens durfde die twijfel uit te spreken of nam het hem kwalijk dat hij bij die versie bleef, omdat iedereen wel wist dat hij anders zijn eigen doodvonnis zou tekenen. Zelfs de Senaat had bijna unaniem Nero's verhaal geaccepteerd, zoals dat was weergegeven in een brief, geschreven door Seneca. Alleen Thrasea, de stoïcijn, had in stil protest de zaal verlaten en zich sindsdien niet meer bij de zittingen laten zien.

En dus veronderstelde Vespasianus dat de keizer hem waarschijnlijk als enige 'getuige' van Agrippina's dood graag dicht bij zich in de buurt hield om hem te sterken in zijn illusie dat hij niet zijn eigen moeder had vermoord. Wat Vespasianus betrof mocht de keizer denken wat hij wilde, zolang hijzelf maar niet de weg ging van Herculeius, Obaritus en de acht zeesoldaten die hen hadden vergezeld.

Over Pallas, inmiddels verlost van Agrippina, die als een molensteen om zijn nek had gehangen, wist Vespasianus alleen dat hij nog steeds verbannen was naar zijn landgoed in de provincie, maar nog altijd in het bezit van zijn aanzienlijke vermogen. Terwijl Seneca zijn belofte was nagekomen door voor Titus een post als militaire tribuun in Germania Inferior te regelen, had Pallas zijn woord gebroken en niets gedaan om Vespasianus als gouverneur van Afrika aan te wijzen. Dat zat Vespasianus behoorlijk dwars, want afspraak was afspraak en het feit dat Pallas – zoals verwacht – Vespasianus' reis naar Britannia had afgeblazen, deed niet ter zake en ontsloeg Pallas niet van zijn verplichting om zijn woord gestand te doen. Vespasianus' vastgelopen carrière na zijn termijn als consul voelde extra bitter omdat Aulus Vitellius inmiddels Afrika had gekregen, terwijl zijn broer Lucius hem volgens de geruchten een jaar later zou opvolgen.

Een luid gejoel achter hem – dezelfde geluiden die Nero vroeger maakte bij zijn strooptochten door Rome – waarschuwde Vespasianus dat de keizer nu vlakbij was en het rechte eind op draaide om hem in te halen. Hij hield de leidsels een beetje in, met evenveel druk aan beide kanten, zodat het tempo iets vertraagde, maar niet genoeg. Het gejoel werd luider toen Nero naast hem verscheen, met een span slordige dravers. Vespasianus deed alsof hij druk gebruikmaakte van de zweep, maar zorgde ervoor dat hij de paarden niet raakte, zodat ze niet zouden versnellen. Hij deed erg zijn best, kromde nadrukkelijk zijn rug en liet de zweep dramatisch zwiepen, maar op het laatste moment wipte hij zijn pols omhoog om ieder contact te vermijden. Nero keek opzij, grijnzend en brullend, en geselde zijn paarden meedogenloos, zodat ze ondanks het gebrek aan organisatie toch langzaam uitliepen op Vespasianus' rustig dravende Arabieren. Daar ging de keizer, met zijn vuist in de lucht, toen hij over de eindstreep stormde en de laatste dolfijn – die de zevende ronde markeerde – naar de zes andere kantelde, hoog aan een paal boven de spina, naast de grote obelisk die Caligula uit Egypte had laten komen.

Nero had weer eens gewonnen, tot voldoening van Vespasianus.

'Je maakt elke keer dezelfde fout, Vespasianus,' riep Nero, terwijl hij de leidsels rond zijn middel losmaakte en Vespasianus zijn wagen tot stilstand bracht naast die van de keizer. 'In de eerste zes rondes put je je paarden te veel uit, en in de laatste ronde laten ze het afweten. Ik hou meer rekening met het subtiele karakter van de baan, ik spaar de krachten van mijn span en blijf de eerste rondes rustig achter je, klaar om op het laatste moment toe te slaan. En dan ben ik ook meedogenloos. Maar goed, dat is een kwestie van inzicht, en dat vereist een groot talent.'

'Dat doet het zeker, princeps, en u bent ermee gezegend. In hoge mate,' beaamde Vespasianus plechtig, terwijl hij zich ook van de leidsels ontdeed. Staljongens renden naar hen toe om de paarden in bedwang te houden terwijl de twee wagenmenners uitstapten. 'Ik zou graag leren om het tempo beter te beoordelen, maar als ik denk dat ik het onder de knie heb, word ik toch weer verslagen door uw uitzonderlijke talent.' Hij schudde zijn hoofd, met een overtuigend vertoon van ongeloof. 'Hopelijk kan ik u nog een keer aftroeven.'

'Doe je best, Vespasianus, doe je best,' zei Nero joviaal, en hij pakte een handdoek aan van een van de staljongens. Zelden was hij zo voldaan als wanneer hij weer een wagenren gewonnen had. Dan gedroeg hij zich mannelijker en sprak hij ook veel zakelijker, had Vespasianus gemerkt. 'Maar tegen de tijd dat mannen jouw leeftijd hebben bereikt... hoe oud ben je nu... eenenvijftig, tweeënvijftig?'

'In november word ik eenenvijftig, princeps.'

Nero liep naar de poort en wreef het zand van zijn gezicht met de handdoek. 'Als mannen op die leeftijd komen, zijn ze zo vastgeroest in hun ideeën dat ze zelden nog iets nieuws leren. En omdat je mijn aangeboren aanleg mist, geef ik niet veel voor je kansen. Jammer eigenlijk, want volgens mij heb jij het beste span.'

'Denkt u dat echt, princeps?' Vespasianus hoopte dat hij klonk alsof die gedachte nog nooit bij hem was opgekomen.

'Natuurlijk. Het zijn acht jaar oude Arabieren, in de kracht van hun leven, en ze werken heel goed samen. Ik zal je bewijzen dat ze de beste zijn. De volgende keer neem ik jouw span en mag jij uit mijn paarden kiezen. Ik weet zeker dat ik je versla. Waar wedden we om?'

Vespasianus' droge keel voelde opeens nog droger. 'Een weddenschap, princeps?'

'Wat dacht je van tienduizend?'

'Tienduizend sestertiën? Ik...'

'Natuurlijk niet. Denarii.'

Vespasianus probeerde te slikken, maar dat lukte niet. Ooit had hij één sestertie gewed op zijn eigen span, de eerste keer dat ze in het Circus Maximus hadden gelopen. Nooit in zijn leven had hij zoveel geld ingezet. Maar de voldoening om twee hele denarii te winnen toen ze als eersten over de streep kwamen was toch niet groot genoeg geweest om ooit nog eens zo roekeloos met zijn geld om te springen. 'Kunnen we misschien ergens anders om wedden dan om geld, princeps?'

Nero gooide de handdoek terug naar de staljongen. 'Zoals?'

Weer deed Vespasianus een poging om te slikken. Hij wist geen antwoord te bedenken.

'Goed, dat is dan afgesproken,' ging Nero verder toen Vespasianus niets te binnen schoot. 'De verliezer betaalt twaalfduizend denarii aan de winnaar. De volgende keer dat ik er zin in heb.'

Vespasianus knikte uitdrukkingsloos. Het ontging hem niet dat Nero het bedrag had verhoogd en hij vroeg zich af of zijn aangeboren zuinigheid hem wel zou toestaan de keizer opzettelijk te laten winnen. Zelfs als Nero met zijn span van Arabieren reed, betwijfelde Vespasianus of de keizer een betere wagenmenner was dan zanger. Maar voor Nero telde alleen de fantasie.

Opeens herinnerde Vespasianus zich weer het doel van deze ochtend en hij haalde diep adem om Nero de gunst te vragen waar het hem om te doen was. 'Princeps, misschien weet u nog dat mijn dochter over een paar dagen gaat trouwen, nu ze de leeftijd heeft. Haar toekomstige echtgenoot was vorig jaar nog praetor.'

Nero dacht even na. 'Quintus Petillius Cerialis, ja. Hij kwam gisteren op audiëntie. Je verwacht toch niet dat ik op de bruiloft kom, mag ik hopen?'

Vespasianus hief zijn handen terwijl ze naar de poort liepen. 'Nee, princeps, dat zou ik nooit van u verwachten. Als u het feest wilt bijwonen, zouden we ons de meest vereerde familie in Rome voelen, maar als u het jonge echtpaar een blijk van waardering zou willen geven, al was het maar...' Vespasianus zweeg, in de hoop dat Nero zijn zin zou afmaken.

De poort zwaaide voor hen open. 'Een huwelijkscadeau!' riep Nero uit. 'Ik moet een geschikt huwelijkscadeau voor ze bedenken.'

'Een huwelijkscadeau, princeps? Dat zou een grote eer zijn, een geweldige eer.'

'Ja, dat zou het zeker, nietwaar? Heb je zelf een idee?' vroeg Nero, terwijl hij het open veld achter de poort overstak, waar zijn draagstoel en zijn praetoriaanse lijfwacht al klaarstonden. De mannen sprongen strak in de houding na een luid bevel van hun centuriones.

'Ik? Nou, eens zien...' Vespasianus wist dat hij zijn doel begon te naderen. Hij moest zijn woorden nu zorgvuldig kiezen. 'Waarover wilde Cerialis u gisteren spreken, als ik vragen mag, princeps?'

De verandering in Nero toen hij de mannelijke omgeving van de renbaan weer verruilde voor zijn eigen wereld van kunstzinnigheid en artistieke pretenties was bijna voelbaar. Hij nam een pose aan alsof hij nadacht, voordat hij antwoordde: 'Ach, je weet wel. Hij kwam me begroeten, zijn onvoorwaardelijke trouw beloven, en gaf me toen een ring van amber. O, en hij had een brief voor me van zijn broer, Caesius Nasica, de legaat van de Negende Hispana in Britannia.'

'Ja, die... eh, hij komt binnenkort naar Rome terug, als ik het wel heb.'

'Klopt. En Suetonius Paulinus, de gouverneur van Britannia, heeft me al geschreven met een paar suggesties voor een mogelijke...' Nero keek alsof hij opeens een inval kreeg. 'Wacht eens! Cerialis' naam stond ook op dat lijstje.'

'O ja?' zei Vespasianus, die dat allang wist. Paulinus had zijn naam genoemd omdat hij Vespasianus nog iets schuldig was voor de affaire met Venutius, ook al was het Britannische stamhoofd nu in handen van Seneca. De andere namen op de lijst waren middelmatige kandidaten of figuren met geen enkele kans.

'Perfect! Dat is het ideale cadeau,' verklaarde Nero terwijl de gordijnen van zijn draagstoel werden weggetrokken. 'Ik zal Cerialis benoemen tot nieuwe legaat van de Negende Hispana. De dag van de bruiloft stuur ik zijn keizerlijke aanstelling wel naar jouw adres. Hij kan naar Britannia vertrekken zodra hij zijn plicht heeft gedaan tegenover jouw dochter, aangenomen dat hij daar binnen een maand mee klaar is.'

Vespasianus keek verheugd, en zijn dankbaarheid was niet gespeeld. 'Princeps, hij zal u veel verschuldigd zijn.'

'Heel Rome is mij veel verschuldigd.' Nero klapte in zijn handen en de draagstoel werd opgetild door dragers die duidelijk om hun kracht waren uitgekozen en niet om hun schoonheid. 'Alles behoort mij toe.'

Vespasianus keek de keizer na toen hij vertrok en dacht nog eens na over de verontrustende waarheid van die simpele opmerking.

Vespasianus luisterde naar het dubbelzinnige commentaar van de jeugdige, mannelijke bruiloftsgasten en grijnsde half geamuseerd, half verontwaardigd om wat er over zijn dochter werd gezegd toen ze door Flavia en de andere vrouwen werd meegenomen om zich voor te bereiden op de voltrekking van de huwelijksdaad in het nieuwe huis van haar man op de Aventijn.

'Ik ben een heel gelukkig mens,' bekende Cerialis, Vespasianus' nieuwe schoonzoon, toen hij zijn bruid nakeek.

'Dat ben je zeker, Cerialis. Ik kreeg de mijne pas toen ik tweeëndertig was. Jij bent nog niet eens dertig.'

Cerialis' knappe gezicht – hoge jukbeenderen, een haviksneus, een wilskrachtige mond en intelligente, donkere ogen – stond een moment verward. 'O, natuurlijk,' begreep hij, toen hij zich herinnerde dat zijn schoonvader op zijn negenentwintigste was getrouwd, net als hij. 'U moest een hele tijd wachten op uw benoeming. Ik heb geluk gehad.'

'Zo is het,' beaamde Vespasianus terwijl de bruidsstoet door de gang verdween. 'Sommige mensen waren me nog iets schuldig en nu is het geregeld, dus stel me niet teleur. Britannia heeft mogelijkheden genoeg voor militaire roem, maar je kunt het ook verpesten en met de staart tussen de poten weer naar huis komen. Ik kan het weten, want het scheelde niet veel of mijn legioen was in de flank geraakt toen we in de aanval gingen. Dankzij die man daar.' En hij knikte in de richting van Caratacus, die een beker wijn dronk en in gesprek was met Sabinus en zijn schoonzoon, Lucius Caesennius Paetus.

Cerialis was geïnteresseerd. 'En hoe is dat toch goed afgelopen?'

'Dankzij weer iemand anders.' Vespasianus wees naar Hormus, die stond te praten met Magnus en Tigran aan de rand van de receptie. 'Die man daar.'

'Een vrijgelatene?'

'Toen was hij nog mijn slaaf. Een olielamp in mijn tent ging vanzelf weer aan. Als er zulke vreemde dingen gebeurden, zei hij tegen me, was dat volgens zijn moeder een waarschuwing van de goden dat we iets over het hoofd hadden gezien. Op dat moment nam ik daar niet veel notitie van, maar toen ik met het legioen uit het kamp vertrok om het heuvelfort aan te vallen dat we belegerden, besefte ik dat ik inderdaad iets over het hoofd had gezien, een gevaar vanuit het noorden. Ik had het legioen nog maar net die kant op gericht, toen er dertigduizend van die harige wilden uit het donker opdoemden, onder bevel van Caratacus. Een riskante situatie. We wisten ze te verslaan, maar niet voordat ik een jonge tribuun de dood in had gejaagd bij een zelfmoordactie met zijn cavalerie. Dat gaf mij de tijd om versterkingen te laten aanrukken. De man deed zijn plicht zonder te protesteren, en we hebben hem met grote eer begraven.' Vespasianus sloeg Cerialis op zijn schouder. 'Dus, beste jongen, je zult soms moeilijke beslissingen moeten nemen. En let vooral op kaarsen en lampen die uit zichzelf weer gaan branden.'

Cerialis lachte – een prettige lach. 'Dat zal ik doen, vader. En ik zal ervoor zorgen dat u trots kunt zijn op uw schoonzoon.'

'Natuurlijk. O, en ik weet heel goed wat je bedoelde toen je zei dat je een gelukkig man was.' Nu was het Vespasianus' beurt om te grijnzen.

Zijn gezicht lichtte op. 'Je hebt het goed gespeeld. Mijn complimenten. Ik denk dat we het samen goed zullen kunnen vinden, jij en ik.'

'Hopelijk krijgen we alle kans daarvoor, vader.'

'Vast. Maar veel tijd hebben we niet meer, want je moet op reis om naam te maken, zodat ook mijn dochter trots op je kan zijn. Je bent een gelukkig man, zoals je al zei.'

Er steeg een gejuich op uit de groep van jonge kerels en Vespasianus keek om. Flavia stond aan het eind van de gang. Hij glimlachte naar Cerialis. 'Nou, kerel, ga een kleinzoon voor me maken.' Hij greep Cerialis stevig bij de arm voordat de jongeman opstond en op weg ging naar zijn wachtende bruid, begeleid door een langzaam handgeklap dat door het hele atrium echode. Even later was hij verdwenen, achter zijn schoonmoeder aan, en daalde de rust weer neer over de gasten, die nog een beker wijn namen, wachtend op de bevestiging dat de zaak naar tevredenheid was verlopen – het moment waarop iedereen weer naar huis zou gaan.

'Laat ik maar niet denken aan wat er nu gebeurt,' zei Vespasianus terwijl hij zich bij Sabinus, Paetus en Caratacus aansloot.

Sabinus lachte en sloeg een arm om Paetus' schouders. 'Iemand moet het doen, en dan maar beter iemand die je graag mag, zoals bij Paetus en mijn dochter – niet zo'n politiek huwelijk met een slappe patriciër uit een familie die betere dagen heeft gekend.'

'Je zal wel gelijk hebben,' stemde Vespasianus in, maar niet van harte. Hij dacht nu liever niet aan wat zich in Cerialis' slaapkamer afspeelde.

'Natuurlijk heeft hij gelijk,' vond Caratacus. 'Wat heb je aan dochters als ze geen zonen baren?'

Sabinus pakte Paetus stevig beet en schudde hem even door elkaar. 'Vooral zonen van consuls.'

Het duurde even voordat die woorden tot Vespasianus doordrongen. 'Meen je dat?'

'Ja,' zei Paetus. Hij grijnsde al zijn tanden bloot, waardoor hij Vespasianus deed denken aan zijn vader, een goede vriend, allang overleden. 'Nero komt morgen naar de Senaat om de benoemingen van de consuls, praetores en gouverneurs voor het komende jaar bekend te maken. Ik word de eerste zes maanden de jongere collega van Publius Petronius Turpilianus.'

Dat deed Vespasianus oprecht plezier, ook al had Paetus hem overtroefd door consul te worden in januari, zodat het jaar naar hem en zijn collega zou worden genoemd. 'Gefeliciteerd, Paetus. Hoe heb je dat voor elkaar gekregen?'

Paetus keek zijn schoonvader aan, maar zei niets.

'Nou?' vroeg Vespasianus aan Sabinus.

'We hadden echt geen geld om Seneca om te kopen, dus heb ik het met hem op een akkoordje gegooid,' gaf Sabinus toe. 'Ik ben nu vier jaar prefect van Rome, en Lucius Pedanius Secundus, een maatje van Corvinus, hengelt al tijden naar die positie. Daarom heb ik Seneca voorgesteld om me terug te trekken. Als ik langer bleef, zou hij voorlopig geen steekpenningen voor die functie kunnen opstrijken. Dat vertelde ik hem ook. Hij zei dat hij me gewoon kon ontslaan en de functie doorverkopen. Maar als hij dat deed, zei ik weer, zou niemand hem ooit nog voldoende vertrouwen om hem een groot bedrag te willen betalen.' Sabinus tikte even tegen zijn slaap om zijn sluwe tactiek te onderstrepen. 'Dus in plaats van het junior consulaat te verkopen, voor hoeveel geld dan ook, kon hij het beter gratis aan Paetus geven en een veel groter bedrag incasseren voor de prefectuur. Seneca is een redelijke zakenman, dus zag hij de logica daarvan in en hadden we een akkoord.'

'Heel goed, Sabinus. Knap gedaan,' zei Vespasianus, vol bewondering voor zijn broer.

Alleen Caratacus leek niet onder de indruk. 'Ik begrijp nog steeds niet waarom jullie Romeinen er eer in stellen om macht naar je toe te graaien met andere middelen dan het zwaard.'

Sabinus snoof. 'Het gaat er niet om hoe je er komt, maar dát je er komt. En het is niet "jullie Romeinen" maar "wij Romeinen". Dat proberen we je steeds aan je verstand te brengen, Tiberius Claudius Caratacus. Je bent nu zelf een Romein, sinds je naar Rome bent gebracht, waar je gratie en burgerrechten hebt gekregen.'

'Wat heb ik aan die burgerrechten?' De ogen van de voormalige Britannische koning schoten vuur, maar al gauw keek hij weer zoals altijd, vriendelijk en kalm. 'Prasutagus van de Iceni is nu ook een Romeins burger, maar hij mag gewoon in Britannia blijven. Ik heb precies dezelfde rechten, maar ik kan Rome niet verlaten zonder toestemming van de keizer, dus zit ik hier gevangen.'

Vespasianus stond versteld van Caratacus' uitbarsting. 'Ik dacht dat je daar nu wel vrede mee had. In ruil voor je leven.'

Caratacus keek weer zuur. 'Dat had ik ook. Tot gisteren.'

'Wat is er dan gebeurd?' vroeg Vespasianus fronsend. Hij kon zich niets bijzonders herinneren.

'Seneca heeft gisteren Venutius vrijgelaten en gratie voor hem gekregen bij de keizer. Hij mag nu terug naar Britannia, als burger van Rome.'

Vespasianus, Sabinus en Paetus waren met stomheid geslagen.

'Waarom?' vroeg Vespasianus ten slotte.

'Zeg jij het maar, Vespasianus. Ik vind het een groot onrecht als de man die mij heeft verraden en tegen Rome in opstand is gekomen nu vrij is om terug te gaan naar ons eigen land, terwijl ik, met mijn eed van trouw, hier min of meer gevangenzit.'

'Het zal wel weer om geld gaan,' opperde Sabinus. 'Daar draait het bij Seneca altijd om, dat weet iedereen. En we weten ook dat Venutius hem nog een paar miljoen schuldig was. Waarschijnlijk kon hij dat bedrag, en de rente, onmogelijk terugkrijgen zolang Venutius in jouw handen was, Caratacus. Daarom heeft hij Vespasianus onder druk gezet om de man aan hem uit te leveren.'

'Maar hij krijgt zijn geld nooit terug als Venutius naar Britannia gaat en daar de vrije stammen in het noorden tegen ons opzet. Dan riskeert hij zelfs al zijn andere investeringen in de provincie kwijt te raken bij een volgende opstand.' Vespasianus begreep er niets van, maar in elk geval leidde het hem af van de gedachte aan wat er nu met zijn dochter gebeurde, in die kamer verderop.

'Dat is juist het punt,' zei Caratacus, na een flinke slok uit zijn beker. 'Als prijs voor Venutius' vrijheid moest hij zijn schuld aan Seneca terugbetalen door het geld ergens anders te lenen. Dat heeft hij gedaan, en Seneca heeft de schuldbekentenis vernietigd.'

Vespasianus keek Sabinus aan. Allebei beseften ze de logica ervan. 'Als Paulinus de informatie wilde gebruiken die hij van ons had gekregen – dat Venutius' opstand was gefinancierd door een lening van Seneca – dan staat hij nu met lege handen omdat het bewijs vernietigd is.'

Sabinus schudde zijn hoofd. 'Ja. Hij heeft zijn sporen vakkundig uitgewist. En dat terugbetaalde geld zal hij wel weer in een andere dubieuze onderneming steken.'

Ondanks alles had Vespasianus bewondering voor de handigheid waarmee Seneca zijn naam zuiver wist te houden, terwijl hij zich toch schuldig maakte aan de meest schandalige woekerpraktijken.

Ten slotte steeg er weer een gejoel op, nog veel luidruchtiger dan na Cerialis' vertrek. De bruidegom was terug, met een brede glimlach en enkel gekleed in zijn tuniek. Achter hem volgden twee slavinnen die een bebloed laken omhooghielden als bewijs dat de bruid maagd was geweest – en haar maagdelijkheid had verloren.

'Familie en vrienden,' riep Cerialis boven het rumoer uit, dat snel verstomde. 'Ik heb bezit genomen van mijn vrouw en haar bruidsschat.' Hij wachtte even toen hij opnieuw werd toegejuicht. 'Morgen volgt het officiële bruiloftsmaal hier bij mij thuis. Iedereen is uitgenodigd, twee uur nadat de zitting van de Senaat is gesloten.' Met die woorden draaide hij zich om en liep energiek terug naar zijn echtgenote.

'En nadat ik Artaxata met de grond gelijk had gemaakt, zodat het geen bedreiging meer voor ons kon vormen, en Tigranocerta had ingenomen,' las Cossus Cornelius Lentulus, de junior consul, het bericht hardop voor, 'kreeg ik dringend nieuws. Tiridates, de jongere broer van Vologases, de grote koning van Parthië, was de grens tussen Media en Armenia overgestoken in een nieuwe poging de Armeense kroon voor zich op te eisen – ondanks de diplomatieke inspanningen van het gezantschap dat wij vorig jaar naar Vologases hadden gestuurd. Ik heb een van mijn legaten, Verulanus, vooruitgezonden met de hulptroepen, terwijl ikzelf volgde met de legioenen, in snel marstempo.' Lentulus zweeg een moment terwijl de verzamelde senatoren mompelend hun instemming betuigden met die tactiek.

'Snelheid, zie je, Cerialis,' zei Vespasianus tegen zijn schoonzoon, die rechts van hem zat. 'Altijd snel reageren. Ik ken Corbulo al bijna vijfendertig jaar, en ik heb hem nog nooit zien aarzelen. De klootzakken meteen aanvallen, voordat ze de kans krijgen hun positie te versterken.'

Cerialis knikte bedachtzaam, terwijl Paetus, aan de andere kant van Cerialis, even snoof. 'Hij doet gewoon wat iedereen met een beetje verstand zou doen.'

Vespasianus ging niet in discussie, omdat hij wist dat het zinloos was om tegenover Paetus over Corbulo te beginnen. Paetus had nooit overweg gekund met de strenge, starre patriciër toen hij onder Corbulo's bevel in Germania Superior had gediend. Vespasianus was er zelf getuige van geweest, tot zijn vermaak.

'Zo heb ik de Parth tot de terugtocht gedwongen,' vervolgde Lentulus het verslag. 'Wie ik tegenkwam, heb ik onderworpen, en de steden ingenomen die zich tegen ons verzetten – de inwoners afgeslacht en de huizen platgebrand. Zo had ik Armenia volledig onder Romeins gezag gebracht toen Tigranes, uit het vorstenhuis van Cappadocia – die onze keizer in zijn wijsheid als stroman in Armenia heeft aangewezen – in het land arriveerde. Ik heb Tigranes op de troon gezet en zijn vazallen trouw aan hem laten zweren. Hijzelf zwoer trouw aan Rome. Daarna heb ik hem een garnizoen van twee cohorten legionairs gelaten, drie cohorten hulptroepen en twee *alae* van de cavalerie. Ten slotte heb ik vijftig talenten goud en honderd talenten zilver van hem gevorderd voor onze onkosten in de strijd. Het geld is over land naar Rome gestuurd, uit angst voor schipbreuk. Inmiddels heb ik me naar Syria teruggetrokken om de gouverneurspost over te nemen die vrijkwam na de dood van Ummidius.' Weer zweeg hij om de voltallige Senaat de kans te geven zijn instemming te laten blijken. 'Met gepaste groet aan mijn keizer en mijn geachte collega's in de Senaat.' Lentulus rolde met een zwierig gebaar het document weer op. 'Aldus het verslag van Gnaeus Domitius Corbulo, proconsul van Syria.' Stralend draaide hij zich om naar Nero, zijn senior collega als consul, de eerste zes maanden van het jaar, die voor in de lange, rechthoekige zaal zat. Als hij uitbundige lof verwachtte van de keizer voor Corbulo's keurige, klinische operatie om Armenia weer binnen de Romeinse invloedssfeer te krijgen en Nero's zwaar geplunderde schatkist enigszins aan te vullen, kwam hij bedrogen uit.

Nero klemde de leuningen van de *sella curulis*, zijn erezetel, zo stijf vast, dat zijn knokkels wit wegtrokken.

'Ik stel een motie van dankbetuiging voor,' waagde Lentulus, maar zijn stem ebde weg tot een gefluister.

'Er komt geen motie,' zei Nero hees. 'Waarom zouden we een senator bedanken voor iets wat iedereen hier net zo goed had kunnen doen?'

'Natuurlijk, princeps,' beaamde Lentulus, onder grote bijval voor de beslissing van de keizer.

'Corbulo kan beter oppassen,' fluisterde Gaius, die links van Vespasianus zat, hem in het oor. 'Je bewijst jezelf geen dienst door zo goed je werk te doen als militair. Keizers zijn meestal wel blij dat de klus is geklaard, maar niet dankbaar tegenover de man die het heeft gepresteerd. Het maakt niet uit dat Nero steeds meer geld uitgeeft aan grandioze bouwwerken en dat Corbulo hem zojuist de middelen heeft bezorgd voor een nog luxere uitvoering van zijn nieuwe baden op de Campus Martius. Herinner je je nog hoe het Germanicus is vergaan? Als maar de helft van de geruchten uit die tijd klopte, dan is de jaloezie van Tiberius hem noodlottig geworden.'

Vespasianus moest het daar wel mee eens zijn. 'Het probleem met Corbulo is dat hij met zijn aangeboren arrogantie als patriciër nooit zijn eigen prestaties onder stoelen of banken zal steken. Iedereen moet weten wat een glorieuze overwinning hij heeft behaald.'

'Nou, beste jongen, als hij dit soort berichten blijft sturen, zal hij een roemloze dood sterven, en dat is dan helemaal zijn eigen schuld.'

'Daar kunt u wel eens gelijk in hebben, oom,' beaamde Vespasianus toen de voorzitter de senior consul en de eerste onder de senatoren opriep om de verklaring voor te lezen die hij had opgesteld.

'Behalve deze benoemingen als consul en praetor,' begon Nero met hese stem, 'heb ik een lijst met suggesties voor de *aediles* en quaestors van volgend jaar, die ik aan de Vader van het Huis zal overhandigen, zodat u, *patres conscripti*, erover kunt stemmen zoals uw recht is.' Een dankbaar applaus klaterde op voor dat laatste restje autonomie dat de keizer nog overliet aan een Senaat die ooit trots over al zijn eigen besluiten en benoemingen had gestemd. Nero nam het eerbewijs in ontvangst met een welwillende glimlach, alsof hij zelden zoiets moois had gehoord. Ten slotte, tot ieders opluchting, las hij weer verder: 'En zo kom ik bij de gouverneursposten voor volgend jaar: Lucius Vitellius zal zijn broer Aulus in Afrika opvolgen.' Nero zweeg een moment, genietend van het verbaasde gemompel dat door de zaal ging.

Vespasianus had moeite zich te beheersen bij het zien van de zelfvoldane grijns op de varkenskop van de jongste van de gebroeders Vitellius.

'En Marcus Salvius Otho bevestig ik opnieuw in zijn positie als gouverneur van Lusitania,' ging Nero verder.

'Dus Otho moet in Lusitania blijven totdat Nero hem laat vermoorden of hem vergeeft,' merkte Vespasianus op, hoewel het hem moeite kostte om zijn gedachten van Afrika los te maken. 'Terwijl hij toch Nero's zin heeft gedaan door van Poppaea te scheiden.'

'Dat verbaast me niets,' fluisterde Gaius, terwijl Nero doorging met zijn lijst van nieuwe keizerlijke gouverneurs en herbenoemingen. 'Als hij naar Rome terugkwam, zou hij Nero maar voor de voeten lopen. Wat me meer verwondert is dat Nero nog steeds niet van Claudia is gescheiden. Misschien beseft hij dat Claudia zijn legitieme aanspraak op de troon is. Als hij van haar zou scheiden, kan dat riskant zijn, vooral vanwege de moord op...' Gaius zweeg toen hij besefte dat Nero niet langer aan het woord was, maar Vespasianus en hem strak aankeek. Iedereen volgde zijn blik. 'Neem me niet kwalijk, princeps,' stamelde Gaius. Nero was er niet aan gewend dat mensen door hem heen fluisterden. Hij eiste de volledige aandacht van iedereen. 'We hadden het alleen over... over...' Hij kon geen redelijk excuus bedenken en deed er maar het zwijgen toe.

'Als ik commentaar wil, zal ik er wel om vragen,' reageerde de keizer, onheilspellend kalm. 'Ik zeg het wel als ik je mening wil horen en je je licht mag laten schijnen, Pharos!'

Gaius werd vuurrood toen de hele Senaat kruiperig in lachen uitbarstte bij Nero's gebruik van Gaius' bijnaam, die nu bij iedereen ingeburgerd scheen.

'En ten slotte,' vervolgde Nero toen de hilariteit weer was verstomd, 'benoem ik Servius Sulpicius Galba tot gouverneur van Hispania Tarraconensis.'

Vespasianus keek eens naar de kale, magere Galba, die tegenover hem zat, en vroeg zich af hoe de man die positie had verkregen, omdat algemeen bekend was dat Galba de oude fatsoensnormen onderschreef en zich zeker niet zou verlagen tot omkoperij om een baantje te bemachtigen.

'En zo, patres conscripti, beveel ik deze benoemingen bij uw vergadering aan en verzoek ik u ze bij stemming goed te keuren.' Na die overbodige formaliteit ging Nero weer zitten.

Nu was het de beurt aan de Senaat van Rome om de benoemingen van de keizer te bespreken. Dat deden ze, heel uitvoerig en met veel lof voor Nero's wijsheid. Niemand durfde te vertrekken totdat de keizer zelf ten slotte opstapte, nog vóór de stemming. Blijkbaar had hij genoeg van alle pluimstrijkerij, wat voor hem nogal ongebruikelijk was.

Toen iedereen zijn zegje had gedaan en alles voor de toekomst was vastgelegd, bleek de uitkomst van de stemming unaniem en kon de elite van Rome eindelijk de zaal verlaten.

'Dat was een bijzonder pijnlijk moment, beste kerels, laat me jullie dat vertellen,' zei Gaius toen ze over het forum liepen. 'Heel erg pijnlijk. Ik voelde me weer een jochie van tien, onder de vernietigende blik van mijn grammaticus.'

Sabinus lachte. 'Oom Gaius, als u en Vespasianus niet zo druk hadden zitten kletsen in de klas, zou u iets heel interessants zijn opgevallen.'

'Het enige wat mij opviel is dat ik Afrika niet heb gekregen,' mopperde Vespasianus.

'Hou daar eens over op. Dat bedoelde ik niet. Wat jullie blijkbaar ontging was dat Nero alle provincies noemde, behalve één.'

'Dat viel mij ook op,' zei Cerialis fronsend.

Vespasianus was niet onder de indruk. 'Nou, en? Waarschijnlijk is hij die gewoon vergeten.'

'Hij las een lijstje op,' wees Sabinus hem terecht.

'Dan was het een fout.'

'O ja? De keizer is onze belangrijkste provincie van dit moment zomaar vergeten? Lijkt me niet.'

'Goed. Welke provincie dan?'

'Waarom zou het Cerialis zijn opgevallen?'

Vespasianus hoefde niet lang na te denken. 'Aha!'

'Ja, broeder. Aha! Waarom denk je dat Suetonius Paulinus niet is herbenoemd en er geen nieuwe gouverneur van Britannia is aangewezen?'

HOOFDSTUK VIII

'En waarom ben je daar zo zeker van, mijn lief?' Het was de volgende dag, en Vespasianus zat met Caenis in de koelte van haar tuin, om te ontsnappen aan de ergste hitte van de middagzon.

Caenis nam een slok van haar granaatappelsap terwijl ze over haar antwoord nadacht. 'Waarschijnlijk omdat Seneca de afgelopen twee maanden al zijn debiteuren in Britannia heeft geschreven om de voorwaarden van hun leningen aan te passen. Ze kunnen kiezen: alles nu terugbetalen of vijf procent extra rente accepteren.'

'Vijf procent!'

'Ik weet het. Volstrekt onredelijk, zelfs voor hem.'

'En waar kiezen de mensen voor?'

'Geen idee. Niemand heeft nog op zijn brieven gereageerd; daarom stuurt hij steeds nieuwe. Ik denk dat hij een beetje wanhopig wordt. Zijn probleem is dat hij niet te veel contanten naar Rome durft terug te halen, omdat het gat in Nero's hand steeds groter wordt. De keizer zou hem het geld onmiddellijk aftroggelen.'

Vespasianus begreep Seneca's dilemma wel. 'Maar als hij het in Britannia laat zitten en de keizer besluit zich toch uit die provincie terug te trekken, dan is hij zo goed als zeker alles kwijt. Maar dat is nog een groot vraagteken.'

Caenis leek minder overtuigd. 'Is dat wel zo? Een paar dagen geleden deed ik nog zaken met de bank van de gebroeders Cloelius op het Forum Romanum, toen Tertius me vertelde dat ze hun agenten in Londinium instructie hadden gegeven om geen leningen meer uit te schrijven in de provincie en alle contracten terug te eisen waarop een betalingsachterstand bestaat. Ze vorderen nog net niet alle investeringen terug, zoals een paar van de minder respectabele bankiers in Londinium, maar als er geen duidelijker signaal van de keizer komt dat hij in de provincie wil blijven, zegt Tertius, hebben de gebroeders Cloelius geen andere keus dan hun geld terug te trekken. Hoewel hij ook had gehoord dat Suetonius Paulinus een invasie voorbereidt van het eiland Mona, in een poging de druïden compleet uit te roeien. Als dat lukt, zou het verzet tegen ons bestuur aanmerkelijk afnemen en zou de provincie toch winstgevend kunnen worden – op de lange duur.'

'Nou, hij heeft je heel wat verteld. Wat wilde hij daarvoor terug?'

Caenis glimlachte. Haar ogen glinsterden als saffieren in de zon. 'Jij gaat ervan uit dat informatie altijd een prijs heeft.'

'Dat is mijn ervaring, ja.'

'En je hebt gelijk. Dit was geen uitzondering. Tertius wilde weten wat Seneca van plan was.'

'Dus heb je hem verteld over zijn dilemma?'

'Nee, schat. Ik heb Tertius helemaal niets verteld, maar hem wel beloofd dat hij de eerste is die het hoort als Seneca besluit zijn geld uit de provincie terug te trekken. Daar was hij zo blij mee dat hij niet eens kosten rekende voor mijn storting van vijfduizend aurei.'

'Vijfduizend? Daar kan je een legioen bijna een halfjaar van onderhouden. Hoe kom je aan dat geld?'

'Ik ben Seneca's secretaresse. Het is nog lucratiever om toegang tot hem te regelen dan tot Pallas of Narcissus. Corvinus betaalde me pas nog honderd aurei om onmiddellijk een afspraak met hem te maken, wat ik natuurlijk graag voor hem deed.'

Vespasianus was altijd geïnteresseerd als de naam van zijn vijand in het gesprek opdoemde. 'Wat wilde hij?'

'Aha, ik wist wel dat je benieuwd zou zijn.' Caenis nam nog een slok sap en zette de beker heel langzaam neer, met een ondeugende glinstering in haar ogen.

Vespasianus lachte. 'Hou op me te plagen, vrouw, anders zul je merken hoe Vespasianus zich toegang verschaft.'

'Dat zijn grote woorden, en heel verleidelijk. Misschien hou ik je daar wel aan.'

'Maar eerst vertel je me waarom Corvinus zo dringend een afspraak wilde met Seneca.'

'O ja. Ik was even afgeleid door al dat gepraat over toegang. Nou, je weet dat Nero hem een toelage had gegeven van een half miljoen sestertiën per jaar, zogenaamd om het vermogen van zijn familie te vergroten tot het bedrag dat vereist is voor een senator. In werkelijkheid was het een afkoopsom omdat hij zijn provincie kwijtraakte, zodat Otho door Nero naar een uithoek van het rijk kon worden gestuurd. Dat herinner je je nog?'

'Ja, natuurlijk. Sinds die tijd loopt de klootzak met een grote grijns op zijn gezicht.'

'Nu niet meer. Nero heeft de toelage gestopt. Het is een luxe die hij zich niet meer echt kan veroorloven.'

'Ha!' Vespasianus klapte verheugd in zijn handen. 'Dat is het eerste verstandige besluit van Nero in heel lange tijd.'

'Ik dacht al dat het je plezier zou doen, mijn lief.'

'Heeft Seneca aangeboden hem te helpen?'

'Ja. Hij zou proberen Nero tot andere gedachten te brengen – tegen een jaarlijkse betaling van driehonderdduizend.'

'Dat is meer dan de helft van de toelage! Het wordt steeds mooier.'

'Corvinus werd woedend, dus zette Seneca hem de deur uit. Als Corvinus liever honderd procent van niets kreeg, zei hij tegen hem, in plaats van twee vijfde van iets, dan was hij nog dommer dan de mensen dachten.'

'Dat deed pijn, neem ik aan. Want je kunt veel van Corvinus zeggen, maar dom is hij niet.'

'Nee. Hij besefte zelf ook dat het onverstandig was, dus ging hij met tegenzin akkoord met Seneca's voorwaarden.' Ze boog haar hoofd en keek hem vanonder haar wenkbrauwen aan – een toonbeeld van zedige onschuld. 'En wat zei u ook alweer, heer? Hoe Vespasianus zich toegang verschaft?'

Vespasianus boog zich over de tafel, greep haar pols en trok haar naar zich toe, zodat ze giechelend op zijn schoot belandde, waar de onderhandelingen pas in ernst begonnen.

Maar voordat ze tot overeenstemming konden komen, hoorden ze iemand zijn keel schrapen in de deuropening van het tablinum. Caenis richtte zich op en keek om naar haar huismeester.

'Neem me niet kwalijk dat ik stoor, *domina*,' zei de man, duidelijk gegeneerd, 'maar Magnus en nog een bezoeker zijn hier om heer Vespasianus te spreken. Heel dringend, zeggen ze.'

Caenis liet zich van Vespasianus' schoot glijden. 'Goed, laat ze maar binnen en breng wijn voor allebei. Ik denk niet dat ik Magnus een plezier doe met granaatappelsap.'

'Jawel, domina,' zei de huismeester met een buiging, en hij draaide zich om.

Caenis keek omlaag naar Vespasianus en fronste. Hij volgde haar blik en trok grijnzend zijn tuniek recht, zodat er niets aanstootgevends meer te zien was toen Magnus en Tigran de tuin binnenkwamen. De huismeester volgde met een slavin die een blad droeg met een kan wijn en een paar bekers.

'Ik hoop dat we niet storen,' zei Magnus toen hij Caenis' hand nam als begroeting.

'Nee hoor, Magnus, we waren een boom aan het opzetten, maar dat kan wachten,' zei Caenis, terwijl ze Tigran haar hand reikte. Hij mompelde een begroeting. 'Ga zitten, heren.'

'Het punt is...' zei Magnus nadat de wijn was ingeschonken en de huismeester en het slavinnetje waren verdwenen, 'dat ze Sextus te pakken hebben.'

Vespasianus keek hem vragend aan, in gedachten nog bij heel andere zaken. 'Over wie heb je het?'

'De vigiles,' antwoordde Tigran. 'Ze hebben hem vanochtend opgepakt.'

'Waarom?'

Magnus nam een flinke slok wijn en veegde met de rug van zijn hand over zijn mond. 'Die kwestie met Terpnus, waarschijnlijk.'

'Maar dat is al meer dan een jaar geleden. Ik dacht dat iedereen dat wel vergeten was.'

'Tigellinus vergeet niet zo gauw, zeker niet omdat het een zware vernedering voor hem was.'

'Waarom heeft hij Sextus dan nu pas opgepakt?'

'Ik heb alle jongens die erbij betrokken waren de stad uit gestuurd toen senator Pollo me waarschuwde dat Tigellinus een onderzoek instelde,' legde Tigran uit. 'Ze zijn naar Pompeii gegaan. Cassandros, mijn tweede man, heeft daar een neef met veel invloed, zal ik maar zeggen.'

'Juist,' zei Vespasianus. Hij begreep het nu helemaal, en voelde zijn hart in zijn keel bonken. 'Maar nu zijn ze terug.'

Tigran knikte. 'Ja, gisteren. Ik dacht dat ze wel veilig zouden zijn, na een jaar.'

Vespasianus doorzag het meteen. 'Bij Mars! Tigellinus heeft al die tijd gewacht tot Sextus terugkwam en hem meteen gegrepen?'

'Daar lijkt het op,' mompelde Magnus.

'Die klootzak weet iets. Ik vóél het gewoon.'

'Ja, dat vermoeden wij ook. Zodra ik zeker wist dat het de vigiles waren,' vervolgde Tigran, 'ben ik naar Magnus gegaan om zijn hulp en advies te vragen. Sextus is niet voor een kleintje vervaard, maar ik vrees dat hij het niet lang zal volhouden als hij door specialisten wordt ondervraagd. Morgen omstreeks deze tijd heeft hij wel doorgeslagen en weet Tigellinus niet alleen dat het de Zuid-Quirinale Kruispuntbroederschap was die de keizer op de Viminaal heeft aangevallen, maar ook dat de prefect van Rome en een ex-consul erbij waren.'

Vespasianus voelde dat hij wit wegtrok. Zijn gezicht stond nog strakker dan gewoonlijk. 'Dat moeten we dus tot elke prijs voorkomen. Het zou het einde betekenen voor ons en de familie.' En dat al zo kort nadat zij de verantwoordelijke generatie waren geworden, dacht hij erbij.

'Daarom dacht ik dat u Sabinus kon vragen om Tigellinus onder druk te zetten, zodat hij Sextus vrijlaat,' opperde Magnus.

Caenis schudde haar hoofd. 'Dat werkt niet. Tigellinus trekt zich van niemand iets aan, behalve van de keizer en de enige andere man die hem om zeep kan helpen.'

De drie mannen staarden Caenis aan en probeerden te bedenken wie dat kon zijn.

'Burrus?' zei Vespasianus ten slotte. Het misselijke gevoel in zijn maag nam wat af door een straaltje hoop. 'Natuurlijk. De praetoriaanse prefect kan Tigellinus laten oppakken op een verzonnen aanklacht van verraad, wanneer hij maar wil.'

Caenis glimlachte. 'Ja, maar wil hij dat? Of anders gezegd: waarom zou hij dat willen?'

Vespasianus keek haar somber aan. Die laatste hoop was ook de bodem ingeslagen. 'Ik heb totaal geen invloed op Burrus, integendeel. Hij heeft Agrippina ooit ingefluisterd dat ik te veel meegevoel met Messalina had getoond bij haar executie.'

'Jij hebt misschien geen invloed op hem, maar dankzij Pallas en

Agrippina heb ik dat gelukkig wel, en daar zal ik met veel genoegen gebruik van maken.'

'Wat weet je dan van hem?'

'O, iets waar hij echt niet blij mee zal zijn.' Caenis kwam overeind. 'Ik zal mijn secretaresse vragen een kopie van een bepaalde brief te maken. Dan kan ik me alvast verkleden en mijn draagstoel laten komen. Het wordt tijd voor een bezoekje aan het kamp van de praetoriaanse garde.'

Caenis' draagstoel passeerde de Porta Viminalis. Vespasianus, die ernaast liep, knikte naar de dienstdoende centurio van de stadscohort en veegde het zweet van zijn voorhoofd met een zakdoek die hij uit een plooi van zijn senatorentoga had gehaald. Magnus en Tigran hielden hun gezicht zo veel mogelijk van de wachtposten afgewend toen ze achter de draagstoel aan de poort door liepen. Voor hen uit, ongeveer tweehonderd passen verderop, lagen de bakstenen muren van het praetoriaanse kamp, een behoorlijk fort, dat echter in het niet viel bij de Servische Muur van Rome.

'Ik kan niet zeggen dat ik veel zin heb om daar naar binnen te gaan,' mompelde Magnus toen ze zich door de onontkoombare meute van bedelaars worstelden die rond elke poort te vinden was, zwaaiend met verminkte ledematen en wijzend op hun afschuwelijke huidaandoeningen, in de hoop dat walging zou omslaan in medelijden en vrijgevigheid in de harten van de voorbijgangers. Een kleine jongen, die zijn bedelnap tussen twee stompjes vasthield, liep Magnus onhandig voor de voeten, zodat hij moest uitwijken om niet over het kind te struikelen. 'Lazer op!' Magnus gaf het joch een flinke draai om zijn oren, waardoor het met zijn bedelnap half door de lucht vloog, terug naar de meute. 'Dat zit hier maar de hele dag niks te doen! En dan ook nog fatsoenlijke mensen lastigvallen. Ga toch werken, zoals iedereen.' Magnus liep mopperend verder. Zijn stemming zakte nog verder, met elke pas waarmee ze de poort van het kamp naderden.

'Senator Titus Flavius Vespasianus en Antonia Caenis, voor Sextus Afranius Burrus, prefect van de praetoriaanse garde,' meldde Vespasianus de praetoriaanse centurio die het bevel voerde over de vier mannen die hun de toegang tot het kamp versperden.

Twee kille ogen namen Vespasianus zonder veel haast op, terwijl de centurio met zijn staf herhaaldelijk in zijn geopende linkerhand sloeg. Zijn gepolijste bronzen kuras schitterde bijna verblindend in de brandende zon. Ten slotte salueerde hij met enige tegenzin, alsof hij niet begreep waarom zo'n belangrijk lid van de praetoriaanse garde voor een senator zou moeten salueren, in plaats van andersom. 'Wacht hier.'

Dat ging toch te ver voor Vespasianus, die snel een stap naar voren deed en de man bij zijn elleboog greep toen hij zich wilde omdraaien. 'Luister goed, vriend,' siste hij hem in het oor. 'Jij mag denken dat je als praetoriaanse gardist heel bijzonder bent, maar daar vergis je je in. Niet alleen ben ik senator en zeker twintig jaar ouder dan jij, maar ik ben ook ex-consul en heb zes jaar het bevel gevoerd over een legioen, zes jaar waarin ik heel wat veldslagen heb meegemaakt. Daarbij vergeleken stelt zo'n speelgoedsoldaatje als jij helemaal niets voor. Als jij denkt dat je me hier op de stoep kunt laten wachten als een gewone koopman, terwijl jij gaat kijken of de man die wij zoeken wel tijd voor ons heeft, is dat jouw beslissing. Maar ik geef je op een briefje dat het meteen je laatste beslissing is. Gewone legionairs van de Tweede Augusta, die de strijd moeten aanbinden met die beschilderde wilden in Britannia, hoeven geen beslissingen te nemen, omdat die al vóór hen worden genomen, zodat zij zich alleen druk hoeven te maken of ze zullen sneuvelen of een arm of been zullen verliezen. Is dat goed begrepen?' Vespasianus deed weer een stap terug, zodat de man zich naar hem toe kon draaien.

De centurio opende zijn mond om iets te zeggen, maar toen hij de blik in Vespasianus' ogen zag, bedacht hij zich. Hij keek zenuwachtig opzij naar zijn mannen, die allemaal strak in de verte staarden. 'Laat de senator en zijn gezelschap passeren,' beval hij, met zijn laatste restje waardigheid. 'Escorteer ze naar het wachtlokaal van de tribunen en zeg de hofmeester dat hij hun iets te eten en te drinken brengt.'

'Een heel verstandige beslissing, centurio,' merkte Vespasianus op toen ze tot het kamp werden toegelaten. 'Als je meer van zulke beslissingen neemt, zie ik nog wel een toekomst voor je.'

Met een uitdrukkingsloos gezicht bracht de centurio een strak saluut, draaide zich op zijn hakken om en verdween.

'Nou, dat leek te werken,' zei Caenis geamuseerd toen ze in een straat kwamen tussen lange bakstenen kazernes van twee verdiepingen hoog, met pannendaken die het onderkomen leken van honderden kraaien. 'Wat zei je precies tegen hem?'

'O, ik heb hem niet echt gedreigd, mijn lief. Ik wees hem er alleen op dat mensen die nog enige vrijheid van handelen hebben en daar misbruik van maken, die vrijheid meestal verliezen.'

'Heel verstandig van die centurio om de waarheid van jouw woorden in te zien en zijn gedrag aan te passen. Laten we hopen dat Burrus net zo verstandig is.'

'Waarom bekommert u zich om een gevangene van de vigiles, senator Vespasianus?' vroeg Burrus. Het verbaasde Vespasianus dat de man hem zo formeel aansprak, en met enig ontzag in zijn toon.

'Hij is van belang voor een paar kennissen van mij, die liever niet zien dat hij zijn informatie deelt met iemand als Tigellinus.' Vespasianus wist dat het een zwak antwoord was, maar Burrus leek het te accepteren – of was zo netjes om te doen alsof.

'Juist.' De prefect fronste zijn voorhoofd terwijl hij over zijn volgende woorden nadacht. Hij leunde naar voren op zijn stoel en plantte zijn ellebogen op de schrijftafel. Door het ondoorschijnende glas van het raam achter hem klonken luide bevelen en de geluiden van een exercitie. Hij keek onderzoekend van Vespasianus naar Caenis, die naast hem zat. 'Neem me niet kwalijk, maar wat heeft dat met mij te maken? Als prefect van de praetoriaanse garde heb ik geen enkele invloed op de vigiles of hun prefect.'

Caenis schonk hem haar liefste lach. 'Dat begrijpen we wel, prefect. Officieel hebt u niets te zeggen over de vigiles.'

'Waarvoor bent u hier dan?'

'Omdat u Tigellinus het leven behoorlijk zuur zou kunnen maken als u dat wilt. Zelfs zo zuur, dat hem geen andere keus zou overblijven dan er zelf een eind aan te maken. En niemand wil dat hem het leven onmogelijk wordt gemaakt, nietwaar, prefect?'

'Juist.' Weer fronste Burrus peinzend zijn voorhoofd.

Vespasianus hield zijn gezicht in de plooi, genietend van Caenis' subtiel verhulde dreigement. Dat Burrus hen meteen had ontvangen, duidde erop dat hij het gesprek zo snel mogelijk achter de rug wilde hebben, en dat had niets te maken met zijn eigen aanwezigheid hier, wist Vespasianus. Als oude rot in de keizerlijke politiek besefte Burrus maar al te goed dat Caenis hier niet gekomen was zonder de middelen om haar zin te krijgen. Ze hadden nog nauwelijks een beker wijn gekregen in het wachtlokaal van de tribunen toen een heel eerbiedige secretaris hun al had gevraagd hem te volgen naar het kantoor van de prefect, in het *praetorium* in het centrum van het kamp. Magnus en Tigran hielden maar al te graag de kan met heel redelijke Falernische wijn gezelschap, in afwachting van het resultaat van de besprekingen.

'En waarom zou ik Tigellinus het leven onmogelijk willen maken, aangenomen dat ik daartoe in staat zou zijn?'

'Ik zeg niet dat u hem het leven onmogelijk moet maken; het dreigement daarmee zal al voldoende zijn. We willen geen vervelende toestanden. En waarom, vraagt u?' Weer lachte Caenis de man stralend toe. 'Ik weet niet hoe u erover denkt, maar ik heb altijd liever dat iemand anders het leven onmogelijk wordt gemaakt dan mijzelf, nietwaar?'

Burrus slikte. Vespasianus was ervan overtuigd dat hij Caenis' dreigement, wat het ook mocht zijn, bijzonder serieus nam. 'En eh... wat voor goede reden kunt u mij geven om u te helpen in deze zaak?'

Caenis haalde een rol perkament onder haar palla vandaan. 'Dit is een kopie, prefect – een kopie die mijn secretaresse heeft gemaakt voordat ik hiernaartoe ging. Het origineel is veilig opgeborgen.'

Burrus rolde het perkament open en las de inhoud. Zijn ontreddering nam toe met elke zin die hij las. Toen hij klaar was, legde hij de rol weer op zijn schrijftafel en tikte met zijn vingers tegen elkaar. 'Hoe komt u hieraan?' vroeg hij.

'Dat ligt toch voor de hand?'

'Van Agrippina?'

'Wie anders kan het in bezit hebben gehad?'

'Maar hoe komt het bij u terecht?'

Vespasianus dacht terug aan de koker die volgens Caenis de betaling had bevat van Pallas en Agrippina toen ze namens hen Vespasianus' hulp had ingeroepen.

'Dat is een merkwaardig verhaal, prefect. Mijn prijs voor een gunst is geld of informatie. Ik heb nooit iets gehad om u mee onder druk te zetten, dus toen Pallas en Agrippina een gunst van mij vroegen, was u mijn prijs. Agrippina gaf me dit document omdat ik bereid was Vespasianus een verzoek van haar en Pallas voor te leggen. Dat verzoek was overigens niets anders dan een list om Vespasianus zover te krijgen om de uitnodiging over te brengen die uiteindelijk Agrippina's dood zou worden – een complot waar u mee instemde, als ik me niet vergis, nadat u de vorige twee plannen had gedwarsboomd.'

Vespasianus keek verbaasd. Hoe wist Caenis dat allemaal?

Burrus kon een lachje niet onderdrukken. 'Wilt u zeggen dat ze u dit document heeft gegeven in ruil voor een plan dat haar eigen dood zou betekenen?'

Caenis lachte met hem mee. 'Inderdaad. Ik had ook wel waardering voor die ironie toen ik het zelf besefte. Maar ik begreep ook wat erachter stak, en mijn respect voor Pallas' tactische inzicht werd zelfs nog groter, als dat mogelijk is.'

Vespasianus brandde van nieuwsgierigheid naar de inhoud van de brief, maar hij was zo verstandig om niet te laten blijken dat hij geen idee had.

'Ziet u, prefect,' vervolgde Caenis, 'Pallas heeft u en Seneca nooit vergeven dat hij uit Rome is verbannen. Hij wist heel goed dat Agrippina dit document niet zou kunnen gebruiken zolang ze nog leefde. Als Nero erachter kwam dat ze op de hoogte was, zou dat haar doodvonnis zijn geweest. Daarom kostte het Pallas weinig moeite om de brief van haar los te krijgen. Als het de keizer immers ter ore kwam vanuit een andere bron, kon ze glashard ontkennen dat ze er iets mee te maken had – dat de brief haar nooit had bereikt, of dat het een vervalsing was.'

Burrus begreep het. 'Maar nu ze dood is, kan ze dat niet meer doen, dus zal de keizer terecht veronderstellen dat ze de brief wél heeft gekregen en dat hij echt is.'

'En het zou ook uw dood betekenen, zoals u heel goed weet, want u hebt hem geschreven en verstuurd.' Weer gleed er een beminnelijke glimlach over Caenis' gezicht. 'Dus had Pallas haar gezegd de brief aan mij te geven, als betaling voor een gunst die haar lot bezegelde, waardoor dit document nu zo gevaarlijk voor u is dat u tot alles bereid zal zijn om het terug te krijgen. Een geniaal plan, moet ik zeggen.'

Zelfs Burrus kon daar waardering voor opbrengen. Langzaam en verwonderd schudde hij zijn hoofd. 'Dus als ik Tigellinus zover krijg dat hij die gevangene laat gaan... Sextus, heet hij?'

'Klopt. Sextus moet worden vrijgelaten, met alle aantekeningen die tijdens zijn verhoor zijn gemaakt. Bovendien zult u Tigellinus duidelijk moeten maken dat hij onmiddellijk met dit onderzoek moet stoppen.'

'En dan krijg ik het origineel van deze brief terug?'

'Ik geef u mijn woord, prefect.'

'Maar bent u niet bang dat ik, als de zaak achter de rug is, heel kwaad zal worden en wraak op u zal nemen?'

Weer glimlachte Caenis. 'Dat zou niet verstandig zijn. Per slot van rekening is iedereen nu blij. Sextus komt vrij, Tigellinus weet dat hij de zaak voorgoed moet laten rusten, en u hebt de brief terug waarin u Agrippina waarschuwde dat Nero van plan was haar te vergiftigen, met het advies welk tegengif ze moest gebruiken. Daar kunnen we het beter bij laten, vindt u ook niet?'

Burrus masseerde zijn nek en zoog wat lucht door zijn tanden terwijl hij de kopie bekeek. 'Het was mijn loyaliteit tegenover haar, moet u weten. Zij had mij immers de praetoriaanse garde bezorgd.'

'Heel prijzenswaardig, prefect. En het zal ook wel uit loyaliteit zijn geweest... tegenover iemand anders... dat u hebt deelgenomen aan het complot om haar te vermoorden.'

'Ik heb nergens aan deelgenomen. Ik wist ervan, dat wel, en ik heb deze keer niet ingegrepen of haar gewaarschuwd.'

'Waarom was u nu van gedachten veranderd?' vroeg Vespasianus, die zich een stuk beter voelde nu hij wist wat voor macht Caenis over Burrus had.

'Wat?' Burrus keek verbaasd naar Vespasianus, alsof hij hem helemaal vergeten was. 'O, om een paar redenen. Om te beginnen zou hij het toch wel doen, hoe dan ook, dus kon het beter een ongeluk lijken – hoewel dat ook een fiasco werd. Bovendien had Agrippina duidelijk gemaakt dat ze hem nooit zou steunen als hij van Claudia wilde scheiden, omdat zijn huwelijk met Claudius' dochter volgens haar de enige legitimatie van Nero's positie was. Als aangenomen zoon van Claudius zou hij anders nooit keizer zijn geworden. Als Agrippina openlijk tegen Nero in verzet was gekomen door Claudia te steunen, had dat heel riskant kunnen zijn voor mijn positie. De twee vrouwen zijn, of waren, zeer populair bij het volk en, nog belangrijker, bij het leger. Dat had dus makkelijk een opstand kunnen worden, en wat had ik dan moeten doen? Tienduizend speelgoedsoldaatjes aanvoeren tegen een paar grenslegioenen? Geen prettig vooruitzicht.' Burrus kwam overeind en schoof zijn stoel naar achteren. 'Maar goed, het is gebeurd en zodra ik die brief terug heb, kan ik Agrippina voorgoed vergeten. Als u me nu wilt excuseren? Ik moet naar Tigellinus om hem duidelijk te maken dat zijn leven heel erg lastig zal worden als hij Sextus niet vrijlaat en dat onderzoek verder vergeet. Over een uurtje breng ik Sextus wel bij u thuis – persoonlijk, zodat ik mijn eigen brief weer terug kan krijgen.'

Caenis stond op en beloonde Burrus met nog zo'n stralende glimlach. 'Dan zien we u graag, prefect. U weet waar ik woon?'

'Ik ben prefect van de praetoriaanse garde. Ik weet waar iedereén woont die iets te betekenen heeft.'

'Mooi zo. En blijft u ook eten?'

'Laten we nou niet doen alsof we vrienden zijn, Antonia Caenis.' En met die woorden stampte hij de kamer uit. Vespasianus keek Caenis vol bewondering aan, terwijl hij een diepe zucht van opluchting slaakte.

'Hij is een taaie rakker, onze vriend Sextus,' verklaarde Magnus, met een blos op zijn wangen na een gezellig samenzijn met de Falernische wijn. 'Ik denk niet dat hij al een woord gezegd heeft.'

'Het maakt niet uit,' zei Caenis vanuit haar draagstoel. 'Burrus zorgt ervoor dat Tigellinus niets meer kan doen met die informatie.'

'En waar wil hij mee dreigen om hem zover te krijgen?'

'Dat is zijn zaak. Maar dat lukt hem wel, geloof me. Hij neemt ook alle aantekeningen mee die misschien bij het verhoor van Sextus zijn gemaakt en hij zal zijn ongenoegen duidelijk laten blijken. Tigellinus is als de dood voor Burrus, dus dat werkt wel.'

'Maar jij was bepaald niet bang voor hem, is het wel, Caenis?' zei Vespasianus, nog altijd vol bewondering voor haar optreden van zopas.

'Ik liet het misschien niet blijken, maar ik was het wel. Het had ook helemaal mis kunnen gaan.'

Vespasianus wist dat ze gelijk had. Het was geen sinecure om de prefect van de praetoriaanse garde in een hoek te drijven. Als hij, Vespasianus, dat in zijn eentje had geprobeerd, zou hij nu waarschijnlijk van hoogverraad zijn beschuldigd. Maar Caenis was een ander geval, als secretaresse van Seneca – en vroeger van Pallas, Narcissus en Antonia. Ze stond bekend om haar encyclopedische geheugen. Wie wist over wat voor gevaarlijke informatie ze allemaal beschikte, verzameld na bijna veertig jaar in het centrum van de keizerlijke politiek? En dan was er nog Narcissus' persoonlijke archief, dat hij haar had toevertrouwd toen hij zelf uit de gratie raakte. Na zijn executie hadden Caenis en Vespasianus alle dossiers doorgewerkt, de interessante stukken bewaard en de rest verbrand. Het verschil tussen hen was dat Vespasianus wist welke documenten naar welke mensen verwezen, terwijl Caenis hele paragrafen uit haar hoofd kende. Nee, dacht Vespasianus, het zou heel dom van Burrus zijn geweest om haar te trotseren. Maar Caenis wist ook dat mensen soms domme en roekeloze dingen deden, en als Burrus niet goed had nagedacht, hadden ze samen toch in een lastig parket kunnen komen. Caenis' rustig geformuleerde, impliciete dreigement was echter genoeg geweest om de prefect ervan te overtuigen dat hij maar beter kon meewerken. Vespasianus had nog nooit zoiets meegemaakt, en hij was verrast door Caenis' wilskracht. De vrouw van wie hij hield, besefte hij, was sterker dan hij, een meedogenloze onderhandelaar met een geweldige feitenkennis over allerlei mensen, waarmee ze hun zwakke punten bloot kon leggen. Ze was geen vrouw die je graag als vijand had, en hij dankte Mars voor hun goede relatie. Daarom had ze hem vergeven dat hij haar zo'n tijd met opzet had ontlopen. Zelf had hij nooit voor elkaar kunnen krijgen wat zij zojuist had gepresteerd. Sabinus en hij zouden ten dode opgeschreven zijn geweest, en het huis Flavius te gronde gericht en weggevaagd.

Burrus kwam naar Caenis' huis, zoals beloofd, en bracht een gehavende Sextus mee. Hij vertrok bijna meteen weer, zonder plichtplegingen, met de originele versie van zijn belastende brief aan Agrippina.

'Hoe is het gegaan?' vroeg Vespasianus aan Sextus zodra Burrus verdwenen was. Een onnozele vraag, natuurlijk, aan de kneuzingen en blauwe plekken van de man te zien.

Sextus leunde tegen de muur en streek voorzichtig over zijn gezwollen rechteroog. 'Niet best, heer. Helemaal niet best.'

'Maar heb je iets losgelaten, broeder?' vroeg Magnus toen een slaaf een beker wijn voor Sextus bracht. Caenis wenkte meteen om nog een beker.

'Hoe bedoel je, Magnus?'

'Heb je ze gezegd dat het de Zuid-Quirinale Kruispuntbroederschap was die Terpnus' vingers heeft afgehakt?'

Sextus staarde beschaamd in zijn wijn, en sloeg die toen in één teug achterover. 'Ik geloof het wel, broeder, het spijt me. Ze dreigden met mij te doen wat wij met Terpnus hadden gedaan, en zodra ik liet merken dat ik wist wat ze bedoelden, kon ik het niet meer ontkennen. Ik ben niet zo snugger.'

Niemand sprak hem tegen.

'En Sabinus en ik... Heb je ze ook verteld dat wij erbij waren, Sextus?' vroeg Vespasianus.

'Nee, natuurlijk niet, heer.'

'Goeie vent.'

'Maar wel dat de overval een wraakneming was voor die keer dat senator Pollo een fakkel in zijn... nou, u weet wel.'

Vespasianus, Caenis, Magnus en Tigran kreunden toen er hard op de voordeur werd gebonsd. Caenis' portier deed open en zag Hormus, Vespasianus' vrijgelatene, op de stoep staan.

'Ik hoopte al dat ik u hier zou vinden, heer.' Hormus zag bleek. Hij hield een perkamentrol in zijn hand.

'Wat is er, Hormus?'

'Dit kwam net binnen, heer.'

Vespasianus pakte de perkamentrol aan. Zijn adem stokte toen hij het zegel zag. Misschien was Burrus zijn belofte toch niet nagekomen. 'Dat is Nero's zegel,' zei hij, en hij liet het aan Caenis zien voordat hij de rol opende en het bericht las. 'De keizer heeft me ontboden. Ik moet thuis op een boodschapper wachten, die het derde uur van de dag langs zal komen om te zeggen waar ik me bij Nero kan melden.'

HOOFDSTUK IX

De laatste van zijn beschermelingen verdween door de vestibule en Vespasianus slaakte een zucht van verlichting dat zijn *salutatio* van die ochtend voorbij was. Hij leunde naar achteren op de stoel voor zijn schrijftafel in het tablinum en staarde naar alle papieren en wasplankjes op het blad. Het was een drukke ochtend geweest, met een groot aantal zaken. Vespasianus wilde alle correspondentie nog wegwerken. Hormus en de vier slaven van zijn secretariaat waren bezig de brieven te schrijven die hij hun had gedicteerd tussen de afspraken met zijn beschermelingen door. Hormus zou ze allemaal moeten versturen als dit verkeerd afliep. De eerste was gericht aan Titus, in zijn provincie Germania Inferior, met het advies om Nero zo snel mogelijk om genade te smeken als hij, Vespasianus, zou worden veroordeeld. Dezelfde brief had hij ook aan de opzichters van zijn landerijen geschreven, met een regeling hoe ze aan hun geld konden komen als hij... onbereikbaar zou zijn en Titus vanuit het verre Germania Inferior niet zo snel de nodige fondsen zou kunnen vrijmaken. Daartoe had hij ook naar de gebroeders Cloelius op het Forum geschreven, met permissie aan zijn opzichters om daar persoonlijk hun geld te komen opnemen. Ook had hij zijn oom gemachtigd om geld op te nemen voor Flavia. Als hij de spilzieke Flavia het volledige beheer over het familiekapitaal gaf, zouden ze snel weer terugvallen tot de ridderstand. Dat die kans bestond, had hij tot zijn schrik gemerkt toen hij na zes jaar terugkeerde van zijn termijn bij de Tweede Augusta. Flavia had zich, omringd met alle luxe, in het keizerlijk paleis geïnstalleerd, waar ze geld uitgaf alsof ze net zo rijk was als Messalina, haar vriendin – en minnares, zo bleek. Nee, die fout zou hij niet nog eens maken. Als hij de kans kreeg.

Vespasianus was zich er maar al te zeer van bewust dat er misschien niets meer zou overblijven voor haar om uit te geven. Als hij voor Nero moest verschijnen vanwege de overval op Terpnus en dus ook, indirect, op de keizer zelf, gold dat als verraad. En als hij schuldig werd bevonden, zoals zeker zou gebeuren, en niet de genade kreeg om zelf een einde aan zijn leven te mogen maken, zou een executie de inbeslagname van al zijn bezittingen betekenen. Dan deed het er niet meer toe wie gemachtigd was het geld op te nemen. Toch ging hij door met alles regelen, voor het geval hij er met een verbanning van af zou komen. Dat betekende dat hij geen recht meer zou hebben op water en vuur binnen een cirkel van ruim vierhonderd mijl rondom Rome.

Vespasianus had nog één sprankje hoop. Zodra hij het bevel had ontvangen had hij bericht gestuurd aan Sabinus, om hem te melden wat er was gebeurd – dat Burrus mogelijk zijn belofte niet had gehouden of Tigellinus toch met zijn bewijzen naar de keizer was gestapt, ondanks de dreigementen van de prefect. Hij vroeg zijn broer of hij ook voor Nero moest verschijnen, maar dat was niet zo. Toch vreesde Vespasianus het ergste en ging Flavia er meteen van uit dat het allemaal de schuld was van zijn eigen egoïstische gedrag. Toen ze, zonder toestemming, het tablinum binnenstormde, moest Vespasianus zich beheersen om haar niet te wurgen; waar hij als haar echtgenoot alle recht toe had, bedacht hij toen ze tegen hem tekeerging.

'Net toen ik dacht dat het allemaal niet erger kon!' krijste Flavia, met overslaande stem van woede en haar ogen dof en uitgeblust door slaapgebrek. 'Magnus is er met onze kluis vandoor!'

'Míjn kluis,' wees Vespasianus haar terecht. 'Trouwens, hoe weet je dat?'

'Omdat hij hier binnenkwam met die grote domkop die de keizer jouw egoïstische plannetjes heeft verraden. Hormus heeft al een paar slaven gestuurd om de kluis voor hem te halen. Hoe moet ik nog een beetje stijlvol kunnen leven zoals een vrouw van mijn status past als ik die kluis niet meer heb wanneer jij... nou, als jij dood bent?'

Vespasianus stond op en keek zijn vrouw doordringend aan over zijn schrijftafel. 'Die kluis is bij Magnus in veilige handen, vrouw! Anders zou je meteen aan de bedelstaf raken.'

'Wat heb ik aan dat geld als ik er niet bij kan?'

'Punt één, als mijn bezittingen verbeurd worden verklaard, krijgen ze in elk geval die kluis niet te pakken omdat Magnus hem nu heeft en zij er niets van weten. Punt twee, als ik hem aan jou gaf, zou er binnen een maand geen sestertie meer in zitten, want ik ken je een beetje. Dan kan ik hem net zo goed aan de keizer laten. Op deze manier kan Magnus je in elk geval een maandelijkse toelage betalen.'

De gedachte dat Magnus haar moest betalen was te veel voor Flavia. Ze griste de inktpot van Vespasianus' schrijftafel en smeet hem over zijn toga.

'Daar schieten we niets mee op, Flavia,' zei Vespasianus met opeengeklemde kaken.

'We schieten er ook niets mee op dat jij jezelf straks laat executeren en mij als berooide weduwe achterlaat, maar toch doe je dat!'

'Flavia, mag ik je eraan herinneren dat ik hier nog sta en nog springlevend ben?' Om dat te onderstrepen, gaf hij haar een klap in het gezicht. 'Beheers je, vrouw!'

Flavia schudde haar hoofd en knipperde haar tranen weg. Met hijgende boezem bracht ze een hand naar haar rode wang. 'Je hebt me geslagen!'

'En dat zal ik nog eens doen, Flavia, als je niet kalmeert. Dit is niet het moment voor zelfbeklag en hysterie. We moeten helder nadenken, want over een halfuur staat die boodschapper voor de deur, en tegen die tijd moet jij verdwenen zijn. Tigrans mannen staan klaar om je naar Domitilla's huis te brengen. Ik had je al gezegd dat je daarheen moest, met Domitianus.'

'Mijn eigen huis ontvluchten door de achterdeur? Wie denk je dat ik ben?'

'Mijn vrouw. Dus hoor je te doen wat ik zeg.' Vespasianus zweeg een moment en slaakte een vermoeide zucht om kalm te blijven. 'Flavia, je moet weg. Nu meteen. Vanavond weten we wel wat er aan de hand is.'

'Vanavond ben je dood.'

'Dat zou best kunnen, en als het zo is, moet jij bij Domitilla blijven. Hormus past wel op het huis, totdat het in beslag wordt genomen, samen met onze slaven...'

'De slaven!' Flavia keek ontzet. Blijkbaar besefte ze nu pas dat de slaven ook als bezit golden en dus zouden worden meegenomen en verkocht. 'Maar wie moet dan 's ochtends mijn haar doen?'

'Dat lijkt me van minder zorg. Domitilla zal je wel een van haar meisjes lenen. Als mijn bezit wordt gevorderd, blijf jij bij Domitilla, zo lang mogelijk, veilig uit het zicht. Vestig geen aandacht op jezelf en doe zeker geen beroep op de keizer, op Seneca of wie dan ook. Probeer niet op te vallen. Met wat geluk zien ze je over het hoofd en breng je het er levend van af.'

De gedachte dat iemand haar over het hoofd zou zien beviel Flavia niet erg. 'Alsof ik helemaal niets voorstel?'

'Je stelt ook niets voor, lieve. En dat is je beste kans om dit te overleven. Nero doodt tegenwoordig ook familieleden van de mannen die hij terechtstelt. Hij vindt het blijkbaar prettiger als er niemand meer rondloopt die hem de executie kan verwijten. Hij wil niet dat mensen slecht over hem denken, dus laat hij ze liever een kopje kleiner maken. Kom, Flavia, neem alsjeblieft Domitianus mee en ga nu!'

'Domitianus is ervandoor.'

Vespasianus kreunde.

'Volgens zijn kindermeid riep hij dat deze hele toestand alleen bedoeld was om hem dwars te zitten en dat hij niet van plan was hier te blijven en door de soldaten te worden meegenomen, alleen omdat hij zo'n idioot van een vader had.'

Vespasianus schudde zijn hoofd. 'Nou, laat hem maar. Ik heb geen tijd om me druk te maken over die kleine etter. Hij merkt het toch niet als ik geen afscheid van hem neem, en het kan hem ook niet schelen. Als ik het overleef, duikt hij wel weer op, en zo niet, dan staat hij wel bij Domitilla voor de deur zodra hij beseft dat voor jezelf zorgen iets anders is dan de hele dag vliegen de vleugeltjes uittrekken of spinnen de pootjes. Om nog maar te zwijgen over het uitdrukken van de oogjes van pasgeboren reekalveren.'

Flavia staarde Vespasianus een paar seconden aan. Toen, zonder afscheid te nemen of hem sterkte te wensen, draaide ze zich om en stormde de kamer uit.

'Nou, dat ging goed,' zei Magnus, die zijn hoofd om de deur stak. 'Maar waarom gaat u er zelf ook niet vandoor, heer?'

'Wat heeft dat voor zin, Magnus? De keizer is overal. Dan zou ik anoniem in een of ander gat moeten onderduiken met bijna geen geld, zonder aandacht te trekken, voortdurend bang dat iemand me zal herkennen. Nee, dat is geen leven. Ik wil hier in Rome blijven en een goed leven leiden, naar mijn geld en mijn status, of ik vertrek als gouverneur naar een van de provincies. Meer keus is er niet. Dan liever dood.'

Magnus bromde wat. 'Nou, als u het zegt. Maar ik dacht dat u in bed wilde sterven, en ik heb nog nooit gehoord dat een dode weer in de gunst kwam, als u begrijpt wat ik bedoel.'

Vespasianus begreep het, maar hij was het er niet mee eens.

'Senator Vespasianus, u zult voor de keizer verschijnen in de tempel van Neptunus op de Campus Martius. Hij is nu onderweg daarheen en verwacht u zo snel mogelijk,' blafte de praetoriaanse centurio na een correct saluut.

'Goed, centurio,' antwoordde Vespasianus, die zijn hart in zijn keel voelde bonzen. De tempel van Neptunus klonk niet gunstig. Tempels werden dikwijls als rechtszaal gebruikt. Vespasianus was ooit getuige geweest van Sejanus' ondergang in de tempel van Apollo. Hij keek eens naar Hormus, die naast hem stond, doodsbleek. 'Ik kom eraan.'

De centurio salueerde nog eens, draaide zich op zijn hakken om en stak met dreunende pas het atrium over naar de vestibule.

'Wacht!' riep Vespasianus hem na. De centurio bleef staan. 'Ik moet alleen mijn man hier zijn instructies geven.'

'In orde, senator,' antwoordde de centurio over zijn schouder, en hij liep weer door. 'Ik hoef niet op u te wachten.' En daarmee stapte hij de vestibule in.

Vespasianus hoorde dat de portier hem uitliet, en de centurio was verdwenen. Hij keek Hormus nog eens fronsend aan, liep naar de voordeur en gaf de slaaf een teken om de deur te openen. Een snelle blik door de straat vertelde hem dat de centurio niet buiten stond te wachten met zijn mannen. Hij liep al een eind verder over de Quirinaal, niet naar de tempel van Neptunus maar de andere kant op.

'Dat is een hele opluchting,' zei Vespasianus, toen hij terugkwam naar het atrium. 'Blijkbaar heb ik geen bewaking nodig. Dat is in ieder geval iets. Die vernedering had ik moeilijk kunnen verkroppen.'

'Inderdaad, heer,' zei Hormus, duidelijk geëmotioneerd.

'Mijn testament ligt in het Huis van de Vestaalse Maagden, Hormus. Als ik mijn bezittingen mag houden maar het zelf niet overleef, haal het testament dan op en laat het hier voorlezen. Als mijn bezittingen verbeurd worden verklaard, laat ze dan zonder protest meenemen en ga naar mijn vrouw, in het huis van Domitilla. Begrepen?'

'Ja, heer,' zei Hormus. Hij keek ongelukkig en wrong zijn handen.

'Onthoud goed dat je nu een vrij man bent, Hormus. Niemand kan je iets doen zolang je daar geen aanleiding toe geeft.'

'Jawel, heer.'

'Als ik niet terugkom, wees dan een goede bediende voor mijn vrouw.' Vespasianus klopte de ex-slaaf op zijn schouder, trok zijn toga recht en haalde diep adem voordat hij zich omdraaide en het huis uit stapte – hopelijk niet voor de laatste keer.

Het was een klamme ochtend, en al gauw liep het zweet van Vespasianus' gezicht en zijn rug toen hij in rustig tempo de Quirinaal af liep. Onderweg ging hij objectief zijn leven nog eens na en concludeerde dat hij niet het recht had gehad dat zomaar weg te gooien voor de genoegdoening van een kleine wraakneming. Hij en zijn broer hadden het Terpnus op een andere manier betaald moeten zetten, zonder dat ze daarbij de keizer hadden bedreigd. Maar het was nu eenmaal gebeurd, dus bleef hem niets anders dan de bittere smaak van spijt om een toekomst die hij zich had durven voorstellen maar die er waarschijnlijk nooit zou komen. Opnieuw vroeg hij zich af of hij Nero's strooptocht had gedwarsboomd omdat hij zich onkwetsbaar voelde vanwege die voorspelling op zijn naamdag, alsof zijn toekomst veilig in de handen van de goden lag. Zijn moeder had op haar sterfbed gezegd dat een man zijn keuzes altijd moest baseren op het evenwicht tussen zijn ambities en zijn angsten, en dat had hij duidelijk niet gedaan. Iedereen met een beetje verstand zou hebben beseft dat de angst voor Nero veel zwaarder woog dan een wraakactie voor de schandalige overval op zijn oom. Tigran en zijn broeders hadden veel minder reden om Nero te vrezen, omdat ze uit de onderbuik van Rome afkomstig waren en volgens andere regels leefden dan de elite, met minder ontzag voor de keizer, hoewel ze genoten van zijn overdaad. Hun wens om zich te wreken werd daarom niet overtroffen door hun angst voor iemand die zo ver bij hen vandaan stond als Nero. Maar hij, Vespasianus, bewoog zich in dat kleine maatschappelijke kringetje dat volledig om de keizer draaide, die alles en iedereen in zijn macht hield door zijn schrikbewind. Nee, hij was dom geweest, en beïnvloed door een waarschijnlijk onterecht geloof in een voorbestemde toekomst. Hij had beter naar de waarschuwing van zijn moeder moeten luisteren, dacht hij toen hij het forum van Caesar bereikte. Als hij deze dag toch overleefde, zou hij zijn ideeen drastisch herzien, nam hij zich heilig voor.

Sabinus zat achter zijn schrijftafel, in zijn functie van stadsprefect, onder het ruiterstandbeeld van de dode dictator. Hij werd omringd door burgers met vragen en verzoeken. Zodra hij Vespasianus zag naderen, wuifde Sabinus de mensen weg, kwam overeind en liep zijn broer tegemoet.

'Nou?' vroeg hij.

'Wat?' Vespasianus haalde zijn schouders op.

'Gaat het echt om die affaire met Terpnus, denk je?'

'Absoluut. Sextus heeft Tigellinus verraden dat Terpnus zijn vingers is kwijtgeraakt als wraak voor zijn overval op Gaius.'

Sabinus fronste en zoog wat lucht door zijn tanden. 'Waarom heeft Nero mij dan ook niet ontboden?'

'Geen idee, Sabinus. Wie weet wat er in het hoofd van de keizer omgaat?'

Sabinus wreef peinzend over zijn voorhoofd, waar zweetdruppeltjes parelden. Opeens klaarde zijn gezicht op en wees hij langs zijn broer. 'Kijk!'

Vespasianus keek fronsend om zich heen. 'Wat bedoel je? Ik zie niets.'

'Precies! Helemaal niets. Je hebt geen escorte gekregen, dus sta je niet onder arrest.'

'Dat is toch ook niet nodig? Waar zou ik me kunnen verstoppen? Misschien geeft Nero me gewoon de kans om me in mijn eigen zwaard te storten.'

'Maar dat ben je niet van plan?'

'Stel dat ik me vergis?'

Sabinus knikte instemmend. 'Laten we bidden dat mijn heer Mithras en jouw heer Mars ons allebei beschermen, broer. De familie heeft hun hulp vandaag wel nodig.'

Vespasianus zag de angst op het gezicht van zijn broer, de angst voor Nero, de angst die de hele elite van Rome in zijn ban hield, de angst die dag en nacht bij hen was, een knagende angst die hun oordeel vertroebelde en logisch denken onmogelijk maakte. 'En wat doe jij?'

Sabinus haalde diep adem. 'Wat kan ik doen? Gewoon doorgaan met mijn werk en afwachten wat er gebeurt.' Tot Vespasianus' verbazing greep hij hem bij de schouder – het allereerste fysieke teken van broederlijke genegenheid dat Vespasianus ooit van hem had meegemaakt.

Vespasianus beantwoordde het gebaar en keek zijn broer even aan.

Met een gelaten glimlach liep Sabinus terug naar zijn schrijftafel en verdween tussen de burgers, die allemaal vonden dat hún probleem voorrang verdiende. Vespasianus draaide zich om en stak het forum van Caesar over, terwijl hij Nero en zijn aanhang vervloekte, vooral de kliek die hem aan de macht hield, de kliek die verantwoordelijk was voor de schandalige manier waarop de mensen van zijn klasse nu moesten leven. Opnieuw was de elite van Rome in de greep van een monster met onbegrensde macht, dat jacht maakte op iedereen. Het was onverdraaglijk, en het kon toch zo niet doorgaan? Maar terwijl Vespasianus door de Fontuspoort liep, in de schaduw van de Capitolijn, naar de Campus Martius, zag hij geen enkele manier om aan Nero te ontkomen, behalve een moordaanslag. En wie zou hem dan moeten opvolgen? Er waren geen rechtstreekse afstammelingen meer in de Julio-Claudiaanse lijn en Nero had zelf nog geen kinderen.

Dus wat zou er gebeuren als mannen zoals Piso en Rufus een groep ontevreden kameraden zouden verzamelen in een samenzwering tegen Nero? Het antwoord lag voor de hand, dacht Vespasianus. De generaals in het veld – legeraanvoerders die zo gelukkig waren dat ze een legioen onder hun bevel hadden – zouden elkaar verdringen om de keizerlijke macht over te nemen. En onder hen was er maar één voor de hand liggende kandidaat, na zijn recente verslagen aan de Senaat: Corbulo. Corbulo, met zijn Syrische legioenen en zijn geweldige reputatie, de man die eerst in Germania en daarna in Armenia successen had geboekt. Hij zou wel gek zijn als hij geen greep naar de macht zou doen. De legioenen in Egypte en Moesia zouden zich achter hem scharen om hem tot koning van het Oosten te kronen. Suetonius Paulinus in Britannia kon zich niet tegen hem verzetten zonder zijn nieuwe provincie te verspelen. De gouverneurs van de beide Germania's zouden elkaar bekampen om de steun van hun legioenen, zodat die legioenen vermoedelijk zouden kiezen voor de man die een paar jaar geleden nog een groot deel van hen naar de overwinning had geleid. Hoe kon iemand wedijveren met Corbulo's staat van dienst?

Een bitter lachje gleed over Vespasianus' gezicht toen hij zich herinnerde wat hij aan het sterfbed van zijn moeder had gedacht. Als het toch iemand zoals hij moest worden, waarom dan niet hijzelf?

Maar dat ging niet gebeuren. Corbulo was de beste, meest logisch keus, en Corbulo had de capaciteiten, daar was Vespasianus wel van overtuigd. Die gedachte onderstreepte zijn onheilspellende voorgevoel toen hij de trappen van de tempel van Neptunus beklom.

'Aha, daar ben je eindelijk.' Nero's stem klonk hees door alle gesprekken van die ochtend. Hij was in het gezelschap van een paar dozijn senatoren – afgezien van Caratacus grotendeels dezelfde groep die bij Agrippina's laatste avondmaal aanwezig was geweest. 'Ik hoop dat je het geld bij je hebt.'

'Het geld, princeps?'

'Natuurlijk! Die twaalfduizend denarii.' Nero keek hem aan alsof hij zich opzettelijk van de domme hield.

Vespasianus voelde zijn knieën knikken. Hij struikelde half en kon zich nog net vastgrijpen aan de sokkel van een standbeeld van de godheid van deze tempel. Het duizelde hem, en hij haalde een paar keer diep adem toen hij besefte waar dit over ging en waarom hij was ontboden in de tempel van Neptunus, die onder meer de god van de paarden was. Hij had dus in angst gezeten over niets anders dan een paardenren, een wedstrijd die hij wel móést verliezen, ten koste van twaalfduizend denarii. 'Het geld ligt bij de gebroeders Cloelius op het Forum,' improviseerde hij.

'Mooi, dan kun je het daar na de wedstrijd gaan ophalen.'

Het viel Vespasianus op dat Nero niet vertelde waar zijn twaalfduizend denarii dan waren, ongetwijfeld omdat hij geen moment verwachtte dat hij zou verliezen. Dat deed hij immers nooit.

Nero keek hem onderzoekend aan. 'Voel je je wel goed? Ik wil niet dat je achteraf roept dat je niet lekker was. Dat zou een smoes zijn, zoals iedereen heel goed weet.'

Vespasianus' duizeligheid trok weer weg en hij keek de keizer oprecht aan. 'Nee, ik voel me uitstekend, princeps. Het waren gewoon... eh... zenuwen, voor een wedstrijd tegen iemand met uw talent. Daar heb ik wel vaker last van.'

'Heel begrijpelijk. We zullen een stier offeren aan Neptunus Equester voordat we naar mijn renbaan vertrekken op de Vaticaanse heuvel. Al mijn paarden wachten daar op je, zodat je het beste span kunt uitkiezen. Jouw Arabieren worden al uit de stal van de Groenen opgehaald.'

'Heel goed, princeps. Ik voel me vereerd dat u al die moeite voor me neemt.'

'Voor iedereen hier, Vespasianus.' Nero maakte een weids armgebaar door de tempel. 'Ik wil de mensen graag laten zien wat er mogelijk is als een goede wagenmenner zoals ik met een minder talentvol span tegen mijn eigen beste paarden rijdt, met iemand van jouw beperkte talent op de wagen.'

De verzamelde senatoren knikten instemmend, en er steeg een ongeduldig gemompel op. Net als Nero vergaten ze maar even dat Vespasianus' Arabieren tot de beste paarden van heel Rome behoorden.

Maar dat, bedacht Vespasianus, hoorde nu eenmaal bij het spelletje.

Vespasianus had Nero's paarden nog nooit allemaal bij elkaar gezien. Ze stonden in een lange rij, heel indrukwekkend. Maar toen hij erlangs liep en zijn blik over de verschillende kleuren en rassen liet glijden, zag hij er niets bij wat ook maar enigszins kon wedijveren met zijn Arabieren, die aan de overkant stonden en niet veel interesse toonden.

'Kan ik je adviseren?' vroeg een stem rechts achter hem.

Vespasianus draaide zich om en ontdekte Caratacus. 'Ben je ook gekomen om Nero te zien winnen?'

De voormalige Britannische hoofdman glimlachte. 'Wie zou de kans laten lopen op zo'n demonstratie van vakmanschap? Maar ik had de indruk dat je iets heel anders verwachtte toen je die tempel binnenkwam.'

Vespasianus streelde de neus van een kastanjebruine merrie voordat hij verder liep naar een geheel zwart span. 'Ik dacht dat ik mijn noodlot tegemoet ging. Daarom kon ik mijn opluchting maar moeilijk verbergen toen ik besefte dat me niets ergers te wachten stond dan het verlies van twaalfduizend denarii aan de keizer.'

'Ik zal je niet vragen wat je op je geweten hebt, maar je kan beter twaalfduizend denarii verliezen dan je leven. Dit moet je geluksdag zijn.'

Vespasianus glimlachte terwijl hij naar een span schimmels liep. 'Zo kun je het ook bekijken, ja. Aan de andere kant... nou ja, ik kan beter niets zeggen over de man voor wie we allemaal zo bang zijn.'

'Daar hou ik mij ook maar aan, vooral omdat ik mijn best doe om in de gunst te komen van onze o zo talentvolle keizer.'

'O ja? Hoezo?'

'Nou, afgezien van de gebruikelijke redenen, overweegt hij mij te benoemen tot koning van de oostelijke vazalstaat in Britannia als de legioenen daar vertrokken zijn.'

'Vertrokken? Dat meent de keizer toch niet serieus?'

Ze liepen verder langs de paarden, terwijl ze spieren en hoeven inspecteerden. 'Jazeker. Ik hoorde het gisteren van Epaphroditus, die vrijgelatene. Hij is Nero's nieuwe secretaris. Als Suetonius Paulinus de druïden op Mona kan uitroeien en Myrddin zelf kan doden, is er een eervolle vrede mogelijk, zei hij tegen me. Dat was de reden waarom Venutius is vrijgelaten: om hem naar Britannia terug te sturen, met verplichtingen aan de keizer, zodat Nero hem als pion kan gebruiken tegen de ambities van zijn ex-echtgenote. Hij of zij krijgt het noordelijke koninkrijk, Cogidubnus wordt koning in het zuiden en ikzelf of Prasutagus van de Iceni wordt koning in het oosten. Maar omdat de gezondheid van Prasutagus steeds verder achteruitgaat en hij bovendien alleen een vrouw en dochters achterlaat, schat ik mijn kansen goed in.'

'Dan installeert hij jou weer op de troon van de Catuvellauni en is alles weer precies zoals het was.' Vespasianus was klaar met zijn inspectie van de paarden en liep terug naar de vier vossen die zijn aandacht hadden getrokken. 'Wie weet hier verder nog van?'

'Voorlopig enkel nog Seneca. Nero heeft al een besluit genomen, maar het nog niet bekendgemaakt. Dat komt pas volgend jaar, als de legioenen zich terugtrekken. Als hij echt uit Britannia verdwijnt, is de hele onderneming een zinloos bloedbad geweest.'

'We hadden er nooit naartoe moeten gaan. Augustus vond dat mistige eiland van jullie nog niet één druppel soldatenbloed waard. Die hele invasie was niets anders dan machtspolitiek en eigenbelang.'

'Dezelfde redenen waarom er nu een eind aan komt, zodat Nero meer geld overhoudt om over de balk te smijten. Heb je zijn nieuwe baden gezien, naast de oude van Agrippa?'

Vespasianus was erlangs gekomen op weg naar de Vaticaanse heuvel. 'Van alles het mooiste en het duurste, riep Nero. Niet echt goedkoop, dus.'

'Maar goedkoper dan vier legioenen en hun hulptroepen in Britannia te houden.'

Vespasianus had zijn keus gemaakt. 'Princeps, ik neem deze!' riep hij naar Nero.

De keizer keek voldaan. 'Een goede beslissing, Vespasianus. Laat de wagens maar komen.'

'Het is zeker een goede keus,' beaamde Caratacus. 'Hiermee heb je zelfs een kans jouw eigen Arabieren te verslaan. Niet dat je dat zou doen, natuurlijk.'

'Natuurlijk niet.' Vespasianus keek Caratacus aan. 'Als Nero jou koning van een vazalstaat maakt, zou je dan trouw blijven?'

Caratacus knikte even. 'Formeel gesproken wel, zodat Rome niet echt een reden heeft om terug te komen. Zoals je al zei, is alles dan weer bij het oude, zoals het was vóór de invasie. We zouden nog steeds handel drijven met het rijk, we zouden vreedzaam samenleven en we zouden onze zonen nog naar Rome sturen om daar te studeren. Het enige verschil is dat we weer onderling oorlog zouden voeren, omdat we ons anders vervelen.' Caratacus sloeg Vespasianus grijnzend op de schouder. 'Veel succes met het verliezen van de ren.'

'Dank je, vriend. En jij veel succes met het terugwinnen van je koninkrijk.'

Vespasianus hield zijn span in toom, met de leidsels om zijn middel gewikkeld, wachtend op de startlijn voor de poort van de renbaan, ongeveer vijftig passen vanaf het beginpunt van de spina. Anders dan het Circus Maximus had Nero's renbaan geen starthekken. Als startsein zou Nero daarom een zakdoek laten vallen. De keizer had zijn span al in draf, tien lengtes voorbij Vespasianus, dus het werd tijd. Vespasianus wachtte af en probeerde niet aan het geld te denken.

Pas toen Nero de spina naderde, liet hij de zakdoek vallen. Vespasianus legde de zweep over zijn span en genoot van de explosie van kracht waarmee de vier vossen gretig achter de Arabieren aan gingen. Uit het kleine groepje toeschouwers steeg een gejuich op, half gemeend, meer omdat het van hen verwacht werd dan om de spanning van de wedstrijd, waarvan de afloop toch al vaststond.

Maar Vespasianus was niet van plan om gedwee achter de keizer aan te sukkelen en hem de vijftien lengtes voorsprong te gunnen die hij zichzelf met vals spel had gegeven. Nee, zijn minachting voor Nero's pathetische bedrog deed hem besluiten er toch een strijd van te maken en pas in de laatste ronde te verliezen. Weer legde hij de zweep over de flanken van zijn span en schreeuwde zijn keel schor toen de paarden hun hals strekten, met opengesperde neusgaten en wilde ogen. Vespasianus spoorde ze aan, op naar de eerste bocht, terwijl hij het zand uitspuwde dat door Nero's wagen werd opgeworpen. Hij brulde zijn dieren naar voren. Al was hij maar een amateur, hij kon heel goed overweg met dit span, waarmee hij nooit eerder gereden had, en al snel had hij ze in de hand en reageerden ze als één geheel. Tegen de tijd dat Nero het andere eind van de spina rondde, had Vespasianus al een flink stuk van zijn achterstand ingelopen, joelend en breed grijnzend, terwijl de wind aan zijn tuniek rukte en hem nog meer zand in het gezicht blies. Met een behendig gebruik van de leidsels, dat hij de afgelopen jaren had geperfectioneerd, liet hij het span gelijkmatig afremmen, zodat het sierlijk de bocht nam rond de steen aan het einde van de spina.

Zwaaiend met de vierstrengige zweep en rukkend aan de leidsels, zette hij het span tot nog grotere inspanning aan, waardoor ze bij het uit de bocht komen precies op één lijn lagen, hun hoefslag bijna in de maat. Ze schoten naar voren, vrij om alles te geven, onbelemmerd door de andere paarden. De afstand tussen Vespasianus en de keizer werd snel kleiner, terwijl het gejuich van de kleine groep senatoren en staljongens steeds luider werd.

Ze moedigden hem aan om te winnen, daar was Vespasianus van overtuigd, hoewel niemand achteraf had kunnen bewijzen dat het niet Nero was die ze hadden toegejuicht.

Maar ondanks zijn enthousiasme zou Vespasianus hen niet blij maken met een overwinning. Toch liep hij nog steeds op de keizer in, en toen de eerste van de zeven bronzen dolfijnen kantelde aan het begin van de tweede ronde, lag hij geen tien lengtes meer op Nero achter. Ze stormden het rechte eind op, aan de overkant. De keizer legde zijn zweep over de Arabieren en keek snel over zijn schouder, zonder zich veel te bekommeren om de discipline van zijn span, dat het ritme dreigde te verliezen dat een succesvolle combinatie juist nodig had om één geheel te vormen. Vespasianus zette zijn inhaalrace voort toen ze voor de tweede keer de verre bocht in gingen. Het span Arabieren verloor zijn samenhang. De lichte strijdwagen slingerde erachteraan in een wolk van zand en beschreef een veel te ruime bocht onder een hoek van vijfenveertig graden, voordat hij zich weer oprichtte. Zonder nog te letten op de harmonie tussen wagen en dier hanteerde Nero de zweep en wierp nerveuze blikken over zijn schouder. Zijn wielen stuiterden een paar keer van de baan af toen het span snelheid maakte zonder de rechte lijn vast te houden. Maar toen Vespasianus de bocht uit kwam, nog maar zeven lengtes achter Nero, lag de keizer weer op koers en herstelde de combinatie zich.

Vespasianus genoot nu van de jacht. De angst voor Nero, die in het hart van al zijn onderdanen smeulde, leek verdwenen toen hij steeds meer terrein won op de keizer, die de organisatie onder zijn Arabieren nu zo verwaarloosde dat de paardenhoofden ieder in een eigen ritme bewogen.

Ze gingen maar door, Vespasianus' vossen, terwijl ze steeds meer afknabbelden van de voorsprong die zijn eigen Arabieren, zo slecht gemend, onmogelijk konden volhouden, hoe Nero ook tekeerging met zijn zweep. Ze denderden langs de obelisk van Caligula, halverwege het rechte eind, op weg naar de steen van het tweede keerpunt. Weer keek Nero om en liet zijn zweep meedogenloos neerdalen op de flanken van de Arabieren toen ze de bocht in gingen. Het buitenste paard hinnikte schril en schoot naar voren alsof het over een hek wilde springen, terwijl de andere dieren afbogen naar links, voor de bocht van honderdtachtig graden. Door hun gewicht sleurden ze het buitenste paard met zich mee, maar het dier verloor zijn evenwicht.

Het paard ging tegen de grond in een chaos van trappelende benen, en knalde tegen zijn buurman op, die ook neerstortte, met dramatische gevolgen voor de laatste twee. Nero werd van de losgeslagen wagen geslingerd, de leidsels nog om zijn middel. Terwijl de hele combinatie in totale wanorde en paniek door het zand rolde en alle snelheid verloor, wist Vespasianus wat hem te doen stond. Hij kon Nero niet passeren en zichzelf tot winnaar laten uitroepen. Dus greep hij het veiligheidsmes van zijn riem en stuurde recht op het wrak van de strijdwagen af, alsof hij zelf de grootste moeite had om de bocht te halen met die snelheid. Op het moment dat zijn vossen probeerden de ravage te ontwijken, sneed Vespasianus de leidsels door en sprong naar rechts, net toen de wielen van zijn eigen wagen de eerste wrakstukken raakten en de lucht in vlogen. Hij kwam op zijn buik op de baan terecht, met zijn armen gestrekt en zijn hoofd vooruit, zodat zijn kin een pijnlijke geul door het zand sneed. Zijn paarden wisten de spartelende Arabieren te ontwijken en stormden in paniek het rechte eind op, met gebroken assen en klapperend zeildoek achter zich aan. Vespasianus kneep zijn ogen dicht en gleed door totdat hij stillag. Het enige wat hij hoorde was het gesnuif en gejammer van de doodsbange paarden. Na een paar seconden opende hij zijn ogen. Zijn hele blikveld werd gevuld door iets wat zich maar een handbreedte voor zijn ogen bevond: een voet. Nero's voet. Hij staarde er even naar en besefte toen tot zijn schrik dat die voet niet meer bewoog. Moeizaam hees hij zich overeind, met zand in zijn mond en neus. Het plakte tegen zijn huid en zijn zweetdoordrenkte tuniek. Senatoren kwamen van de tribune gerend en staken de baan over naar hun uitgetelde keizer. De leidsels zaten nog om Nero's middel gewikkeld, maar gelukkig waren de Arabieren er te slecht aan toe om op hol te slaan en hun wagenmenner als een rauwe, bloedende vleesklomp de dood in te sleuren. Vespasianus wankelde naar Nero toe op het moment dat Caratacus en Burrus hem bereikten en bij zijn hoofd neerknielden.

Nero knipperde met zijn ogen en keek Vespasianus aan. Langzaam kwam hij overeind en schudde het zand uit zijn rossige haar en baard, leunend op Burrus' schouder. De blik die hij Vespasianus toewierp was bepaald niet vriendelijk. 'Dat span moet je wegdoen. Ik heb nog nooit zo'n stelletje ongeregeld meegemaakt. Niet te geloven dat ze ooit wedstrijden hebben gewonnen in het Circus Maximus. Geen wonder dat ik altijd van je win. Dat zou vandaag ook zijn gebeurd, als jij me niet van achteren had aangereden.'

'Dat is waar, princeps. Maar toch hebt u vandaag weer gewonnen, zelfs met een minder goed span, dankzij uw stuurmanskunst.'

'Gewonnen?' Nero's gezicht klaarde een beetje op.

'Natuurlijk. U lag voor toen ik tegen u op botste. Toen de ren eindigde, was u dus winnaar.' Vespasianus slikte moeizaam, maar dwong zichzelf toch door te gaan. 'Ik zal meteen naar de gebroeders Cloelius gaan om die twaalfduizend denarii op te nemen die ik u schuldig ben,' zei hij met stramme kaken.

Burrus fluisterde iets in Nero's oor.

Nero's stemming leek weer om te slaan, en niet in gunstige zin. 'Ja, doe dat, Vespasianus, en neem het mee naar het paleis. Dan zullen we daar beoordelen of je opzettelijk tegen me op bent gebotst om me te verwonden.'

Vespasianus zag het kille lachje op Burrus' gezicht toen hij zich omdraaide en de hinkende keizer van de baan af hielp.

'Jawel, princeps,' zei Vespasianus nog tegen Nero's rug.

'Dat klinkt niet goed,' merkte Caratacus op.

'Ik weet het,' mompelde Vespasianus, en hij keek om naar zijn Arabieren, die werden weggeleid. Ze leken geen blijvend letsel te hebben overgehouden aan het ongeluk. 'Vooral omdat ik inderdaad met opzet tegen hem aan ben gebotst.'

Caratacus knikte. 'Dat heeft iedereen gezien, en ze zullen het getuigen ook.'

Vespasianus wreef over zijn kin, die zwaar geschaafd was, met zand in de wond. 'Maar ze hebben ook gezien dat ik hem pas raakte toen hij al was omgeslagen, zodat hij toch nog zou winnen.'

'Denk je dat dat enig verschil maakt als Nero besluit dat het anders lag?'

Vespasianus vloekte toen de opwinding van de poging om de achterstand in te lopen weer plaatsmaakte voor angst.

'Twaalfduizend denarii? Nu meteen?' Tertius Cloelius moest bijna lachen, en dat zou een unicum zijn geweest. Hij was een kleine, gezette, kale man met een grauwe huid, iemand die leefde voor cijfertjes en feiten. 'Zo'n bedrag hebben we hier niet zomaar liggen. U had het van tevoren moeten aanvragen, met het juiste formulier, de juiste handtekeningen en mijn zegel, of dat van een van mijn broers.' Hij hield zijn grote zegelring omhoog om dat te benadrukken. Zijn jongere broer Quadratus knikte bedachtzaam bij de uitleg van zijn broer over de juiste procedure. Hij had een vage glimlach op zijn gezicht, alsof hij naar hemelse muziek luisterde. 'Die dingen kosten tijd, weet u.'

'Dat kan wel zijn, Tertius,' zei Vespasianus, zo rustig als mogelijk in deze omstandigheden, 'maar ik heb het nu meteen nodig. Mijn leven kan ervan afhangen, omdat ik het schuldig ben aan de keizer zelf en hij het vanmiddag al verwacht.'

'Dat is mijn probleem niet.'

'Is Primus of Secundus hier? Dan kan ik even met ze praten.'

'Mijn twee oudere broers zijn de deur uit voor zaken, en bovendien zouden ze precies hetzelfde zeggen als ik – of als Quintus en Sextus, die boven aan het werk zijn.'

Weer knikte Quadratus instemmend. Geen van de gebroeders Cloelius zou ooit afwijken van het protocol van de bank.

'Goed dan,' zei Vespasianus. Hij kwam overeind en herinnerde zich wat Caenis hem had gezegd. 'Ik heb nog meer bankiers in Rome. Dan zal ik het daar proberen. Ik heb ook interessant nieuws, maar dat bewaar ik maar voor iemand anders. Goedendag, heren.' En hij liep naar de deur.

'Wat voor nieuws?' vroeg Tertius haastig.

Vespasianus draaide zich naar hem om. 'Nieuws waarvan jullie zouden kunnen profiteren, maar dat jullie nu pas veel later te horen krijgen dan een van jullie concurrenten. Jammer, maar helaas.'

'U hebt de keizer gesproken, is het niet?'

Vespasianus knikte bevestigend. 'En Caratacus.'

Tertius wisselde een snelle blik met zijn broer. 'Het gaat dus om Britannia? Trekken we ons daar terug, of niet?'

'Ik kwam hier om twaalfduizend denarii op te nemen, Tertius.'

De bankier wuifde die opmerking weg. Er was maar één reden voor de gebroeders Cloelius om van hun strikte procedures af te wijken – als er een kans was om meer geld te verdienen of, erger nog, veel geld te verliezen. 'Daar komen we wel uit. Voor deze ene keer.' Hij klapte in zijn handen, en er verscheen een bediende in de deuropening. 'Laat onmiddellijk twaalfduizend denarii uit de kluis halen. Binnen het uur moet het geld hier zijn.'

De bediende knikte verbaasd en schuifelde weg.

'Dus, senator...' Tertius liep nu over van vriendelijkheid. 'Blijven we in Britannia of trekken we ons terug?'

'We gaan daar weg.'

De broers keken allebei geschrokken.

'Nee toch?' fluisterde Quadratus.

'Caratacus is benaderd om koning van een vazalstaat te worden als de legioenen zich volgend jaar beginnen terug te trekken.'

'Volgend jaar?'

'Dat zei hij.'

Tertius wendde zich met enige paniek tot zijn broer. 'We moeten bericht sturen aan onze agenten in Londinium om alle investeringen terug te vorderen voordat dit algemeen bekend wordt en er een financiële chaos ontstaat als iedere bankier in Londinium hetzelfde doet.'

Vespasianus arriveerde met de geldkisten op een handkar bij het keizerlijk paleis, in gezelschap van een zwaarbewapend escorte, dat hem was meegegeven door de dankbare gebroeders Cloelius. Het had nog geen uur geduurd om het geld uit de kluis te halen, een uur waarin Tertius en Quadratus druk bezig waren geweest met het dicteren van brieven en het voorbereiden van hun reis. Ze hadden besloten persoonlijk naar de provincie te vertrekken om hun aanzienlijke investeringen daar veilig te stellen voordat het nieuws bekend zou worden.

Vespasianus gaf zijn escorte opdracht om buiten te wachten met de kar, beklom de trappen en liet zich fouilleren, zoals tegenwoordig iedereen die het paleis wilde binnengaan.

'Ik zocht je al,' zei Caenis toen hij het grote atrium betrad.

'Moet jij het geld in ontvangst nemen?'

'Nee, mijn lief. Maar ik ben natuurlijk op de hoogte. Nero is woedend op je, en hij overdrijft het hele incident.'

'Dat verbaast me niets. Zodra hij bij bewustzijn kwam, had hij al zijn eigen versie van het verhaal. En Burrus hielp zijn geheugen nog een beetje, als wraak voor onze chantage. Maar wat doe je hier? Kom je me waarschuwen?'

'Nee, ik kwam je halen. Ik moet geld voor iemand anders in ontvangst nemen, iemand die jou vraagt om met mij mee te komen. Nu Nero zo woedend op je is, lijkt het hem beter dat jij een tijdje uit Rome verdwijnt.'

'Maar daar heb ik Nero's toestemming voor nodig, dus zal ik hem toch onder ogen moeten komen.'

'Maak je geen zorgen. Dat heeft Seneca al vooraf geregeld.'

'Vooraf? Hoezo?'

'Hij stuurt ons naar Britannia – mij omdat ik alles van zijn zaken weet en hem kan vertegenwoordigen, en jou omdat jij de provincie kent. Nu het wel zeker lijkt dat Nero zich gaat terugtrekken, moet Seneca zo snel mogelijk al zijn leningen opeisen, een bedrag van maar liefst veertig miljoen. De grootste lening bestaat uit de vijf miljoen sestertiën aan Prasutagus, de koning van de Iceni.'

DEEL IV

BRITANNIA, 60-61 N.C.

HOOFDSTUK X

'Nu de gouverneur op pad is om met de druïden op Mona af te rekenen, ben ik de man om het te vragen,' verklaarde Catus Decianus zelfvoldaan tegenover Vespasianus, Sabinus en Caenis. Hij was procurator van Britannia, een onaangename man van middelbare leeftijd. 'En natuurlijk verwacht ik een beloning voor mijn tijd en moeite om me in de kwestie te verdiepen.' Met zijn mollige, weke lijf, zijn bleke gelaatskleur en zijn kapsel van vrouwelijke krullen liet hij zich onderuitzakken op de kussens van zijn stoel. Er hing een sfeer van lome onverschilligheid om hem heen. Hij nam zelfs niet de moeite om de mensen aan de andere kant van zijn schrijftafel recht aan te kijken. Door het raam achter hem was het stevige silhouet te zien van de brug over de Tamesis, de reden waarom Londinium in de zeventien jaar sinds de invasie was uitgegroeid van een onbetekenend plaatsje tot een stad van belang.

Vespasianus boog zich naar voren in zijn stoel en priemde met een beschuldigende vinger, voorzien van zijn senatorenring, naar Decianus. 'Luister eens goed, jij...' Maar hij zweeg toen Caenis hem in zijn arm kneep.

'Wat senator Vespasianus wilde benadrukken, procurator,' zei Caenis met een lieve glimlach en op suikerzoete toon, 'is dat wij geen permissie nodig hebben om naar het land van de Iceni te reizen. We hebben een keizerlijke pas, die ons toegang geeft tot het hele gebied, om Seneca's zakelijke belangen te behartigen. We zijn hier alleen uit beleefdheid, om de gouverneur toestemming te vragen. Als die beleefdheid niet wordt beantwoord, vertrekken we maar weer.' Ze stond op en glimlachte nog eens. 'Het was een groot genoegen u te ontmoeten, procurator. Helaas hebben we niet de tijd om in te gaan op uw vriendelijke uitnodiging om hier nog een paar dagen van onze reis bij te komen in een comfortabele accommodatie. Want ik neem aan dat zo'n uitnodiging u op de lippen lag. Toch zullen we hier nog enkele nachten logeren, omdat we een afspraak hebben met Seneca's financieel agent in Londinium, morgenochtend het derde uur. Uw huismeester zal ons de kamers wel wijzen. Reken niet op ons voor het avondmaal, vanavond of morgen. We eten wel op de kamer.' Met die woorden draaide ze zich abrupt om en liep snel naar de deur. Decianus keek haar met open mond na, alsof hij een klap in zijn gezicht gekregen had.

Vespasianus en Sabinus wisselden een snelle blik voordat ze Caenis volgden, zonder nog een woord tegen de man te zeggen.

'Maar u hebt mijn toestemming nodig!' riep Decianus toen ze bij de deur waren.

'Hoezo?' vroeg Sabinus over zijn schouder, en hij stapte de gang in.

'Omdat ik hier de baas ben.'

'Nou, veel plezier ermee.'

'Wat een onaangenaam mens,' merkte Caenis op toen een slaaf de deur achter hen sloot.

'Hij zal ons nu niet meer lastigvallen,' zei Sabinus, met een brede grijns naar Caenis. 'Je had zijn gezicht moeten zien toen hij je nakeek – zo rood als een blote kont na een pak slaag.'

'Ja, maar ik had toch liever de medewerking van de autoriteiten in de provincie gehad.'

'We zullen wel goede relaties aanknopen met het stadsbestuur van Camulodunum als we daar over een paar dagen aankomen,' opperde Vespasianus toen ze de gang door liepen naar de kamer waar Magnus, Hormus en Caenis' beide slavinnen zaten te wachten, met Castor en Pollux. 'Als we de stadsprefect daar vriendelijk benaderen, weet ik zeker dat hij ons zal geven wat we vragen. Een militair escorte om onze aankomst in Venta Icenorum meer luister bij te zetten lijkt me toch niet te veel gevraagd.'

De herinneringen kwamen weer boven bij Vespasianus toen hij de volgende morgen uit het raam keek, met uitzicht op een stad die schuilging in een dichte, klamme mist. De brug over de Tamesis en de rivier zelf waren verdwenen in de nevel en Vespasianus herinnerde zich weer zijn hekel aan het klimaat van dit noordelijke eiland, waar alle seizoenen op elkaar leken. Maar het klimaat mocht dan nog hetzelfde zijn, Londinium was aanzienlijk veranderd. Het was nu een welvarende haven, nog belangrijker dan de provinciehoofdstad Camulodunum. Van hieruit konden goederen door de hele provincie worden gedistribueerd, dankzij de brug. Zo had Londinium zich ontwikkeld tot een vanzelfsprekend centrum voor kooplui en bedrijven – en dus ook voor bankiers. Maar sinds Vespasianus' vertrek, dertien jaar geleden, had de stad zich snel uitgebreid naar het noorden, westen en oosten, vooral gericht op handel, zonder veel aandacht voor de verdediging. Het was nog altijd een open stad. Vespasianus schudde zijn hoofd om zoveel hebzucht. 'Vijftigduizend mensen in een provincie die nog nauwelijks is gepacificeerd, een stad vol met goederen en geld, maar zonder verdedigingswerken. Een beetje onverstandig, en dan druk ik me nog voorzichtig uit.' Hij draaide zich om naar Caenis, die nog in bed lag, onder een stapel dekens. 'Hoe eerder we deze missie achter de rug hebben en naar Rome kunnen terugkeren, des te liever het me is. Alleen al het uitzicht uit dit raam, of het gebrek daaraan, is een goede reden waarom we hier nooit hadden moeten binnenvallen. En de afwezigheid van stadswallen is een nog sterker argument om hier niet te blijven.'

Caenis deed één oog open. 'Kom nou terug naar bed, lekker warm. Dan hou je misschien op met zeuren. Onze afspraak met Seneca's agent is pas over een paar uur. Tot die tijd kunnen we ons samen best amuseren.'

'Dit is een complete lijst van alle leningen die ik de afgelopen zes jaar uit naam van Seneca heb afgesloten,' verklaarde Manius Galla, financieel agent van een van de machtigste mannen uit het rijk, met enige trots, terwijl hij een perkamentrol uit een koker haalde en aan Caenis gaf. Galla, een stoere, knappe, goedgebouwde man van halverwege de dertig, leek eerder geschikt voor een functie in militair uniform dan als geldschieter aan onbemiddelde provincialen. 'Namen, bedragen, rentetarieven, begin- en einddata.' Het pas aangelegde forum, zichtbaar door het open raam achter hem, wemelde van allerlei kooplui en hun klanten. Aan de noordkant verhieven zich de hoge houten steigers voor het nieuwe amfitheater van de stad.

Caenis werkte de lijst door, waar ze verrassend weinig tijd voor nodig had. Van buiten klonk lawaai. Het geschreeuw en de zweepslagen van de slavendrijvers die toezicht hielden op het hijsen van de grote blokken steen voor het amfitheater overstemden het gekrijs van de rondcirkelende meeuwen en de roep van de kooplui die hun waren aanprezen. 'Dus er staan nog achttien leningen uit, waaronder die aan Prasutagus, verreweg de grootste.' Ze gaf de lijst aan Vespasianus. 'Waar had Prasutagus dat geld voor nodig?'

'Het waren niet alleen munten, maar ook goud. Het geld was voor de bouw van de belangrijkste stad van de Iceni, Venta Icenorum. Met het goud wilde hij zijn eigen munten slaan, omdat de Iceni nu formeel een onafhankelijke vazalstaat zijn. Sinds ze in opstand kwamen tegen Publius Scapula toen hij hen wilde ontwapenen, hebben ze een grote mate van autonomie gekregen, vooral omdat wij in onze strijd tegen de Silures en andere stammen in het westen gebaat zijn bij bevriende – of in elk geval neutrale – stammen in het oosten. Ze gebruiken nog steeds onze munten naast hun eigen geld.'

'Dus als we Prasutagus die lening terugvragen, ondermijnen we de valuta van zijn volk.'

Daar moest Galla het wel mee eens zijn. 'Ja, dat is waar. En dat zou een zware klap zijn voor hun economie, met een politiek ontvlambare situatie als gevolg.'

'Is het Scapula eigenlijk gelukt hen te ontwapenen?' vroeg Vespasianus terwijl hij de lijst aan Sabinus doorgaf.

Galla maakte een sissend geluid. 'Ja en nee. Ze waren bereid hun strijdwagens te vernietigen en hun zwaarden om te smelten als prijs voor hun onafhankelijkheid. Maar hoe grondig dat is gebeurd, is nooit gecontroleerd, en volgens de geruchten hebben ze de strijdwagens alleen onklaar gemaakt en de zwaarden in hun rieten daken verstopt. En natuurlijk hebben ze nog speren en bogen voor de jacht.'

Sabinus legde de perkamentrol weer op de schrijftafel. 'Dus als de Iceni kwaad willen, zijn ze nog steeds volledig bewapend en kunnen ze binnen een paar dagen in opstand komen.'

'Het zal ze een dag of veertien kosten om hun hele leger op één plek te mobiliseren, maar daar komt het wel op neer, ja.'

'Dan moeten we dit dus heel behoedzaam aanpakken,' zei Vespasianus.

'We kunnen het beter maar zo laten,' merkte Galla op. 'Het bedrag niet terugvragen, alleen de rente. Hij betaalt netjes op tijd.'

Caenis schudde haar hoofd. 'Dat gaat niet. Seneca heeft besloten om alle leningen in de provincie op te eisen.'

Galla keek haar verbijsterd aan. 'Dat meent hij niet!'

'O, jawel.'

Galla sperde zijn ogen open. 'Alle goden! Dus we trekken ons uit Britannia terug?'

'Hou dat wel voor uzelf, Galla. Hoe minder mensen daarvan weten, des te beter voor onze zaken. We willen geen stormloop van crediteuren.'

'Natuurlijk, Antonia Caenis. Maar ik zal wel mijn eigen maatregelen nemen – heel discreet, uiteraard.'

'Vanzelfsprekend. Ondertussen vraagt u alle leningen op die u terug kunt eisen. Wij zullen zelf wel die vier leningen in Camulodunum regelen als we daarlangs komen op weg naar Prasutagus.'

'Zoals u wilt.' Galla nam de lijst door. 'De meeste zijn geen probleem. Een miljoen sestertiën of iets in die buurt kan makkelijk worden geherfinancierd.' Hij keek zenuwachtig op. 'Het nieuws is toch nog niet bekend?'

'Nee. Daarom is het zo belangrijk om snel te handelen. Twee van de gebroeders Cloelius komen al over een paar dagen hier aan. Als zij hun geld gaan terugharken, zal iedereen wel beseffen wat er aan de hand is en begint de economie in elkaar te zakken.'

'Dan heb ik niet veel tijd meer.'

'Nee. Niemand.'

'En Cartimandua, in het noorden? Als we haar lening opeisen, kan dat hetzelfde effect hebben op de Brigantes en tot een opstand leiden. Dat begrijpt u toch wel?'

'Maar Suetonius is daar in de buurt met het Veertiende Legioen, voor die actie tegen Mona,' merkte Vespasianus op. 'Hij kan snel ter plaatse zijn. Welk legioen is op dit moment het dichtst bij de Iceni gelegerd?'

'De Negende Hispana, niet ver ten noordwesten van hun gebied, in Lindum Colonia.'

'Aha. Het legioen van mijn schoonzoon. Ik kan Cerialis persoonlijk schrijven om hem te waarschuwen paraat te zijn. Kunt u die brief voor me laten bezorgen, Galla?'

'Natuurlijk.'

'We hadden het al over de vier leningen in Camulodunum. Daar komen we langs op onze route naar Prasutagus,' zei Caenis. 'Zou u ons de details kunnen geven?'

'Met genoegen. Hoewel we daar nog een lening hebben uitstaan die niet op mijn lijst voorkomt, omdat het een persoonlijke overeenkomst was van Seneca in Rome.'

Caenis keek geïnteresseerd. 'O ja?'

'Ja. De stadsprefect van Camulodunum is Seneca een half miljoen sestertiën schuldig. Dat weet ik enkel omdat hij de rente aan mij uitbetaalt. Hij kan u ook helpen met die andere leningen daar, omdat hij als Seneca's agent optreedt in die stad.'

'Nou, we moeten toch bij hem langs, dus slaan we twee vliegen in één klap. Hoe heet de man?'

'Julius Paelignus.'

Vespasianus schoot overeind alsof hij door een wesp gestoken was. 'Paelignus?' riep hij uit. Maar al te goed herinnerde hij zich de gebochelde procurator van Cappadocia die hem aan de Parthen had verraden, waardoor hij twee jaar gevangen had gezeten – de man die hij had gezworen ooit te zullen doden. 'Ik vroeg me al af waar hij gebleven was. O, dit reisje gaat nog veel leuker worden dan ik dacht.'

En daarin werd hij niet teleurgesteld. De kreet van herkenning en schrik die Paelignus slaakte toen Vespasianus de volgende dag onaangekondigd het kantoor van de prefect in Camulodunum binnenstormde, nadat hij de portier ruw opzij had geschoven, klonk hem als muziek in de oren.

'M-m-maar...' stamelde Paelignus, en hij liet het wasplankje vallen dat hij had zitten lezen, 'wat doet u in mijn stad?'

Vespasianus glimlachte hem poeslief toe. 'Ik had zin om een oude vriend op te zoeken, Paelignus. Het was al zo lang geleden.' Hij wees naar Paelignus' verminkte hand, waaraan twee vingers ontbraken. 'Hoe was je die ook alweer kwijtgeraakt?'

Paelignus keek verward naar zijn hand. 'Ik... eh... in de strijd tegen de Parthen in Armenia.'

'Leugenaar! Je weet heel goed dat het Magnus was die je een beetje pijn heeft gedaan om hem te vertellen waar ik was. En wáár was ik, Paelignus? Dat herinner je je toch wel?'

'U was... eh... u was...' Hij zweeg, duidelijk onwillig om te zeggen waar Vespasianus had gezeten.

'Ik lag weg te rotten in een cel in Parthië. Dáár was ik, Paelignus, weet je het nu weer?'

Paelignus knikte voorzichtig.

'En alleen dankzij de trouw van Magnus en mijn toenmalige slaaf Hormus wist ik daar weg te komen. Anders had ik er nu nog gezeten, in dat smerige hok. Had je dat liever gewild, Paelignus, dan dat ik hier nu voor je sta?'

Paelignus schudde ongelukkig zijn hoofd, zonder op te kijken.

'Wat doen we eraan?' vroeg Vespasianus peinzend.

'U hebt al wraak genomen door het document aan Seneca te geven dat mij de das omdeed.'

Vespasianus wierp zijn hoofd in zijn nek en lachte. Hij had Seneca de bewijzen geleverd – afkomstig uit Narcissus' persoonlijke papieren – dat Paelignus het testament van zijn vader had vervalst, zijn bezit veel lager had getaxeerd dan het waard was en dus de keizer, een van de erfgenamen, een flink bedrag door de neus geboord. 'Dat was niets. Een voorproefje. Ik zal je vertellen wat we gaan doen, Paelignus. Ik ben hier met Seneca's secretaresse, Antonia Caenis, en mijn broer Sabinus, om Seneca's leningen aan vier personen in Camulodunum – en aan jou – op te eisen.'

'Aan mij?' piepte Paelignus, en voor het eerst keek hij Vespasianus recht aan. 'U kunt zijn lening aan mij niet opeisen.'

'Caenis heeft opdracht alle uitstaande leningen van Seneca in Britannia terug te vorderen.'

'Maar ik heb die lening van hem gekregen in Rome.'

'En nu zit je in Britannia.'

'Maar ik ben zijn agent hier. Als dat waar is, zou hij me heus wel hebben geschreven.'

'Nee. Hij heeft ons gestuurd. Het spijt me als je denkt dat we onze instructies verkeerd hebben begrepen, maar wij vonden ze duidelijk genoeg.' Vespasianus draaide zich om naar de deur. 'Caenis!'

Caenis kwam binnen en ging zitten zonder Paelignus om toestemming te vragen. Ze rolde een perkament uit. 'Goed, Julius Paelignus, volgens onze informatie ben je nog een half miljoen sestertiën aan Seneca schuldig. Aangezien hij mij heeft opgedragen al het geld te innen dat hij nog heeft uitstaan in Britannia, verwachten we de volledige som retour als we terugkomen van onze reis naar de Iceni, begin volgende maand.'

Paelignus staarde haar met open mond aan. 'Maar dat kunt u niet doen! Ik ben de stadsprefect van Camulodunum. U kunt me niet dwingen die lening terug te betalen.'

'Seneca is je crediteur en hij wil die lening terug.'

'Bovendien,' zei Vespasianus joviaal, 'kun je als stadsprefect de plaatselijke bevolking toch wel onder druk zetten om snel wat geld bij elkaar te krijgen? Of misschien kun je wat lenen bij een bankier hier in de stad.'

Paelignus liep rood aan van woede. Hij kwam overeind en leunde met zijn handen op de schrijftafel, waardoor zijn bochel nog meer opviel. 'Seneca heeft me het geld teruggeleend dat hij van me had afgeperst in ruil voor zijn belofte om niets tegen Nero te zeggen over het testament van mijn vader. Het is mijn geld, en ik betaal het niet terug.'

'Het spijt me heel erg dat je er zo over denkt,' zei Vespasianus meelevend. Weer draaide hij zich om naar de deur. 'Magnus! Hormus!'

Magnus en Hormus kwamen binnen. Ze straalden toen ze Paelignus herkenden.

'Ik neem aan,' vervolgde Vespasianus, 'dat je deze heren nog kent?' Hij wees naar Magnus. 'Dit is Magnus, die twee van je vingers heeft afgehakt.' Daarna wees hij naar Hormus. 'En dit is Hormus, die je in bedwang hield om het Magnus wat makkelijker te maken. Nu zag ik dat je nog een paar vingers overhebt...'

Paelignus stak haastig zijn handen onder zijn oksels.

'Magnus hoefde je maar twee vingers af te hakken voordat je bekende dat je mij aan de Parthen had verraden. Ik vraag me af hoeveel vingers er nodig zijn om je te dwingen je lening terug te betalen? Wat denk jij, Magnus?'

Magnus wreef over zijn kin alsof hij serieus over die vraag nadacht. 'Moeilijk te zeggen, heer. Ik geloof niet dat hij de vorige behandeling erg op prijs stelde. Hij huilde zelfs, als ik het me goed herinner. Echte tranen. Nee, hij vond het helemaal niet prettig. Dus ik denk dat hij wel zal toestemmen om te betalen als we gewoon zijn hand grijpen en ik het mes tegen een van zijn vingers leg.' Magnus knikte bedachtzaam. 'Afhakken is misschien niet eens nodig.'

Vespasianus leek oprecht geïnteresseerd in zijn oordeel. 'Denk je? Goed, laten we eens zien of je gelijk hebt, Magnus.'

Paelignus slaakte een kreet toen hij Magnus om de schrijftafel heen zag komen, en Hormus van de andere kant. Met verrassende snelheid dook hij onder het blad door, langs Vespasianus' benen. Hij vluchtte naar de deur, rukte die open en stond oog in oog met een grijnzende Sabinus.

'Is dit de man over wie je het had, broer?' vroeg Sabinus. Hij greep de spartelende prefect bij zijn arm en sleurde hem terug de kamer in.

'Ja, dat is hem, Sabinus. Hoe zag je dat?'

'Omdat het zo'n lelijk krom ventje is. Dat had je me ooit verteld.'

'Ach, natuurlijk. Maar waar waren we? O ja, Magnus, jij zou zien of je echt een van Paelignus' vingers moest afhakken om hem te dwingen die lening terug te betalen.'

De prefect jammerde luid toen Sabinus hem naar de schrijftafel sleepte, waar Hormus de pols van Paelignus' goede hand greep en die stevig tegen het blad drukte.

'Goed dan. Goed!' schreeuwde Paelignus toen Magnus het mes tevoorschijn haalde. 'Ik zal betalen. Ik knijp de mensen hier wel uit. Ik zal zien of ik de kolonisten, de ex-legionairs, een belasting kan opleggen, en voor de rest van het bedrag sluit ik wel een lening af.'

'Nou, geregeld toch?' zei Vespasianus, de redelijkheid zelve. 'Magnus, je had helemaal gelijk.'

'Meestal, heer, in dit soort zaken.'

'Ja, dat weet jij beter dan ik. Caenis, geef Paelignus de lijst met die vier andere heren in Camulodunum die een lening bij Seneca hebben. Het zijn lagere edelen van de Trinovantes. Als wij straks weg zijn, Paelignus, kun jij ze tot betalen manen. Je bent immers Seneca's agent in deze stad. Maar blijf wel netjes, want het zijn ongetwijfeld trotse mannen, die invloed hebben op het volk. En als je van gedachten zou veranderen of ervandoor wil gaan, vergeet dan niet dat we je altijd weten te vinden. De enige plek waar je veilig voor me bent is die gevangeniscel waar ik ooit door jouw toedoen terecht ben gekomen, daar ga ik je liever niet zoeken. En als je me nu wilt excuseren? We lenen een *turma* van je cavalerie, omdat we morgen op bezoek gaan bij de koning van de Iceni.'

Er was geen weg naar het noorden, in elk geval geen Romeinse weg. Het pad dat Vespasianus en zijn gezelschap volgden naar het land van de Iceni werd al gauw een modderpoel in de gestaag vallende regen. De hoeven van de tweeëndertig paarden van de Gallische hulptroepen zakten erin weg, net als de vier houten wielen van de *rhaeda*, de overdekte wagen waarin Caenis en haar twee slavinnen nog met enig comfort konden reizen. Vespasianus, Sabinus, Magnus en Hormus reden diep weggedoken in hun dikke reismantels achter de wagen aan, terwijl hun slaven, acht in getal, te voet de achterhoede vormden van de kleine stoet die langzaam voortsjokte naar Venta Icenorum. Het was de derde dag van hun reis, en alleen Castor en Pollux leken zich niets aan te trekken van de barre omstandigheden. Ze hadden alleen last van hun riemen, waarmee ze aan de rhaeda waren gebonden om te voorkomen dat ze nog meer schapen zouden doden. Magnus had al een paar kolonisten – boeren uit de omgeving – moeten betalen voor de dood van twee van hun dieren en de aanval op een jeugdige schaapherder die ze hadden verminkt. Magnus was daar boos over, omdat hij vond dat de boeren zelf hun beesten moesten beschermen. Zijn honden gedroegen zich gewoon als honden. Maar omdat niemand dat met hem eens was, zelfs zijn vrienden niet, had hij de beesten maar aangelijnd om zijn beurs te sparen. Zijn stemming was er niet beter op geworden door de regen.

Bij hun vertrek was het nog een van die heldere dagen geweest waarvan er op dit miserabele vochtige eiland in november maar weinig voorkwamen. Camulodunum had er zelfs wel aardig uitgezien in het bleke zonnetje. De vrolijk beschilderde zuilen en muren van de tempel van de goddelijke Claudius, die de zuidkant van het forum domineerde, zouden in Rome niet misplaatst zijn geweest. Hetzelfde gold voor de naastgelegen ambtswoning van de gouverneur, waar ze de nacht hadden doorgebracht. Afgezien van het grote aantal mannen in broeken, met lang haar en een snor, had een oppervlakkige beschouwer kunnen denken dat dit het forum was van een stadje in Noord-Italië, dacht Vespasianus. Totdat je de omgeving van de stad te zien kreeg. Want die bestond eigenlijk niet. Het was één platte vlakte, en daardoor onzichtbaar vanaf het forum of waar dan ook binnen de gebrekkige verdedigingswerken van Camulodunum, die nu voor een kwart bestonden uit baksteen, als vervanging van de gesloopte houten palissade die oorspronkelijk de stad had beschermd. Enkel vanaf de rivierhaven aan de zuidoostkant van de stad was iets van de omgeving te bespeuren – een troosteloos moeras, waardoor de rivier zich naar de zee slingerde, een paar mijl verderop.

Er had zich een hele menigte verzameld om hen uitgeleide te doen, nieuwsgierig naar wat deze hooggeplaatste nieuwkomers van plan waren. Het viel Vespasianus op dat maar heel weinig autochtone Trinovantes zich als Romeinen hadden gekleed. Alleen de kolonisten, exlegionairs met inheemse vrouwen, liepen er nog als Romeinen bij. De pacificatie van de provincie was hier veel minder ver doorgevoerd dan in Londinium, constateerde Vespasianus. Dat werd nog eens bevestigd op hun korte rit door de stad, naar de poort in het noorden. Hier, nog meer dan in de wijk achter de westelijke poort, waar ze de vorige dag binnengekomen waren, stonden oorspronkelijke huizen, ronde hutten met een rieten dak en een leren gordijn als deur. Camulodunum had duidelijk twee gezichten, die niet samengingen – afgezien van de handel op het forum.

En op hun reis naar het noorden werd Vespasianus' indruk nog eens bevestigd. Hij zag kleine kolonies van ontslagen legionairs, die in bakstenen huizen woonden met hun autochtone vrouwen, die maar al te blij waren met een nieuwe echtgenoot na de bloedige strijd, waarin zoveel Trinovantes waren gedood of gevangengenomen en gedeporteerd naar de slavenmarkten van Gallië en Italië. Maar de stenen huizen contrasteerden schril met de dorpen van ronde hutten, waar de dichte rook van houtvuurtjes door een gat in het rieten dak omhoogkrulde. Het waren twee verschillende werelden. Hoe verder ze naar het noorden kwamen, des te meer het aantal oorspronkelijke dorpen en boerenhoeven toenam, totdat er aan het einde van de tweede dag geen spoor van de Romeinse bezetting meer te zien was. Alsof de hele Claudiaanse invasie nooit had plaatsgevonden en zijzelf niets anders waren dan een groepje reizigers in een land van vochtige, door nevel bevangen boerenhofsteden en ondoordringbare wouden, waar geen enkele Romein ooit voet had gezet.

Zo bereikten ze het land van de Iceni, de onafhankelijke stam waarvan het gebied werd omsloten door de zee in het noorden en oosten, een bijna onbegaanbaar moerasland in het westen en de aan de Romeinen onderworpen Trinovantes in het zuiden. Hier kenden de mensen nog hun eigen wetten. O, ze dreven wel handel met het Romeinse Rijk, betaalden belastingen en zonden hun jongemannen om te dienen bij de hulptroepen, maar uiteindelijk waren ze alleen trouw aan hun eigen aanvoerders, hun eigen koning.

'Ze zijn nooit overwonnen, wist je dat?' zei Vespasianus tegen Hormus, die naast hem reed. 'Prasutagus was zo verstandig om naar Camulodunum te komen en zich aan Claudius te onderwerpen zonder bloedvergieten.'

'Heeft hij zelfs geen gijzelaars gemaakt?'

'Jawel, maar die waren alweer teruggestuurd tegen de tijd dat de Iceni in opstand kwamen tegen die idioot van een Scapula, toen hij probeerde hen te ontwapenen. Ze zijn formeel nog altijd onafhankelijk, hoewel dat zeker niet zo zal blijven na de dood van Prasutagus, die enkel een vrouw en drie dochters achterlaat. Ik ken de erfeniswetten van de Iceni niet, maar in Rome zouden ze in de meeste gevallen niet zelfstandig kunnen erven. Er moeten mannen worden genoemd in het testament – tenzij de keizer dispensatie geeft, wat me niet waarschijnlijk lijkt.'

'Bovendien,' zei Sabinus, 'is het gebruikelijk voor vazalkoningen om hun rijk aan Rome na te laten in hun testament. Zoals Atallus de Derde van Pergamon heeft gedaan, en die oude hoe-heet-hij-ook-weer van Pontos.'

'Polemon?'

'Ja, dat is hem. Hoe dan ook, ik kan me niet voorstellen dat wij oogluikend zouden toezien hoe nog zo'n Cartimandua de macht over de Iceni zou overnemen. Eén zo'n furie lijkt me meer dan genoeg voor dit eiland.'

'Hoe heet de vrouw van Prasutagus?'

'Geen idee, maar ik neem aan dat we straks worden voorgesteld aan het harige wijf.'

'Harig? Hoezo?' vroeg Magnus met enige interesse. Hij had zijn mollige slavinnetje bij Gaius in Rome achtergelaten, waar hij terecht veronderstelde dat ze ongemoeid zou blijven.

Sabinus maakte een weids gebaar om zich heen. 'Nevel en moerassen, donkere bossen, totaal ongeschikt voor landbouw. Hier leven enkel beesten, en beesten zijn nu eenmaal harig, heb ik ondervonden.'

'Olifanten niet. Die hebben wel wat haar, maar ze zijn niet harig.'

Sabinus zuchtte geërgerd. 'Goed dan, Magnus. Als ze niet harig is, dan in elk geval groot en dik.'

Magnus bromde wat, kennelijk tevreden. 'Mij best.'

Sabinus kreeg geen gelijk. De vrouw van Prasutagus was groot, dik én harig. Vespasianus en zijn metgezellen, die hun komst en hun namen hadden aangekondigd, verschenen de volgende dag op het marktplein van Venta Icenorum om kennis te maken.

'Mijn naam is Boudicca, ik ben de vrouw van Prasutagus,' verklaarde de forsgebouwde koningin van de Iceni met een scherpe stem die gewend was te bevelen. Haar roodbruine haar was hoog op haar hoofd opgestoken en golfde dik en weelderig over haar rug, tot op haar middel. Ze droeg een broek en een kleurige tuniek, als van een man, onder een mantel die werd gesloten door een bronzen speld in de vorm van een kronkelende slang. Om haar nek had ze een gouden halsring, het symbool van een krijger die in de strijd was gehard. Ze stond voor verreweg de grootste van de omstreeks vijfhonderd rietgedekte hutten binnen de met palissaden versterkte nederzetting en keek de bezoekers een voor een doordringend aan, alsof ze wilde bepalen hoe gevaarlijk ze waren, voordat ze vervolgde: 'Mijn echtgenoot kon niet komen om u persoonlijk te begroeten. Hij is gekluisterd aan zijn kamer.' Ze sprak goed Latijn, zij het met een accent.

Vespasianus bedwong de neiging om haar de les te lezen. Hij was er niet aan gewend zo bruusk te worden toegesproken. 'Maar wij kwamen om hem te spreken.' Hij voelde Caenis' hand op zijn elleboog en matigde zijn toon. 'Brengt u ons naar hem toe, zou ik zeggen.'

'U kunt zeggen wat u wilt, Romein, maar hij kan u niet ontvangen omdat hij op zijn sterfbed ligt. U bespreekt uw zaken maar met mij, of u kunt vertrekken. Rome heeft hier niets te vertellen.' Ze sloeg haar armen over elkaar en haar mouwen schoven omhoog over haar behaarde polsen. De krijgers om haar heen namen een nog standvastiger houding aan. Hier en daar rechtte iemand zijn schouders, alsof hij zich schrap zette. Verderop waren nog meer strijders te zien door de walm van scherpe rook van de kookvuurtjes rond de naburige hutten.

Vespasianus voelde de spanning stijgen onder de turma van de cavalerie, die zich achter hem had opgesteld.

Caenis stapte naar voren en nam de forse amazone eens op. 'Als we uw man niet te spreken krijgen voordat hij sterft, kan er geen sprake van zijn dat ik zaken doe met u.'

Boudicca keek neer op Caenis, die bijna twee koppen kleiner was en nog niet half zo zwaar. 'Spreekt u voor deze mannen?' Haar stem klonk verbaasd.

'Mijn naam is Antonia Caenis en ik spreek voor mijzelf. Mijn metgezellen en ik hebben zaken te regelen met uw man.'

De vrouwen keken elkaar strak aan, in een stille krachtmeting die een paar seconden duurde.

'Goed, Antonia Caenis,' zei Boudicca ten slotte. 'Maar alleen u en nog één ander.'

'Seneca denkt zeker dat ik gek ben,' zei Prasutagus, zwaar ademend. Zijn borst zwoegde en hij hoestte bloederig slijm op, dat hij over het riet op de vloer spuwde. Met een grimas van pijn liet hij zich weer op het kussen zakken. Hij glimlachte bleek, wat de dunne huid van zijn gezicht nog meer deed rimpelen dan zijn ouderdom. 'Maar misschien heeft hij gelijk. Het was dom om zoveel geld van hem te lenen. Maar het leek zo makkelijk, en op dat moment dacht ik er niet over na hoe ik het zou moeten terugbetalen, omdat wij voor de komst van de Romeinen eigenlijk geen idee hadden van bankleningen op zo'n grote schaal. We begrepen er niet veel van.'

Caenis knikte met een begripvol lachje dat gespeeld was, zag Vespasianus. 'Nu begrijpt u het wel, neem ik aan.'

'O ja, ik begrijp het heel goed. Door de rente die ik steeds schuldig was, heb ik nooit genoeg geld kunnen verdienen om de lening af te betalen.' Hij rochelde weer, maar nu van plezier. 'Seneca is te hebzuchtig geweest. Hij heeft me nooit de middelen gegund om hem te kunnen terugbetalen.'

Caenis sloeg haar benen over elkaar en boog zich naar voren. 'Seneca ziet dat heel anders, Prasutagus. Hij vindt dat de koning van de Iceni het geld heeft geleend in het belang van de hele stam. Daarom stelt hij ook de hele stam verantwoordelijk. Hij raadt u aan om belastingen te innen, zodat u uw verplichtingen tegenover hem kunt nakomen.'

De stervende koning keek Caenis aan vanonder zijn lange grijze haar, dat nat was van het zweet. 'En anders?'

Caenis glimlachte poeslief. 'En anders kan hij, met al zijn invloed, een legioen sturen om het geld te komen halen, en dat zal heel wat duurder worden voor u en uw volk. Want als u niet de munten en het goud kunt leveren, moet u wel bedenken dat slaven de laatste tijd weer veel meer waard zijn, sinds de dalende prijzen in de eerste jaren van de invasie, toen er zoveel Britten werden verkocht.' Caenis zweeg een moment om dit te laten bezinken. 'Aan de andere kant,' ging ze verder, toen Prasutagus de gevolgen besefte, 'is Seneca niet zo hebzuchtig om het volledige bedrag terug te vragen en heeft hij, zoals u al opmerkte, al een aardige winst gemaakt op de overeenkomst.'

Prasutagus kreeg weer een zware, uitputtende hoestbui. Bloederig speeksel sijpelde uit zijn mondhoeken. 'Hoeveel wil hij dan?' vroeg hij toen hij weer lucht had.

'Hij is bereid de helft van de uitstaande rente te vergeten als u betaalt op de calendae van maart. Dan hebt u nog meer dan drie maanden de tijd om het geld bijeen te brengen.'

Prasutagus schoot in de lach, maar een droge hoest deed zijn borst weer zwoegen.

'Zo is het genoeg!' klonk Boudicca's rauwe stem boven de hoestbui van haar man uit. 'Laat hem nu met rust.'

Maar Caenis bleef koppig zitten. 'Niet voordat ik antwoord van hem krijg.'

'Ik ben de baas hier.'

Caenis draaide zich om naar de Britannische koningin. Haar ogen schoten vuur. 'Dat denkt u misschien, maar ik doe dit aanbod maar één keer, en alleen aan de koning, niet aan zijn vrouw. Als ik hier vertrek zonder een antwoord, zal de volledige som moeten worden terugbetaald zodra ik de deur uit stap. Kunt u zich dat veroorloven?'

Weer was Vespasianus getuige van een stille krachtmeting tussen de twee vrouwen – hij was blij dat hij er niet tussenin stond.

Boudicca knipperde het eerst met haar ogen. 'Wat vind jij, echtgenoot?' Haar stem klonk opeens veel milder, met duidelijke tederheid.

Prasutagus wist zijn ademhaling onder controle te krijgen. 'Wat kan ik zeggen? Ik moet het maar accepteren. Seneca verpakt zijn harde voorwaarden als een grootmoedige gunst door mij te dreigen met het onmiddellijke bankroet van de hele Iceni-stam, waarvoor wij moeten betalen met de vrijheid van honderden, zo niet duizenden stamleden die naar de slavenmarkten van Gallië en Italië worden gestuurd.' Hij keek weer naar Caenis. 'Kom maar terug in maart. Het geld zal er zijn, ook als ik er niet meer ben.'

'Hoe kunt u dat garanderen?'

'Ik zet het in mijn testament. Seneca's lening moet worden afbetaald en daarna zal de rest van mijn bezit gelijk worden verdeeld tussen de keizer aan de ene kant en mijn vrouw en dochters aan de andere.'

Caenis boog haar hoofd. 'Akkoord, maar met één verschil. U komt mij het geld brengen in Camulodunum.'

Prasutagus slaakte een diepe zucht en knikte, te vermoeid om nog tegen te spreken.

Eindelijk besefte Vespasianus hoe hij van nut kon zijn. 'Laat het document nu opstellen, Prasutagus, dan kan ik getuige zijn, samen met mijn broer. Met de handtekeningen en het zegel van twee voormalige consuls zal niemand het testament nog kunnen aanvechten.'

En zo noteerde Caenis, moeizaam gedicteerd door de haperende stem van een stervend man, in haar keurige handschrift een testament waarin Seneca de eerste begunstigde was. Sabinus werd gehaald, en samen met Vespasianus ondertekende hij het testament als getuige, onder de vlammende blikken van Boudicca. Toen dat gebeurd was namen ze afscheid van Prasutagus, die vloekend zijn longen leeghoestte.

'U begrijpt dat u in maart met mij te maken krijgt?' zei Boudicca tegen Caenis toen ze samen de kou in stapten. Haar adem vormde wolkjes.

Caenis keek de forse Britannische koningin niet aan. 'Nee, Boudicca. In maart krijgt u met mij te maken. En zoals ik het zie, heeft uw man al een akkoord gesloten. Als hij in maart overleden zou zijn, ga ik ervan uit dat u de afspraken nakomt.'

'En zo niet?'

'Dat zou heel onverstandig zijn, want Seneca heeft zowel de wet als de militaire macht aan zijn kant. Als ik u was, zou ik de komende maanden maar proberen het geld bij elkaar te krijgen.'

Caenis liet Boudicca ziedend achter, met gebalde vuisten. 'Ik zou jullie allemaal moeten doden, stelletje Romeinen!' beet ze Vespasianus en Sabinus toe toen die haar passeerden.

'Wat schiet u daarmee op?' vroeg Vespasianus.

Boudicca staarde hem aan met een blik vol haat. Haar grote gestalte leek zo gespannen als een boog. 'Dachten jullie dat je hier zomaar naartoe kon komen om voorwaarden te dicteren aan een onafhankelijke koning?'

'Dat hebben we zojuist gedaan, dacht ik.'

Boudicca spuwde op de grond. 'Nee, jij niet. Dat was je vrouw. Jij zat erbij alsof zij de broek aanhad en jij het wijfje was.'

Vespasianus greep zijn gladius en rukte hem uit de schede.

Boudicca stond pal, omringd door haar lijfwachten, die hun speren gereedhielden. De soldaten van de hulptroepen, zich plotseling bewust van de spanning, sprongen in het zadel. Paarden steigerden door die onverwachte actie. Castor en Pollux gromden diep vanuit hun keel, rukkend aan hun riem, in bedwang gehouden door respectievelijk Magnus en Hormus.

Vespasianus voelde een hand op zijn schouder en een andere op zijn rechterpols.

'Doe geen domme dingen, broer,' riep Sabinus in zijn oor.

'Dacht je dat ik me zo liet beledigen?' siste Vespasianus terwijl hij strak in Boudicca's spottende ogen keek.

'We zijn in de minderheid. Kijk om je heen.'

Vespasianus probeerde zich los te rukken, maar hij wist dat zijn broer gelijk had. Na enkele seconden kalmeerde hij wat, haalde een paar keer diep adem en liet de punt van zijn zwaard weer zakken.

'Hoe dan ook,' zei hij, duidelijk gefrustreerd, 'Romeinse mannen dragen geen broek.'

'Dat was me al opgevallen,' zei Boudicca smalend.

Weer moest Sabinus zijn broer in bedwang houden, en pas toen Caenis zich omdraaide, naar hem toe rende en zijn gezicht in haar beide handen nam, zodat hij haar wel moest aankijken, beheerste hij zich. 'Concentreer je maar op mij, mijn lief. Op mij!'

Vespasianus keek haar in de ogen en zag de kracht in die saffieren. Knarsetandend deed hij wat ze zei en liet zich meetronen.

Het kostte hem de grootste moeite om Boudicca's sarcastische blik te negeren.

'Zorg ervoor dat u op de calendae van maart in Camulodunum bent, Boudicca. Met het geld,' riep Caenis nog over haar schouder.

'O, ik zal er zijn, Antonia Caenis,' antwoordde de koningin. Haar stem klonk nog scherper in de kou. 'Op de calendae, of zo snel mogelijk daarna, als de wegen weer begaanbaar zijn. Ik zal er zijn.' Ze voegde er nog iets aan toe, zo zacht dat Vespasianus en de anderen het niet konden verstaan. Het ging verloren in het gehinnik van de paarden en het gerinkel van het tuig.

'Ik vraag me af wat ze hebben misdaan,' zei Magnus peinzend, met een blik op de lichamen van de vier mannen die ieder aan een kruis waren gespijkerd, even buiten de noordpoort van Camulodunum. Hoewel de ogen al voedsel voor de kraaien waren geworden, vertoonden twee van de mannen nog vage tekenen van leven.

Vespasianus haalde zijn schouders op. Het kon hem niet schelen. Hij was nog steeds ziedend over de belediging van zijn mannelijkheid door een vrouw – een heel mannelijke vrouw, weliswaar, maar toch een vrouw! Wat hem nog het meest dwarszat was dat Boudicca's woorden een kern van waarheid bevatten. Hij was niets meer dan een toeschouwer geweest bij de onderhandelingen tussen Caenis en de koning. En Caenis had dat meesterlijk gedaan. Vespasianus glimlachte een beetje zuur om dat mannelijke woord als beschrijving van haar optreden.

'Toch,' vervolgde Magnus naast hem, zich er blijkbaar niet van bewust dat Vespasianus zich in zijn eigen wereldje had teruggetrokken, 'moet het wel iets ernstigs zijn geweest. Dit zijn geen slaven, zo te zien.'

'Misschien zijn er spanningen ontstaan terwijl wij onderweg waren,' zei Hormus, die zijn blik afgewend hield van het gruwelijke tafereel. 'Het leek me geen gezellige stad toen we er waren.'

'Mij ook niet,' gromde Vespasianus. 'Zodra ik met die kleine etter Paelignus heb gesproken, rijden we terug naar Londinium om daar drie maanden te wachten tot de Iceni het geld bij elkaar hebben en ook die andere leningen zijn terugbetaald.'

Sabinus glimlachte. 'In betrekkelijke luxe, bedoel je?'

'Voor zover je over luxe kan spreken in deze uithoek van het rijk. Wat een ellende.'

'Over ellende gesproken,' zei Magnus, en hij wees voor zich uit. 'Wie hebben we daar?'

Vespasianus keek op en zag Paelignus naar hen toe komen met een escorte van hulptroepen. Toen hij wat dichterbij was, zag Vespasianus dat de prefect een grimas op zijn gezicht had die voor een glimlach moest doorgaan.

'Aha, senatoren Vespasianus en Sabinus. Blij u allebei weer terug te zien,' zei Paelignus zoetsappig terwijl hij zijn paard inhield en tegenover hen bleef staan. 'Ik had mensen gestuurd om naar u uit te kijken, zodat ik u persoonlijk kon komen begroeten.'

'Wat wil je, Paelignus?' vroeg Vespasianus, die ook wel wist dat hun terugkeer allesbehalve een reden tot blijdschap was voor de prefect.

'Het zal u plezier doen dat ik alle leningen heb teruggevorderd die Seneca hier nog had uitstaan.'

Vespasianus liet zijn verbazing niet blijken. 'En het geld dat je hem zelf schuldig bent?'

De glimlach van de man was weerzinwekkend. Alsof ze de beste vrienden waren, die een vrolijk gesprek hielden over een gemeenschappelijke interesse. 'Het is allemaal onder controle, Vespasianus. Ik heb de afgelopen tijd wat meer geld uit de kolonisten geperst als belasting voor de voltooiing van de stadswallen, maar die hebben we eigenlijk niet nodig, dus heb ik het me maar toegeëigend. Samen met het deposito dat ik nog heb bij de agent van de gebroeders Cloelius in Londinium is dat al meer dan de helft van het bedrag.'

Dat de man belastinggeld achteroverdrukte verbaasde Vespasianus niet. Dat had hij al zo vaak meegemaakt, dat hij er inmiddels aan gewend was. 'En de rest?'

Paelignus' grimas werd steeds walgelijker. 'Aha! Nou, de makkelijkste manier om de andere crediteuren te laten betalen, dacht ik, was geweld te gebruiken. Dat leek me ook legitiem, omdat het geen burgers zijn. Dus heb ik ze laten arresteren voor samenzwering tot verraad, en als stadsprefect en hoogste Romeinse functionaris hier heb ik ze zelf berecht.'

Vespasianus voelde het bloed in zijn slapen bonzen. Met open mond staarde hij naar de man die hij waarschijnlijk meer haatte dan wie ook ter wereld en die nu heel zelfvoldaan verslag deed van het stomste wat een magistraat kon doen.

'Natuurlijk heb ik ze schuldig bevonden en hun bezittingen verbeurd verklaard. Dus heb ik nu al het geld dat u voor Seneca kwam incasseren. Het ligt klaar in de ambtswoning van de gouverneur. Daarom... eh... mijn vriend... kunnen we misschien vergeten wat er tussen ons gebeurd is. Neem het hele bedrag maar mee, en ga nu. Met mijn zegen.'

Vespasianus voelde zich misselijk worden toen hij omkeek naar de lichamen aan de kruisen. 'Zijn dat de mannen, Paelignus?'

'Natuurlijk. Ik heb ze laten kennismaken met de Romeinse rechtspraak.'

'Dat heb je niet, smerige kleine boef! Ze waren onschuldig, zoals je zelf min of meer hebt toegegeven. Je hebt ze laten kennismaken met een schandalige vorm van Romeins onrecht en vier mannen geëxecuteerd die waarschijnlijk het respect genoten van de bevolking hier. Dus heb je je de woede van alle Trinovantes op de hals gehaald.'

HOOFDSTUK XI

Vespasianus verfrommelde de brief die hij net gelezen had en smeet de prop over de balustrade van het terras van hun gehuurde villa, zodat hij terechtkwam op de modderige oever van de Tamesis. De luxueuze villa was niet goedkoop, maar dat was beter dan de kans om iedere dag de procurator, Catus Decianus, tegen het lijf te lopen als ze voor het officiële gastenverblijf hadden gekozen. 'Nou ja, dat was onvermijdelijk, neem ik aan.'

'Wat was onvermijdelijk?' vroeg Magnus, terwijl hij een stuk vlees over het terras gooide voor Castor en Pollux om om te vechten.

'Cerialis schrijft terug dat gouverneur Suetonius Paulinus hem bevel heeft gegeven zich bij de komende veldtocht te concentreren op de Brigantes in het noorden, in plaats van zich druk te maken om de Iceni.'

Magnus gooide nog een stuk varkensvlees. 'Waarom was dat onvermijdelijk?'

'Sinds de dood van Prasutagus, vorige maand, ziet Paulinus de Iceni niet meer als een gevaar, omdat ze nu een koningin hebben in plaats van een koning en zij officieel niet eens koningin is totdat ze door Nero als zodanig wordt bevestigd, wat in deze tijd van het jaar wel even kan duren.' Vespasianus wees naar de honden, die om het vlees ruzieden. 'Waarom voer je ze vlak voordat we gaan jagen?'

'Als experiment. Om te zien of ze de prooi niet verscheuren als ze niet zo'n honger hebben. Het zou prettig zijn om eens met een hert terug te komen dat nog redelijk eetbaar is, in plaats van iets wat de hoofdrol had in het Circus, als u begrijpt wat ik bedoel.'

Vespasianus begreep het en vond het geen slecht idee, omdat Magnus' honden wel héél enthousiaste jagers waren, een enthousiasme dat met elke jachtpartij nog toenam.

Magnus gooide de honden nog een homp vlees toe. 'Ik denk dat Paulinus bang is dat de Brigantes hem zullen verrassen bij het naderen van de lente. Hij heeft deze winter niet voor niets zijn tenten opgeslagen in het noorden.'

'Dat was zijn eigen keus niet. Hij moest wel, nu Myrddin nog zoek is en de paar druïden die samen met hem van Mona zijn ontsnapt daar nog ergens vrij rondlopen. En dan heb je Venutius, die zijn woord aan Seneca heeft gebroken en onrust veroorzaakt met de Carvetii ten noorden van de Brigantes. Geen wonder dat Paulinus bericht stuurt aan Cerialis dat hij zich daarop moet concentreren, en niet op de Iceni, die voorlopig zonder leider zitten.'

'Ze hebben wel een leider,' zei Caenis, die het terras op kwam met Sabinus. Net als Vespasianus en Magnus waren ze allebei warm gekleed in jachttenue. 'Boudicca. Dat Nero haar nog niet heeft bevestigd als koningin wil niet zeggen dat haar volk haar niet zal volgen. Ze is een heel sterke vrouw.'

'Maar waarheen zouden ze haar moeten volgen?' merkte Sabinus op. 'Aangenomen dat Prasutagus' testament is erkend en ze kan erven – wat volgens het Britannische gebruik wel mogelijk is, maar volgens de Romeinse wet niet – zou ze wel heel dom zijn om ons te provoceren zodra ze de schuld heeft afbetaald en er geen gevaar meer bestaat dat wij die met geweld komen opeisen. Als ze vreedzaam verder leeft, wordt ze over een jaar wakker met het nieuws dat Rome zich heeft teruggetrokken en Caratacus terugkomt als koning van de oostelijke vazalstaat, waar de Iceni in theorie deel van uitmaken maar in de praktijk onafhankelijk van zijn. Als ze lastig doet, kan dat moment wel eens lang op zich laten wachten.'

'Maar dat weet ze dus niet, en wij kunnen het haar niet vertellen, om voor de hand liggende redenen.' Vespasianus keek op naar de laaghangende grijze bewolking, die motregen beloofde. 'Nou ja, in elk geval gebeurt er niets voordat de lente komt, of wat daarvoor doorgaat op dit smerige klamme eiland. Tegen die tijd moeten wij allang vertrokken zijn, als Boudicca tenminste over drie dagen in Camulodunum verschijnt met Seneca's geld.'

Magnus gooide zijn grommende honden het laatste stuk varkensvlees toe en veegde zijn handen af aan zijn met bont gevoerde mantel. 'Goed, we gaan. Waar is Hormus? Gaat hij niet mee?'

'Nee, hij moet voor Caenis en mij naar de gebroeders Cloelius, nu ze terug zijn van hun expeditie naar Cogidubnus,' antwoordde Vespasianus, terwijl hij het terras overstak naar de trap omlaag. Beneden stonden de paarden te wachten. 'Wij gaan maar, want hij is voorlopig nog niet terug.'

De weg naar het noordwesten vanuit Londinium was zoals de meeste wegen kaarsrecht en ontdaan van bomen en struiken tot op honderd passen aan weerskanten. Het groepje jagers galoppeerde er in een redelijk tempo overheen, op weg naar een beboste heuvel ten westen van de weg, op ongeveer drie mijl van de stad. Castor en Pollux renden vooruit, stoeiend in het korte gras van de berm. Het dichte wolkendek liet zijn ruime voorraad nattigheid los, maar vandaag voelde Vespasianus zich niet somber door het troosteloze weer, omdat hij wist dat hij binnen een paar maanden weer terug kon zijn op een van zijn landgoederen, nadat hij onderweg nog een bezoekje had gebracht aan Titus in Germania Inferior. Aangenomen dat de zee kalm genoeg was voor de korte oversteek naar het vasteland. Maar zelfs als ze tot eind april of begin mei moesten wachten tot de overtocht mogelijk was, zou hij dat niet zo erg vinden, in de wetenschap dat hij hier eindelijk vandaan kon en nooit meer terug hoefde te komen. Eenmaal in Italië zou hij op zijn landgoed bij Cosa de berichten afwachten hoe hij ervoor stond met Nero en of hij veilig naar Rome kon terugkeren.

Toen de heuvel in zicht kwam verlieten ze de weg en reden door het terrein, langs een paar boerenhoeven waar slaven zwoegden achter paarden die de dikke klei ploegden als voorbereiding van een seizoen dat – zonder dat iemand het wist – het einde van de Romeinse overheersing van Britannia zou betekenen. Vespasianus vond het nog steeds een politieke miskleun, maar hij besefte dat de economische argumenten zich opstapelden, vooral vanwege Nero's toenemende spilzucht. In de drie maanden dat ze hadden moeten wachten in de betrekkelijke luxe van hun villa aan de rivier, was het steeds duidelijker geworden dat dit kleine hoekje in het zuidoosten van het eiland weliswaar vredig en redelijk pro-Romeins was, maar de rest was dat zeker niet. Na hun aankomst hadden de gebroeders Cloelius onmiddellijk hun agenten de provincie in gestuurd om alle leningen terug te vorderen, tot groot ongenoegen van de inheemse stammen. Dat had wat vechtpartijen opgeleverd, en zelfs een paar moorden op kolonisten en kooplui. Omdat de vier legioenen in de provincie overwinterden langs de grenzen in het noorden en westen en de hulptroepen voornamelijk de forten langs de wegen tussen de vier legionaire kampen bewaakten, was er niet veel bescherming voor de Romeinse burgers en geromaniseerde Britten.

De situatie was er niet beter op geworden toen de andere bankiers in Londinium beseften waar de gebroeders Cloelius mee bezig waren. En zodra het gerucht de ronde deed dat Seneca zijn leningen al had opgeeist en de grootste daarvan – aan Prasutagus – zou worden terugbetaald zonder de volledige rente, begon er een ware stormloop op de provincie om al het uitstaande kapitaal terug te halen. Zo werd alle kracht weggezogen uit een economie die toch al verzwakt was door de oorlog aan de randen van het rijk. De bouw van het amfitheater was door geldgebrek tot stilstand gekomen, en plaatselijke handelaren die de materialen hadden geleverd, ook voor andere projecten, kregen hun geld niet. Natuurlijk had dit grote invloed op de economie, omdat het muntgeld steeds schaarser werd. Wie het had potte het op, en wie niets had probeerde eraan te komen. Het was inmiddels zo ver gekomen dat bankiers die te laat hadden gereageerd hun leningen niet konden terughalen omdat er gewoon niet genoeg geld meer in omloop was waarmee de debiteuren aan hun verplichtingen konden voldoen.

Niemand haalde zijn geld nog uit de kluis, en een toch al koude, vochtige winter was daardoor nog ellendiger geworden. Als een stam of gemeenschap geen goede voorraden had brak er honger uit, omdat ze geen contant geld hadden om eten te kopen. En zelfs als ze het wél konden betalen was er gewoon niets te koop, omdat niemand het risico nam om zijn overschotten te verkopen in deze economische crisis.

Zo was het leven in de nieuwe provincie Britannia feitelijk tot economische stilstand gekomen. Veel kooplui waren al vertrokken, maar er was nog een andere klasse, die daarvoor te grote belangen in de provincie had: de kolonisten, ex-soldaten, die waren beloond met een eigen stukje grond nadat ze zich vijfentwintig jaar voor de Romeinse adelaar hadden ingezet. Als zij wilden vertrekken, waar konden ze dan heen? Terug naar hun geboorteplaats om daar als arbeider te werken of te bedelen? Zonder de kans om genoeg te sparen om zichzelf en hun nieuwe gezin te onderhouden hadden ze geen andere keus dan te blijven en het land te bewerken dat ze hadden gekregen. Te midden van de plaatselijke bevolking, waar het ongenoegen groeide, leefde dus een grote gemeenschap die – onterecht – verantwoordelijk werd gehouden voor de ellende van het hele eiland.

En daarvan zagen Vespasianus en zijn groepje nu de directe gevolgen. Toen ze de tweede boerenhoeve waren gepasseerd, kwamen ze bij een bosje aan de voet van de heuvel en dreven hun paarden de snel steiler wordende helling op. Castor en Pollux hadden hun stoeipartij gestaakt en volgden nu hun neus. Even later kregen ze een spoor te pakken en gingen erachteraan. Ze renden de heuvel op, zigzagden tussen de bomen door en volgden het pad van hun prooi. Vespasianus haalde een werpspeer uit de leren koker aan zijn zadel en zette zijn paard aan, genietend van de spanning van de jacht. Caenis, die vlak achter hem reed, slaakte een weinig damesachtige kreet. Vespasianus moest even grijnzen om de manier waarop ze de afgelopen maanden verslingerd was geraakt aan het jagen. De honden hadden de bomen nu achter zich gelaten en bereikten de heide die de rest van de heuvel bedekte. In de verte, op de top, waren de drie herten te zien waar het Castor en Pollux om te doen was. Met een luid geblaf, diep vanuit hun keel, renden de honden ernaartoe.

Maar het was niet de prooi die Vespasianus' aandacht trok toen hij over de heide galoppeerde, en ook niet de lucht van het groot wild dat in zijn neus drong, maar een veel scherpere stank, afkomstig van een donkere rookpluim, zo'n halve mijl naar het noorden.

Vespasianus hield zijn paard in en keerde het in de richting van het vuur. De oorzaak van de brand ging schuil achter een volgend bosje en was niet te zien. 'Magnus! Roep de honden terug,' riep hij toen Sabinus en Caenis naast hem halt hielden.

'Vergeet het maar,' riep Magnus terug, terwijl hij achter zijn honden aan reed, die alleen nog aandacht hadden voor de jacht.

'Wat zou er aan de hand zijn?' vroeg Caenis, met een hand boven haar ogen tegen de gestage motregen.

'Het is de boerenhoeve van een veteraan,' verklaarde Sabinus, die zijn schichtige paard in bedwang hield. 'Ik weet het zeker. De vorige keer dat we hier kwamen zijn we langs die kant teruggereden, achter die ree aan die door de honden is verscheurd.'

'Dat is waar,' beaamde Vespasianus. 'Laten we maar gaan kijken, voor het geval ze hulp nodig hebben. Misschien staat hun schuur in brand.'

Het drietal ging over in draf en stak de heuvel over. Heel in de verte hoorden ze Magnus' stem, toen hij probeerde Castor en Pollux terug te roepen.

Ze reden om het bosje heen en daalden weer af, totdat de heide plaatsmaakte voor grasland. Maar de weide rook niet fris, en dat kwam niet enkel door de brand. Er hing ook een andere lucht, die Vespasianus en Sabinus maar al te goed kenden: de stank van verbrand vlees.

Het eerste lichaam dat ze tegenkwamen lag niet ver van de ploeg die de arbeider waarschijnlijk had gebruikt. Het paard was nergens meer te bekennen. En ook het hoofd van de man was verdwenen. Maar vanaf deze positie leek niet alleen de schuur in brand te staan, maar het hele complex: de boerenhoeve, de schuur, alle andere bijgebouwen en zelfs twee bomen.

Ze kwamen voorzichtig naderbij, stapten af en gebruikten hun paarden als schild voor het geval de daders nog in de buurt waren en opnieuw wilden toeslaan. Bij de boerderij vonden ze nog een paar lichamen, allemaal gedood op de vlucht. Ze lagen op hun buik, met hun gezicht in de richting van het huis – als ze nog een gezicht zouden hebben gehad.

'Ze zijn allemaal met het zwaard gedood,' merkte Vespasianus op, toen hij een paar lijken had geïnspecteerd.

'En?' vroeg Caenis.

'Dus niet van een afstand. Anders hadden er werpsperen of pijlen moeten liggen. De aanvallers zijn ze tot vlakbij genaderd en bevonden zich al tussen de mensen in voordat ze deze slachting aanrichtten.'

'En dat is opmerkelijk,' zei Sabinus, die nu ook knielde om de grond te onderzoeken.

'Opmerkelijk, inderdaad,' beaamde Vespasianus. 'Het moet een onverwachte overval zijn geweest, te paard.'

'Dat klopt. Kijk maar.' Sabinus wees naar de duidelijk zichtbare hoefafdrukken.

'Het was dus een overval te paard, door geoefende ruiters, die in staat waren vanuit het zadel te doden. Bovendien hebben ze zwaarden gebruikt, lange zwaarden, die volgens de voorwaarden van het vredesverdrag allang omgesmolten hadden moeten zijn. Ze hebben eerst iedereen op de akkers gedood en daarna het huis overvallen en in brand gestoken voordat ze terugkwamen om alle hoofden af te hakken.' Vespasianus keek in de richting van de brand. 'Laten we maar eens kijken wat ze met de kolonist en zijn gezin hebben gedaan.'

De boer en zijn vrouw waren snel gevonden. Ze lagen niet tussen de twintig andere lichamen op het erf, waarvan er sommige nog brandden of smeulden, maar apart van de rest. En ze hadden een speciale behandeling gekregen. Want het waren niet twee bomen die naast de hoeve stonden te branden, maar twee kruisen. De knetterende resten van de man en zijn vrouw hingen verminkt en verkoold aan de kruisen, naast elkaar. Hun ogen, hun haar, hun neus en lippen waren al weggeschroeid. Hun doodshoofden staarden met een griezelige grijns tussen de vlammen door. Aan de voet van ieder kruis lagen spetterende hompen vlees, mogelijk lichamen van een zuigeling en een kleuter, aan stukken gehakt.

Caenis sloeg een hand voor haar mond, maar kon het braaksel niet tegenhouden toen ze begon te kotsen.

'Kom,' zei Vespasianus terwijl hij opsteeg. 'We kunnen hier niets meer doen. Laten we maar gaan. De daders kunnen nog niet lang weg zijn. Ik ben bang dat we dit aan de autoriteiten moeten melden.'

Hij zag ertegen op, omdat hij daarvoor bij Catus Decianus moest zijn.

Toen Magnus zich weer bij hen had aangesloten reden ze terug naar de weg, maar de daders van de gruweldaad waren nergens te bekennen. Onderweg waarschuwden ze de twee andere boerenhoeven. De kolonisten haalden hun slaven van het veld en stuurden bericht aan alle nederzettingen in de buurt.

Tegen de tijd dat ze Londinium bereikten, liep de korte winterdag al ten einde, zodat ze pas in het halfdonker bij de ambtswoning van Catus Decianus aankwamen. De wachtposten kenden hen inmiddels en ze werden zonder vragen doorgelaten.

'We moeten de procurator dringend spreken,' zei Vespasianus tegen de huismeester, die hun in het atrium tegemoetkwam.

'Helaas, heer,' zei de man spijtig, met een kruiperige glimlach. Hij boog zijn hoofd. 'De procurator is geïndisponeerd.'

'Dan wordt hij maar weer gedisponeerd!'

'Ik zou u graag van dienst zijn, heer, maar behalve geïndisponeerd is hij ook afwezig.'

'Waar is hij dan? Stuur een boodschapper om hem onmiddellijk te halen.'

De huismeester zuchtte diep en haalde verontschuldigend zijn schouders op. 'Helaas, heer, maar met afwezig bedoelde ik dat de procurator niet in Londinium is.'

'Waar dan wel?'

'Helaas, heer, dat kan ik u niet vertellen. Ik weet alleen dat hij gisterochtend in alle vroegte is vertrokken met een ala van de hulptroepen. Hij zei niet waar hij naartoe ging, alleen dat hij over zeven of acht dagen terug zou zijn.'

Vespasianus kon de man wel slaan, maar daar schoot hij weinig mee op. 'Zoek dan uit waar hij is. En snel een beetje. Iemand in het kamp van de hulptroepen kan het je wel vertellen. Zodra je het weet, waarschuw me dan.'

'Typisch Decianus om zijn snor te drukken als hij eindelijk van nut kan zijn,' verzuchtte Sabinus toen ze bij hun villa kwamen. Fakkels brandden aan weerszijden van de treden naar de voordeur. Het groepje steeg af. Slaven kwamen hun tegemoet om de paarden over te nemen en naar de stallen te brengen.

'Wat ik me afvraag is waarom hij een ala van de cavalerie heeft meegenomen,' zei Vespasianus terwijl hij de treden beklom. 'Bijna vijfhonderd man? Dat is een flinke lijfwacht.'

'Misschien had hij al iets over onrust gehoord en is hij erop afgegaan,' opperde Caenis. 'Wat wij vanmiddag zijn tegengekomen heeft daar waarschijnlijk mee te maken.'

'Nee. Als het gevaarlijk kon worden, zou Decianus wel een lagere officier hebben gestuurd. Hij is geen held. Ik denk eerder dat hij plannen had die problemen kunnen veroorzaken en dat hij daarom geen risico nam.'

Op dat moment kwam Hormus het atrium binnen om zijn heer te begroeten.

'Is alles goed gegaan bij Cloelius?' vroeg Vespasianus hem.

'Jawel, heer.' Hij gaf Caenis twee perkamentrollen. 'Dit zijn de wissels die kunnen worden verzilverd bij de bank van Cloelius in Rome, vrouwe. Tegen twaalf procent van het totaal. Tertius Cloelius heeft er een premie op gezet vanwege de toenemende spanning in de provincie en de gevaren van het geldtransport over zee.'

'Dat had ik wel verwacht, maar het is niet onredelijk. Bovendien is het Seneca's geld, niet het mijne.'

'Goed gedaan, Hormus,' zei Vespasianus. 'Alle waardering.'

Hormus kleurde, niet gewend aan complimenten. 'Dank u, heer.'

'Zei Tertius ook wanneer het schip met geld vertrekt?'

'Ja, heer. Het zal nog een marktperiode duren.'

'Waarom zo lang?'

'Decianus zei dat ze op zijn terugkeer moesten wachten. Hij is ergens geld halen, dat onmiddellijk naar Rome moet.'

Vespasianus fronste. 'Geld halen? Dat moet dan een flink bedrag zijn, als hij het meteen uit de provincie wil versturen. Waar komt het vandaan?'

'Dat wist Tertius niet precies. Alleen dat hij een grote eenheid cavalerie heeft meegenomen naar het noordoosten, een dag of vier rijden.'

Vespasianus, Caenis en Sabinus keken elkaar geschrokken aan.

'Dat is heel wat verder dan Camulodunum,' zei Vespasianus.

Sabinus knikte. 'Veel verder. Binnen die tijd kun je in Venta Icenorum zijn.'

'Ja, precies. Blijkbaar heeft hij gehoord dat de Iceni geld bijeenbrengen om Seneca af te betalen. Die klootzak gaat het goud van Boudicca stelen.'

Voorlopig konden ze niets doen tot de volgende morgen, maar bij het eerste licht aan de oostelijke hemel zetten Vespasianus en zijn drie metgezellen de achtervolging in van de procurator, in de wetenschap dat hij een voorsprong van twee dagen had. Hormus hadden ze in Londinium achtergelaten met hun slaven en de twee slavinnen van Caenis – die erop stond om ook mee te gaan, omdat de zaak haar net zo goed aanging.

Om geen seconde te verliezen hadden ze allemaal een extra paard bij zich, zodat ze elk uur konden wisselen. Zo kwamen ze nog voor de middag in Camulodunum aan. Een kort gesprek met Paelignus, die schrok toen hij hen zag en steeds ineenkromp als Vespasianus het woord tot hem richtte, was voldoende om vast te stellen dat Decianus en zijn mannen twee dagen geleden, tegen het eind van de middag, door de stad waren gekomen zonder halt te houden. In elk geval liepen Vespasianus en de anderen op hen in.

In de redelijke veronderstelling dat Decianus geen vliegende haast had, omdat het schip van de gebroeders Cloelius niet zou uitvaren voordat hij terug was, zodat het geen zin had de paarden tot het uiterste te drijven, bepaalde Vespasianus' groepje zich tot een rustige draf. In dat tempo moesten ze de procurator kunnen inhalen. Zo reden ze weer terug naar het land van de Iceni. Die nacht sliepen ze een heel eind voorbij Camulodunum, gewikkeld in klamme dekens. Alleen Magnus had nog enige warmte, tussen een uitgeputte Castor en Pollux in. De volgende morgen in alle vroegte reden ze weer verder, en met ieder uur dat verstreek werd het spoor van de ala beter zichtbaar. Bij Venta Icenorum aangekomen, op het tiende uur van de dag, kregen ze te horen dat de procurator maar een uurtje eerder was gearriveerd.

Maar dat uur was genoeg geweest. De hele nederzetting was afgegrendeld.

'Het kan me niet schelen wat uw orders zijn, decurio,' riep Sabinus tegen de commandant van de turma cavalerie die hun de weg versperde bij de zuidpoort. 'Mijn naam is Titus Flavius Sabinus, proconsul en tot voor kort prefect van Rome zelf. Als u ons niet doorlaat, zal ik er persoonlijk voor zorgen dat u een rondleiding door de stad krijgt, eindigend in het Circus Maximus.' Rood van woede boog hij zich voorover, totdat zijn neus die van de officier bijna raakte. 'Is dat goed begrepen, ventje?'

Sabinus' woorden bleken duidelijk genoeg, want de decurio slikte eens, dacht even na en salueerde toen. Hij blafte een paar orders, zijn mannen openden de poort en Vespasianus en de anderen reden de stad binnen, waar tumult en chaos heersten.

Hoewel het de grootste nederzetting van de Iceni was, telde Venta Icenorum omstreeks vijfhonderd woningen en ongeveer hetzelfde aantal volwassen mannen die een wapen konden dragen. Maar lang niet al die mannen waren krijgers, integendeel. De overgrote meerderheid van de bevolking werkte op de omringende velden. Decianus had zijn escorte dus goed gekozen. De vierhonderdtachtig soldaten van de ala hadden de stad volledig onder controle. In groepjes reden ze dreigend door de straatjes tussen de ronde hutten, luid schreeuwend tegen iedereen die zijn hoofd naar buiten durfde te steken.

Begeleid door dat geschreeuw gingen Vespasianus en zijn groepje op weg naar het marktplein in het hart van de nederzetting, waar ze ooit hadden kennisgemaakt met Boudicca, voor de hut van haar overleden man. Toen ze dichterbij kwamen, waren er eindelijk individuele stemmen te herkennen – woedende stemmen.

'U hebt het recht niet!' Een rauwe, zware stem. Als hij Boudicca nooit had ontmoet, zou Vespasianus het voor een mannenstem hebben gehouden.

'Ik heb alle recht, als vertegenwoordiger van Rome,' antwoordde Decianus terwijl Vespasianus en Sabinus zich door de kring van soldaten voor de hut van Prasutagus wrongen. Caenis en Magnus volgden. Castor en Pollux waren aan een paal gebonden, uit angst dat ze de verkeerde zouden aanvallen in al die drukte. Hun komst veroorzaakte enige commotie, waardoor Decianus zich omdraaide op zijn sella curulis, het symbool van zijn macht. In zijn hand hield hij een perkamentrol. Boudicca stond tegenover hem, met geboeide polsen en haar armen in de greep van twee soldaten, alsof ze een doodgewone misdadigster was. De bebloede lichamen van tien of twaalf van haar krijgers lagen verspreid om haar heen.

'Wat doet u hier?' vroeg Decianus toen hij Vespasianus en Sabinus herkende.

'Dat wilde ik u net vragen,' antwoordde Vespasianus, terwijl hij naar voren stapte om zich tussen de procurator en de koningin op te stellen.

'Ik ben u geen verklaring schuldig.'

'Hij komt het geld stelen dat wij bijeen hebben gebracht om Seneca af te betalen!' brieste Boudicca. Zelden had een stem zo furieus geklonken.

'Laat dat wijf haar kop houden!'

De soldaat die probeerde een hand over haar mond te klemmen werd beloond met een stevige beet in het vel tussen zijn duim en wijsvinger.

'Dat is uw geld niet, Decianus,' zei Vespasianus.

'Ik ben procurator van Britannia en dus verantwoordelijk voor het innen van de belastingen en voor het financiële welzijn van de provincie. Vlak na de invasie heeft Claudius alle hoogste edelen aanzienlijke leningen verstrekt om ze de status van senator te kunnen geven. Geleend, zeg ik, niet gegeven! Die leningen moet ik nu terugvorderen, als trouw ambtenaar van Claudius' opvolger.'

'Door Seneca's geld te stelen?'

'Nee. Claudius' lening is ouder en heeft dus voorrang op die van Seneca. De Iceni kunnen zich daar niet aan onttrekken nu ze officieel een deel van de provincie zijn.'

Boudicca worstelde met haar bewakers, maar tevergeefs. 'In het testament van mijn man heeft hij alleen mijzelf en mijn dochters genoemd, samen met Nero.'

Decianus bekeek de perkamentrol in zijn hand en scheurde hem doormidden. 'Dit testament is waardeloos, omdat u volgens de Romeinse wet niet mag erven.'

'Welke wet dan?'

'De *lex voconia* verbiedt erflaters van de hoogste censusklasse om vrouwen als erfgenaam aan te wijzen.'

'Die wet is al honderd jaar oud,' merkte Caenis op.

'Maar nog altijd geldig.'

'Misschien. Maar alleen voor mensen uit de hoogste censusklasse, zoals u al zei.'

'En dus voor Tiberius Claudius Prasutagus, die door keizer Claudius in die klasse is benoemd bij de laatste census, kort nadat hij hem het geld had geleend dat bij die status hoorde.' Decianus glimlachte triomfantelijk. 'Als procurator ben ik me heel goed bewust van de status van de burgers in deze provincie. Prasutagus, Cogidubnus en Venutius behoren allemaal tot de eerste klasse. Het testament is ongeldig, in feite is hij zonder testament gestorven, dus gaan zijn bezittingen naar de keizer, tenzij de nabestaanden dit voor de rechter willen aanvechten – maar dat is onmogelijk, vanwege hun sekse. Maar zelfs als het wél kon, zouden ze geen kans hebben, omdat Boudicca en de drie dochters worden genoemd als mede-erfgenamen van maar de helft van het bezit, dus ieder voor twaalfenhalf procent. Zoals u heel goed weet, mag een echtgenoot of echtgenote nooit meer aan de ander nalaten dan tien procent van de waarde van het bezit. Ook dat maakt het testament ongeldig. Moet ik nog doorgaan?'

'Maar dit is het land van de Iceni. Wij vallen niet onder de jurisdictie van Rome!' schreeuwde Boudicca. 'We hebben onze eigen gebruiken, en vrouwen hebben altijd mogen erven.'

Decianus wees naar het verscheurde testament. 'Maar als burger – en niemand kan ontkennen dat hij dat was – heeft uw man zijn testament opgemaakt onder het Romeinse recht. Hij heeft het zelfs laten ondertekenen door twee getuigen met de rang van proconsul.' Hij wees naar Vespasianus en Sabinus. 'Wat moet ik anders?' Met een vals lachje boog hij zich naar voren. 'Vanzelfsprekend zal ik me aan de wet moeten houden. Dat betekent dat het testament waardeloos is en dat alles naar de keizer gaat. Het land van de Iceni is hierbij dus deel geworden van de Romeinse provincie.'

Dit werd Boudicca te veel. Met alle kracht van haar forse gestalte rukte ze zich van haar bewakers los en vloog Decianus aan. Ze smeet hem ruggelings van zijn stoel en ramde haar geboeide handen in zijn gezicht zodra zijn achterhoofd de grond raakte. Kraakbeen splinterde en bloed spoot over haar handen. Decianus' neus werd opzij geslagen. Zijn kreet van pijn verstomde abrupt toen de koningin haar rechterknie niet één maar twee keer in zijn kruis stootte, waardoor hij naar adem hapte en wit wegtrok. De pijn moest verschrikkelijk zijn. Boudicca had nog tijd voor één laatste klap met haar twee vuisten, een klap die beide lippen van de procurator openscheurde, voordat ze door vijf of zes van zijn soldaten van de man af werd gesleurd.

'Daar werd ik wel vrolijk van,' mompelde Magnus, die naast Vespasianus stond.

'Wij allemaal, denk ik,' zei Vespasianus, terwijl Decianus weer overeind werd geholpen, hevig hyperventilerend en met zijn handen tegen zijn testikels gedrukt.

'Kleed haar uit! De zweep erover!' hijgde Decianus.

'Dat kunt u niet doen!' schreeuwde Vespasianus toen Boudicca schoppend en sissend werd meegesleurd. Decianus, nog steeds dubbelgebogen van de pijn die door zijn lijf sloeg, keek Vespasianus met halfgesloten ogen aan. Bloed stroomde uit zijn verbrijzelde neus. 'O nee?'

'Nee. Haar man was een burger.'

'Let maar eens op.' En hij hief een bevende, kromme vinger naar Vespasianus. 'Bind ze vast!'

Vespasianus, Sabinus en Magnus grepen naar hun zwaard, maar ze waren machteloos tegen zoveel handen – handen die niet ongehoorzaam wilden zijn aan een procurator, vooral omdat de status van de nieuwkomers onbekend was. Vespasianus, met zijn armen op zijn rug gedwongen, voelde het touw om zijn polsen. Op hetzelfde moment werd Boudicca's tuniek met een scherp mes van achteren opengesneden en weggerukt. Haar grote borsten vielen naar voren en twee bossen haar staken onder haar oksels vandaan. Toen haar broek werd uitgetrokken, sloeg ze haar ogen naar de hemel en schreeuwde een vloek naar haar goden, in haar eigen taal, een langgerekte vloek, die nog aanzwol toen de eerste zweepslag haar schouders tot bloedens toe verwondde. Haar lichaam kronkelde in het ritme van de slagen, maar ze gaf geen kik. Het enige wat ze herhaalde was die vloek, steeds opnieuw, steeds luider en scherper, terwijl het offer van haar eigen bloed in de grond van haar vaderland sijpelde om haar verbond te bezegelen met de goden van haar volk.

Toen de zweep voor de dertigste keer neerkwam, klonk er weer een kreet, niet van pijn, maar van angst. Niet uit Boudicca's mond, maar uit drie kelen, hoog en wanhopig. Drie meisjes werden de kring van soldaten binnengesleurd. Het waren jonge tieners, alle drie naakt.

Boudicca keek neer op haar dochters toen ze jammerend tegen de grond werden gesmeten. 'Hou op met dat gekerm!' riep ze. 'Vecht terug, met alle haat die je in je hebt. Vervloek ze, maar hou op met jammeren.' Bij de volgende zweepslag riep ze haar goden weer aan, terwijl de drie meisjes, net zo vloekend als hun moeder, tegen de grond werden gedrukt. Bereidwillige handen hielden hun polsen en enkels vast. Zelfs toen de eerste soldaten zich met geweld van hen meester maakten, huilden ze niet. Ze ondergingen hun beproeving niet willoos of gelaten, en menige soldaat had bijtwonden in zijn gezicht tegen de tijd dat hij klaar was.

En zo was Vespasianus er getuige van hoe de moeder werd gegeseld en de dochters werden verkracht, steeds opnieuw. En hij wist dat deze daad van Decianus onherstelbaar was. Nu de legioenen hun handen vol hadden in het noorden en het westen, was dit optreden zo'n imbeciele stommiteit dat Vespasianus er geen woorden voor had.

De procurator had de Iceni zojuist tot een opstand gedwongen.

Vespasianus en zijn metgezellen lagen, nog steeds geboeid, op de vochtige grond terwijl de hulptroepen de kluizen met Seneca's goud en zilver op een wagen met vier paarden laadden. 'En wij, Decianus?' riep hij naar de procurator. 'Laat je ons gewoon hier achter, zodat ze wraak op ons kunnen nemen voor jouw achterlijkheid?'

Decianus keek op hem neer met een onverschillige uitdrukking op zijn gehavende, bloedende gezicht. Met de rug van zijn hand veegde hij wat bloed van zijn gezwollen lippen. 'Als je om je leven wilt smeken, kun je mij beter niet achterlijk noemen.'

'Een vreedzame stam tot een opstand dwingen is achterlijk. Een ander woord kan ik er niet voor bedenken.'

'Opstand? Wie is er nou achterlijk? Natuurlijk komen ze niet in opstand. Ze zouden niet durven. Ze hebben er de mankracht niet voor. Kijk dan!' Hij gebaarde naar de nederzetting. 'Dit is hun grootste stad. Dat is toch zielig?'

'Maar hoeveel andere steden en dorpen hebben ze nog? Ik heb wel eens een Britannisch leger gezien – meer dan één, zelfs. En ik weet hoe leeg dit land lijkt. Vertel me eens, Decianus, waar komen die legers dan vandaan? Jij bent procurator van deze provincie, jij weet hoeveel mannen van iedere stam belastingplichtig zijn. Denk je echt dat de Iceni een uitzondering vormen? Ze zijn met hun duizenden. Ze hoeven zich alleen maar te mobiliseren, en daarna komen ze achter jullie aan – achter jou en iedere andere Romein in deze provincie. En voor elk slachtoffer ben jij persoonlijk verantwoordelijk.'

Decianus keek smalend. Achter hem stegen de troepen op, nu het geld was ingeladen. 'Als dat zo is, laat ik jullie hier maar achter – als eerste slachtoffers. Dan kun je die onnozele praatjes in elk geval niet verspreiden.'

'Onze dood kan jouw sporen niet uitwissen,' zei Sabinus, rukkend aan zijn touwen. 'De keizer krijgt toch wel te horen hoe de opstand is begonnen. Van de prefect van jouw hulptroepen, bijvoorbeeld.'

Decianus schudde langzaam zijn hoofd en glimlachte quasispijtig. 'Nymphidius Sabinus weet zijn mond te houden. Daar zorg ik wel voor. Bovendien is de keizer alleen geïnteresseerd in de miljoenen die ik hem breng. Over een paar maanden heeft hij dat geld in handen, lang voordat de Iceni hun leger op de been hebben gebracht – als jij gelijk hebt en als ze dat werkelijk durven. Dat is twee keer "als", Vespasianus.' Hij draaide zich om en liep naar zijn gereedstaande paard, met een korte blik op de half bewusteloze Boudicca en haar drie dochters. 'We gaan vertrekken, Nymphidius! In gestrekte draf.' Hij hees zich in het zadel, en zonder nog om te kijken zette hij zijn paard in beweging en sloot zich aan bij de colonne die door de zuidpoort het stadje verliet.

'Dit ziet er niet goed uit,' zei Magnus, met een blik naar de krijgers die nu uit de hutten en de smalle straatjes tevoorschijn kwamen.

'Probeer die knoop los te krijgen.' Vespasianus draaide zich op zijn zij, zodat ze rug aan rug lagen. Sabinus probeerde zijn polsen los te wurmen, terwijl Caenis moeizaam overeind kwam en naar de koningin toe wankelde.

De laatste hulptroepen waren inmiddels uit het zicht verdwenen, en steeds meer krijgers kwamen naar het marktplein. Een paar dozijn mannen hadden zich daar al verzameld, sommigen gewapend. Magnus prutste aan Vespasianus' knoop, rukte eraan met zijn nagels, maar tevergeefs.

Vespasianus veranderde van positie. 'Ik zal het bij jou proberen.'

Magnus stak zijn polsen naar achteren, zodat de knoop bereikbaar was. 'Snel, heer,' zei hij dringend, toen de krijgers hen op de grond zagen liggen tussen de lichamen van hun gevallen kameraden en de koningsfamilie. 'Straks hoeft het niet meer, als u begrijpt wat ik bedoel.'

Vespasianus begreep het, maar hij deed al zijn best en het hielp niet veel.

Caenis gilde toen ze tegen de grond werd geslagen door de eerste krijger die Boudicca bereikte. De koningin kreunde en bewoog zich wat. Twee andere mannen hielpen haar overeind en een derde wikkelde een mantel om haar heen om haar bebloede naaktheid te bedekken. Vijf of zes Iceni kwamen naar Vespasianus, Magnus en Sabinus toe, met speren en zwaarden in hun hand en woede in hun ogen.

Ruwe handen sleurden de Romeinen half overeind, tot ze op hun knieën zaten. Rauwe stemmen schreeuwden tegen hen in een taal die ze niet verstonden.

Vespasianus voelde een hand op zijn schedel, en zijn hoofd werd naar achteren gerukt om zijn keel te ontbloten. Naast hem zaten Magnus en Sabinus nu ook geknield.

'Nee!' gilde Caenis, boven de aanzwellende woedekreten uit.

Boudicca blafte een bevel en Vespasianus sloot zijn ogen, wachtend tot het bloed langs zijn hals zou druipen, het bloed waarin hij zou verdrinken. Hij voelde het koele mes tegen zijn huid, en een kort gebed aan Mars ging door zijn hoofd toen Boudicca nog een order gaf. De hand met het mes tegen zijn keel verstijfde en Vespasianus voelde een druppel zweet over zijn rug rollen. Maar in plaats van zich in zijn keel te bijten, verdween het mes naar zijn rug en sneed zijn touwen door. Hij werd overeind geholpen, opende zijn ogen en zag dat ook zijn kameraden werden bevrijd.

'Wat gebeurde daar nou, verdomme?' mompelde Magnus, die zijn polsen wreef.

'Geen idee,' zei Vespasianus, terwijl hij keek hoe Caenis voor Boudicca werd gebracht.

Na wat korte woorden boog Caenis haar hoofd voor de koningin en kwam terug naar Vespasianus. 'We zijn vrij om te gaan,' zei ze, met grote opluchting in haar stem.

Vespasianus staarde haar ongelovig aan. 'Waarom?'

'Omdat we allebei hebben geprobeerd Decianus tegen te houden. Ze wil ons, Romeinen, de betekenis van eer en fatsoen duidelijk maken.'

Vespasianus keek naar Boudicca, die nu bij haar dochters geknield zat en huilde, terwijl vrouwen van de stam het bloed tussen hun benen wegveegden en hen troostten na hun afschuwelijke ervaring. Ze voelde Vespasianus' blik op zich gericht, stond op en keek hem aan. 'Vertel de waarheid over wat hier is gebeurd, Romein. Laat die man geen leugens vertellen. Je weet wat ik nu moet doen, wat er nu zal gebeuren. Zorg ervoor dat jouw volk begrijpt waarom, Romein, en beseft wie hier schuld aan heeft.'

Vespasianus liep naar haar toe. 'U weet toch dat u dit nooit kunt winnen?'

Boudicca haalde haar schouders op, met een grimas toen de pijn door haar rug schoot. 'Misschien. Misschien ook niet. Het enige wat ik weet is dat ik op deze provincie zal neerdalen als de furie uit jullie verhalen. Jij bent de laatste Romein met wie ik ooit nog een woord zal wisselen. Van nu af aan is mijn zwaard het enige wat jouw volk van mij zal merken. Ga nu, en vertel je landgenoten dat ze een zekere dood zullen sterven als ze nog langer op dit eiland blijven.' Ze keek hem vastberaden en doordringend aan, met een blik vol haat. Toen knikte ze één keer, draaide zich om en liep weg, met grote waardigheid, ondanks de wonden op haar rug.

'We kunnen maar beter onze paarden zoeken, voordat ze van gedachten verandert,' zei Sabinus, en hij raapte zijn zwaard van de grond.

'Dat doet ze niet,' stelde Caenis hem gerust. 'Niet een vrouw als zij, zo sterk als ze is.'

'In elk geval wacht ik het niet af,' zei Magnus, die Castor en Pollux had opgehaald.

Vespasianus keek de koningin na. 'We hoeven niet bang te zijn. Caenis heeft gelijk. Ze zal niet op haar besluit terugkomen. Er schuilt een geweldige kracht in Boudicca. Ongelofelijk stom van Decianus om die kracht te provoceren. Kom mee.'

'Waar moeten we naartoe?' vroeg Sabinus toen ze zich in het zadel slingerden. 'Decianus neemt de weg naar het zuiden, en ik heb geen zin om door die kleine klootzak gevangen te worden genomen. Hij heeft al geprobeerd ons aan de Britten uit te leveren.'

Vespasianus bracht zijn nerveuze paard met een paar rukken aan de teugels onder controle. 'Het is toch al geen goed idee om naar het zuiden te rijden. Daar liggen alleen nog wat hulptroepen en stadjes zonder enige verdediging. Laten we naar het westen gaan. Zodra we het moerasland achter ons hebben gelaten, buigen we af naar het kamp van de Negende Hispana bij Lindum. Cerialis zal wel bericht kunnen sturen aan Paulinus. Als de legioenen niet mobiliseren voordat de Iceni dat doen, is de provincie voor ons verloren.'

HOOFDSTUK XII

Het was een uitputtende, meedogenloze reis, omdat ze geen tijd te verliezen hadden. Ze moesten zo snel mogelijk hun doel bereiken. Ze stonden in alle vroegte op en reden door tot aan de avond, gebruikmakend van het kostbare licht om hun koers te bepalen, met enkel zo nu en dan een rustpauze om van paarden te wisselen, hun waterzakken te vullen en hun behoefte te doen. Eten deden ze in het zadel. Gelukkig was de route grotendeels vlak, waardoor de paarden minder moeite hadden. Maar het landschap bood ook geen enkele beschutting tegen de striemende oostenwind in hun rug, op weg naar het westen. De ene regenbui na de andere kletterde op hen neer en groef zijn koude vingers diep in hun vochtige kleren, waardoor ze ondanks de inspanningen van de tocht tot op het bot verkleumd raakten. Het laagland werd doorsneden door beekjes, rivieren en greppels, afgewisseld met moerassen, een paradijs voor de ontelbare watervogels, maar verraderlijk voor de breekbare benen van de paarden. Tegen de tijd dat ze ten zuiden van het moerasland waren gekomen en afbogen naar het noordwesten, waren twee paarden al fataal gestruikeld en uit hun lijden verlost. In elk geval leverden ze wat biefstuk op, die 's avonds boven het kampvuur werd gebraden. Het vlees was niet wat de Romeinen gewend waren, maar omdat ze de geruchten over een opstand en de mobilisatie van de Iceni voor wilden blijven, hadden ze geen tijd om op jacht te gaan. Alleen Castor en Pollux wisten hun menu nog wat te variëren, maar hun prooi was meestal te ernstig verminkt voor menselijke consumptie.

Op de derde dag bereikten ze de weg van Londinium naar Lindum in het noorden. Hun tempo nam toe, nu ze over het goed onderhouden korte gras konden rijden, aan weerskanten van de schuin aflopende steentjes. Zo nu en dan passeerden ze een militaire bevoorradingswagen, maar verder was er nauwelijks verkeer, en zeker niet de colonne waar Vespasianus en Sabinus op bedacht waren. Grimmig en zwijgend reden ze verder, ieder verdiept in zijn of haar eigen gedachten, of half versuft, zonder ergens aan te denken, deinend op het ritme van de paardenhoeven, dat alle overpeinzingen verdreef.

De mijlen vlogen voorbij, maar toch ging de tijd nog veel te traag, elke mijl een nog grotere aanslag op de rauwe dijen en gekneusde billen dan de vorige. De schapenvacht op het zadel was nu een kwelling, maar nog altijd beter dan het harde leer en hout eronder.

Magnus keek neer op zijn honden, die met hen meerenden, het speeksel uit de bek, de bungelende tong tussen hun slappe lippen en hun geduchte tanden ontbloot. 'Mijn jongens weten niet wat een geluksvogels ze zijn,' merkte hij op tegen niemand in het bijzonder, terwijl hij voor de honderdste keer in een uur een andere positie in het zadel zocht. 'Geen pijnlijke ballen, geen zere kont, en zelfs al hadden ze die wel, hadden ze die makkelijker kunnen likken.'

'Likken doen ze toch wel, of ze nu pijn hebben of niet,' wees Vespasianus hem terecht.

'Ja. Omdat ze het kunnen. Ik bedoel, wie zou dat niet doen, als je het kon?' Hij maakte een grimas en siste. 'Caenis natuurlijk uitgezonderd. Neem me niet kwalijk.'

'Geen punt, Magnus,' zei Caenis, die zelf weer eens ging verzitten om te demonstreren dat ze het ook niet makkelijk had. 'Ik ben net zo beurs als jij, en als ik de kans kreeg, deed ik het ook.'

Magnus mompelde iets en zou hebben gebloosd als zijn gezicht niet al rood was geweest van inspanning.

Vespasianus lachte, maar niet van harte.

'Vespasianus,' zei Sabinus, die voor zich uit tuurde en zijn ogen beschutte tegen de motregen. 'Kijk!'

Vespasianus volgde zijn blik en keek zijn broer toen opgelucht aan. 'Eindelijk!'

Ze versperden de keizerlijke koerier de weg door hun paarden dwars te zetten. De militair was er niet blij mee. 'Het is verboden om een keizerlijke koerier tegen te houden,' zei hij, terwijl hij Vespasianus en zijn gezelschap onderzoekend opnam. Blijkbaar beviel die aanblik hem niet erg – geen wonder nadat het groepje al zoveel dagen in het zadel had doorgebracht.

Maar Vespasianus was niet in de stemming om uitleg te geven. 'Waar ga je heen, man?'

De koerier leek geschokt door die brutaliteit en wilde er al iets over zeggen toen hem iets opviel. Hij klapte zijn mond weer dicht en salueerde. 'Camulodunum, heer.'

Vespasianus keek even naar zijn senatorenring en liet die nog wat duidelijker zien. 'Goed. Dan ga je naar de stadsprefect daar, Julius Paelignus, om hem te zeggen dat de senatoren Vespasianus en Sabinus hem dringend aanraden om nog voor de nieuwe maan de verdediging van de stad te versterken, op welke manier dan ook, en het noorden in de gaten te houden. De Iceni zijn in verzet gekomen en zullen hem als eerste aanvallen. Alle kolonisten in de buurt moeten een onderkomen zoeken in de stad. Laten we bidden dat ze het volhouden totdat de legioenen te hulp schieten. Is dat duidelijk?'

De koerier staarde hem met open mond aan en salueerde weer. 'Jawel, heer.'

'En zeg hem dat hij dringend bericht stuurt aan de gouverneurs van Belgica en Germania Inferior om hen op de hoogte te brengen van de situatie en hen te vragen alle troepen te sturen die ze kunnen missen.'

'Ja, heer.'

'Herhaal de boodschap.'

'O, nog één ding,' vervolgde Vespasianus toen de man zijn woorden naar tevredenheid had herhaald. 'Benadruk tegen Paelignus dat dit geen grap is ten koste van hem, geen verzinsel, maar een serieuze waarschuwing. Als hij hier de enige was, zou ik de Iceni graag onaangekondigd laten arriveren om hem aan mootjes te hakken, maar deze waarschuwing stuur ik om het leven van de andere Romeinen te redden, niet het zijne. Zeg dat er maar bij. Duidelijk?'

'Jawel, heer.'

'Goed. Hoe ver is het nog naar de volgende Romeinse pleisterplaats?'

'Zeventien mijl, heer. Het nieuwe fort van Durobrivae.'

Vespasianus keek naar de lucht en schatte dat ze daar tegen het donker konden zijn, of niet veel later. 'Ga met de goden, soldaat, en blijf uit de buurt van inheemse bendes.'

De man slikte eens, keek of hij ergens gevaar kon ontdekken en salueerde toen. Vespasianus en Sabinus maakten ruimte en de koerier ging er in hoog tempo vandoor.

Die nacht sliep Vespasianus, met Caenis naast zich, dieper dan in dagen, uitgeput als hij was. De moderne voorzieningen van het fort, dat maximaal een cohort kon herbergen, waren een verademing. De bevelvoerende prefect, Quintus Mannius, was bijzonder genereus toen hij eenmaal begreep wie zijn gasten waren. In het badhuis knapte iedereen wat op, het eten en de wijn waren voortreffelijk, en Caenis toeschietelijk, ook al maakten haar pijnlijke billen niet alle manoeuvres mogelijk.

De volgende morgen werden ze al vroeg gewekt door het geschetter van de *bucinae* die de reveille bliezen. Vespasianus wreef de slaap uit zijn ogen en keek naar zijn geliefde, die ineengerold naast hem lag. Haar huid glansde in het licht van de nachtlamp. 'Ik zal Mannius vragen een escorte voor je te regelen terug naar Londinium, mijn lief.'

Caenis bewoog zich en opende een oog. 'Hm?'

Vespasianus herhaalde zijn woorden.

'En wat hebben we daaraan?'

'Dan ben je veilig. Galla kan wel een schip voor je zoeken, naar het vasteland, zodat je hier weg bent voordat de Iceni naar het zuiden oprukken.'

'Hoe weet je zo zeker dat ze naar het zuiden zullen komen? Ze kunnen ook naar het westen trekken om de verbindingen van noord naar zuid en van west naar oost af te snijden, zodat de legioenen er niet langs kunnen.'

Dat leek een goede strategie, moest Vespasianus toegeven. Hij knikte. 'Dat zou kunnen. Misschien is dat zelfs de beste tactiek. Maar zo denken zij niet. Boudicca heeft het in de eerste plaats op Decianus voorzien. Dus wil ze hem te grazen nemen, en haar krijgers volgen haar. Die mannen hebben gezien wat er met hun koningin en haar dochters is gebeurd. Dat beschouwen ze als een aanranding van al hun vrouwen, en dus zinnen ze op wraak. Nee, Boudicca komt naar het zuiden, eerst naar Camulodunum, en als haar krijgers Romeins bloed hebben geproefd en de stad hebben geplunderd, zijn ze niet meer te stoppen. Elke dag zullen zich honderden mannen bij haar aansluiten. Daarna is Londinium aan de beurt, dan Verulamium en waarschijnlijk Calleva, zodat ze alle wegen naar het noorden en westen in handen heeft. Als haar dat lukt voordat Paulinus zijn troepen heeft samengetrokken, kunnen we alleen nog hopen dat ze onze legioenen een vreedzame aftocht toestaat. En dat de goden de achtergebleven burgers en kolonisten beschermen.'

'Denk je echt dat het zo zal gaan?'

'Ja. Die kans is groot, zeker als je bedenkt wie hier de verdediging moet leiden totdat Paulinus er is.'

'Decianus. Ik begrijp wat je bedoelt.'

'Ga dus maar, Caenis. Naar Londinium. En neem een schip naar het vasteland voordat de paniek toeslaat en er geen schepen meer te krijgen zijn.'

Caenis glimlachte. Het vlammetje van de lamp weerkaatste in haar ogen. 'Niet zonder jou, lieverd. Waar jij gaat, ga ik ook. Ik heb een comfortabel en beschermd leventje geleid in de paleizen van de Palatijn, en dit is een avontuur dat ik niet wil missen. Zolang we maar samen zijn. Bovendien, zonder mij zouden we allemaal al dood zijn geweest.'

'Hoezo?'

'Boudicca heeft jullie leven gespaard voor mij. Vrouwen onder elkaar, zeg maar. Als er geen vrouw bij was geweest, zou ze zich niets van eer en fatsoen hebben aangetrokken, zoals Decianus dat ook niet deed. Dan waren jullie waarschijnlijk doodgegeseld. Maar omdat ik erbij was, wilde ze onze sekse niet vernederen, in haar ogen of de mijne.'

Vespasianus keek haar ongelovig aan. 'Ze heeft ons laten gaan om geen slechte indruk te maken tegenover jou?'

'Ja en nee. Het was meer dan dat. Ze heeft ons laten gaan omdat ik niet van haar mocht denken dat ze zich tot het peil van Decianus zou verlagen, die geen enkel moreel besef meer had. En ze wilde jou en Sabinus laten zien dat ze een fatsoenlijke vrouw is, voordat ze... hoe zei ze dat ook alweer? O ja, voordat ze elke Romein in deze provincie het hart uit zijn lijf zou rukken en de kop van zijn romp zou slaan.'

'En toch wil jij hier blijven, terwijl je weet wat ze van plan is?'

'O ja, lieverd. Ik respecteer haar, en ik ben benieuwd hoe jullie, als mannen, met haar om zullen gaan.'

Vespasianus kuste haar vol op de mond. 'Laten we hopen dat je niet al te lang hoeft te wachten – niet langer dan Paulinus nodig heeft om vier legioenen bijeen te brengen.'

Cerialis leek niet overtuigd toen hij door het pas gebouwde permanente praetorium in het kamp van de Negende Hispana bij Lindum Colonia ijsbeerde. Achter hem glinsterde de adelaar van het legioen, omgeven door de erewacht, in het licht van de talloze olielampen. 'Hoe weet u zeker dat ze in opstand zullen komen, vader?' Zijn woorden kaatsten dof tegen de gepleisterde baksteen en het hoge plafond.

Vespasianus probeerde zijn ongeduld over de omzichtigheid van zijn schoonzoon te verbergen. 'Omdat ze tegen Caenis heeft gezegd dat ze iedere Romein in de provincie het hart uit zijn lijf zal rukken, en ik denk dat ze het meent. Wat zou jij in haar plaats hebben gedaan, Cerialis?'

Cerialis staarde peinzend in het niets, tussen Vespasianus en Sabinus in, die allebei weinig militair in een leunstoel zaten en warme wijn dronken. 'Ik zou wraak nemen, ook al was dat misschien zelfmoord.'

Vespasianus blies in zijn beker. 'Het is alleen zelfmoord als wij op tijd kunnen mobiliseren, dus moet je bericht aan Paulinus sturen om hem te melden dat jij onmiddellijk naar het zuiden marcheert. Hij zal je zo snel mogelijk moeten volgen, anders heeft hij geen provincie meer om te besturen.'

'Maar ik moest me van hem op het noorden concentreren om de Brigantes onder de duim te houden nu Venutius weer pogingen doet om zijn vrouw te verdrijven.'

Sabinus' geduld raakte op. 'Vergeet het noorden nou maar. De problemen liggen in het zuiden, en als we niet snel ingrijpen, zullen ze zich uitbreiden naar het noorden en het westen. Als dat gebeurt, is het onze eigen schuld, omdat we niet snel genoeg in actie zijn gekomen, Cerialis.'

'Maar mijn orders...'

'Ach, lazer op met je orders!'

'Daar schieten we niets mee op, Sabinus,' viel Vespasianus hem in de rede. Hij zette zijn beker op een tafel en stond in dezelfde beweging op. 'Hoe lang heeft een boodschapper ervoor nodig om naar Paulinus te rijden en weer terug?'

'Twee dagen, als het meezit.'

'Goed. Weet je nog wat ik je zei over laksheid, toen dat verslag van Corbulo werd voorgelezen in de Senaat?'

'Altijd snel reageren. De vijand aanvallen voordat hij de kans krijgt zijn positie te versterken, of zoiets.'

'Precies. En dat maakt Corbulo zo'n goede generaal. Hij talmt nooit. Schrijf dus een bericht aan Paulinus dat jij naar het zuiden marcheert. Als hij het er niet mee eens is, kan de boodschapper je wel inhalen en maak je meteen rechtsomkeert met het legioen.'

Daar dacht Cerialis over na. 'Dan heb ik me ingedekt, ja. Niemand kan beweren dat ik niet snel gehandeld heb, maar ik geef ook toe dat ik tegen mijn orders in ga, dus ben ik bereid op mijn schreden terug te keren als de gouverneur dat van me eist.'

Sabinus snoof minachtend bij Cerialis' doorzichtige poging om alle kritiek op zijn initiatief, of het gebrek daaraan, te ontduiken.

'Jij zou hetzelfde doen, broer,' zei Vespasianus, 'als je carrière op het spel stond. Je weet hoe makkelijk je een misrekening kunt maken. Denk maar eens aan dat incident in de Euxinische Zee, toen je die Parthische gezanten door je vingers liet glippen.'

Aan die fout, toen hij nog gouverneur van Moesia en Thracië was, werd Sabinus niet graag herinnerd. 'Het waren niet eens de echte Parthische gezanten.'

'Maar dat wist jij toen niet... niemand wist dat... en het heeft onze familie heel wat problemen bezorgd. Als Cerialis, mijn schoonzoon, net zo'n grote vergissing maakt als jij toen, zal de familie daarop worden aangekeken. Dus zit niet zo te snuiven, daar hebben we niets aan.'

Maar Cerialis luisterde al niet meer naar de broers. 'Pasiteles!' riep hij, en een magere, kromme schrijver met inktvlekken op zijn vingers stapte uit het halfdonker naar voren. 'Pasiteles, stuur de prefect van het kamp hierheen.'

'Jawel, overste,' zei Pasiteles, en hij verdween met spoed.

'Als we de hele nacht doorwerken, kunnen we bij het eerste ochtendlicht vertrekken,' meldde Cerialis aan de broers, die niet langer ruzieden. 'Ik zal een paar cohorten van mijn hulptroepen hier achterlaten als garnizoen, en als rugdekking wanneer wij naar het zuiden vertrekken. Cartimandua of Venutius zou dit kamp maar al te graag bezetten.'

'Akkoord,' zei Vespasianus. 'Hoeveel alae cavalerie heb je?'

'Eén in het kamp, en nog een tweede, tien mijl ten westen van hier. En natuurlijk nog de honderdtwintig man legionaire cavalerie hier in het kamp.'

'Goed. Krijgen wij de helft van je legionaire cavalerie als escorte terug naar Camulodunum? Om ervoor te zorgen dat die kleine etter Paelignus zijn werk doet.'

'Natuurlijk.'

'Dank je. We vertrekken morgenochtend. Ondertussen stuur jij de ala van de hulptroepen hier op weg om de omgeving te verkennen en verslag uit te brengen. We moeten weten waarop we kunnen stuiten.'

'Ze zullen heus geen gevecht aangaan met een volledig legioen.'

'Het hangt ervan af met hoeveel ze zijn. Maar ik maak me eerder zorgen om de mogelijkheid van een hinderlaag.'

Cerialis keek verbaasd en Vespasianus vroeg zich af of zijn schoonzoon wel het talent had om een goede legaat te worden. Daar was Vespasianus eigenlijk van uitgegaan toen hij voor Cerialis deze positie had geregeld. Vespasianus' enige overweging op dat moment was zijn dochter een succesvolle echtgenoot te bezorgen. Hopelijk zou dat geen misrekening van hem blijken.

'Ja, u hebt gelijk, vader,' beaamde Cerialis toen een verweerde veteraan, prachtig uitgedost in volledig uniform met een rode paardenharen kam op zijn bronzen helm, met dreunende pas de deur binnenkwam, gevolgd door de schrijver. 'Daar had ik niet aan gedacht.'

'Prefect Quintus Ogulnius Curius,' kondigde Pasiteles de officier aan, die strak salueerde. Als prefect van het kamp was hij de op twee na hoogste man in het legioen, na de legaat en zijn onderbevelhebber, de militaire tribuun met brede streep. Beide mannen behoorden tot de senatorenklasse. Soms hadden zulke officieren geen of weinig militaire ervaring. Maar de kampprefect was zijn militaire carrière begonnen als eenvoudige legionair en opgeklommen door de rijen, totdat hij eindelijk de positie van *primus pilus* of hoogste centurio had bereikt, met het bevel over de eerste centurie van de eerste cohort van het legioen. Daarna kon hij worden benoemd tot kampprefect. Zijn kennis en ervaring waren daarom van het grootste belang voor de jongere mannen die boven hem stonden in rang – als ze tenminste naar hem wilden luisteren. Helaas waren ze daar dikwijls te trots voor.

'Prefect,' zei Cerialis, die het saluut onverschillig beantwoordde, 'laat alle tribunen en centuriones hier binnen een halfuur aantreden.'

'Jawel, overste.'

'En laat de intendanten morgenochtend klaarstaan om iedere man een rantsoen uit te reiken voor een missie van zeventien dagen.'

Curius knipperde niet eens met zijn ogen. 'Tot uw orders!'

'Verder hebben we tenten, muilezels en karren nodig voor de mars van morgen.'

'Jawel, overste.' Opnieuw een strak saluut. 'Mag ik u vragen waar we heen gaan?'

'Dat mag, Curius. We vertrekken naar het zuiden. Als de informatie van mijn schoonvader klopt, zullen we de opstand van een stam wilden moeten neerslaan.'

Er gleed een scheef lachje over Curius' gegroefde gezicht. 'Goed, overste.'

'Goed?'

'Ja, overste. Goed. Sinds die kwestie met Venutius hebben de mannen al een paar jaar geen strijd meer geleverd. Ze worden slap. Dit houdt ze bij de les.'

Dat beviel Vespasianus niet erg. Hij had liever gehoord dat ze in vorm en paraat waren.

Een uur voordat het licht werd sprongen bijna vijfduizend soldaten als één man in de houding, op het luidkeelse bevel van hun centuriones, aangevoerd door de primus pilus. De klap waarmee die duizenden spijkersandalen de grond raakten echode door Vespasianus' hoofd en verdreef de laatste restjes van een diepe slaap waaruit hij veel te vroeg gewekt was. Hij hield met moeite zijn paard in bedwang, dat schrok van het lawaai, en liet zijn blik over de grimmige gezichten glijden van de mannen op het door fakkels verlichte exercitieterrein even buiten de hoofdpoort van het kamp. Hun adem vormde wolkjes in het halfduister.

Toen alle geluid weer was verstomd, afgezien van het geblaf van de honden in het kamp, die ook werden opgeschrikt in hun rustige nacht, was er niets anders meer te horen dan het ruisen van de duizenden mantels in de bries.

'Mannen van de Negende Hispana!' riep Cerialis vanaf een verhoging, geflankeerd door de kampprefect en de tribuun met brede streep, 'straks marcheren wij naar Camulodunum in het zuiden. Wat wij daar zullen aantreffen kan ik niet zeggen, maar we moeten ons voorbereiden op een confrontatie.' Hij haalde diep adem en brulde toen: 'Zijn jullie klaar voor de strijd?'

'Ja!' klonk het luid uit duizenden kelen, en weer sloegen de honden aan.

'Zijn jullie klaar voor de strijd?'

'Ja!'

'Zijn jullie klaar voor de strijd?'

'JAAA!'

Cerialis stak zijn armen in de lucht om de mannen aan te moedigen, zodat het antwoord overging in een luid gejuich. Toen liet hij zijn handen weer zakken om de troepen tot bedaren te brengen. Vespasianus was onder de indruk van zijn overwicht.

'We zullen oprukken alsof we ons in vijandelijk gebied bevinden. Dus wordt er iedere avond een versterkt kamp opgeslagen. Dat vertraagt onze opmars, daarom zullen we iedere dag al een uur voor zonsopgang vertrekken en minder rustpauzes nemen. We komen onze broeders te hulp die in dit legioen hebben gediend. We laten ze niet in de steek! Ze staan er niet alleen voor. Mannen van de Negende... *zijn jullie klaar voor de strijd?'*

Het aanzwellende gejuich overtrof nu alle geluid dat die ochtend al had geklonken. De honden blaften als gekken en de paarden van Vespasianus en zijn metgezellen begonnen nerveus te dansen en te snuiven. Achter hen had ook hun escorte van zestig cavaleristen van het legioen moeite hun paarden in bedwang te houden toen hun kameraden van de infanterie met hun *pila* op hun schilden sloegen, eerst nog in het wilde weg, waardoor ze een rollende donder veroorzaakten, maar al gauw in een traag en rustig ritme. Cerialis liet de mannen even begaan en pompte zijn vuist in de lucht op de maat van het gedreun – langzaam, nadrukkelijk en dreigend.

'Zo krijgt hij de stemming er wel in,' merkte Magnus op. 'Ik zou me maar geen zorgen maken over Curius' twijfel aan hun paraatheid, heer. Als daar iets aan schort, maken ze het wel goed met hun enthousiasme.'

'Ik hoop dat je gelijk hebt.'

'Ja, ik ook. Maar we komen er gauw genoeg achter, neem ik aan.'

'Nou, de eerste zeven dagen nog niet. En dan hebben de Iceni al dertien dagen de tijd gehad om te mobiliseren.' Vespasianus nam die tijdsfactor in overweging en beet op zijn onderlip, waardoor hij er nog somberder uitzag. 'Paulinus krijgt de boodschap pas morgen, dus kan hij niet eerder op weg gaan dan de volgende ochtend. Dat wordt een mars van minstens acht of negen dagen. En de Twintigste en de Tweede

Augusta... de goden mogen weten wanneer we die in het zuiden kunnen terugverwachten.'

'Laten we dan maar hopen dat de Iceni een flinke tijd nodig hebben om hun troepen samen te trekken.'

IJdele hoop, dacht Vespasianus. 'Zou jij lang aarzelen?'

Magnus schudde zijn hoofd. 'Nee, ik zou zo snel mogelijk de steden aanvallen.'

'Ik ook. En ik heb het akelige gevoel dat dit legioen, als we het straks terugzien, het enige legioen in de buurt zal blijken te zijn en dat er een leger van duizenden wilden tussen hen en ons in zal staan bij Camulodunum.'

'Hij heeft helemaal niets gedaan, die kleine etterbak!' riep Vespasianus woedend toen ze drie dagen later, op het zevende uur, na een lange, snelle en zware rit naar het zuiden, de wallen van Camulodunum zagen opdoemen. 'Er is nog geen steen gelegd en hij moet ons bericht al minstens drie dagen geleden hebben ontvangen.'

Sabinus wierp een professionele blik op de samenhang tussen het nieuwe metselwerk en de oude, slecht onderhouden houten palissade rond een deel van de stad. 'Dat zou een stelletje joelende nichten niet langer tegenhouden dan ze nodig hebben om hun haar in de krul te zetten.'

'Vier of vijf uur, bedoelt u?' zei Magnus, terwijl hij zonder veel hoop om zich heen keek of hij ergens een paar arbeiders kon ontdekken. Maar de wallen lagen er verlaten bij.

'Je weet wat ik bedoel, Magnus. We mogen van geluk spreken als we een gerichte aanval langer dan een halfuur zouden kunnen weerstaan. Laten we dat miezerige ventje maar opzoeken om hem wat peper in zijn gat te steken.'

'Dat heeft geen zin, Sabinus,' zei Caenis, die haar paard even liet grazen in het sappige gras. 'We kunnen beter zelf iets doen, anders blijft dit een open stad.'

Vespasianus reed met zijn paard in de richting van de noordpoort. 'Je hebt gelijk, lief. Het is verstandiger om Paelignus te negeren en zelf het bevel over de stad over te nemen. In elk geval nemen wij de dreiging serieus. Hij niet.' Hij draaide zich in het zadel om naar de decurio die het bevel had over hun cavalerie-escorte. 'Geef me zestien man als verkenners en boodschappers, Mutilus, en rij dan terug naar Cerialis. Zeg hem dat er niets van de vijand te bespeuren was, maar ook niets van enige hulp.'

Met een kort saluut gaf de officier twee eenheden opdracht om te blijven. Tegen de tijd dat Vespasianus door de noordpoort de stad binnenreed, waren de soldaten alweer onderweg naar hun legioen, ergens langs de noordelijke route.

Vespasianus reed rechtstreeks naar het forum, waar alles zijn gangetje ging alsof er niets aan de hand was. Kooplui prezen hun waren aan, bewoners deden hun inkopen, wisselden roddels uit en leken zich er totaal niet van bewust dat de Iceni elk moment voor de poort konden staan om de hele stad uit te moorden.

'Vraag even om aandacht, Magnus,' zei Vespasianus, terwijl hij van zijn paard sprong en de trappen van de tempel van de heilige Claudius beklom, met Sabinus in zijn kielzog.

Toen ze boven waren, klonk opeens het geluid van nijdige honden en angstige vogels bij een kraam onder aan de trap. Magnus had het hek van een kooi ganzen geopend, en Castor en Pollux sloegen toe. Hun luide gegrom en het hoge gakken van de ganzen overstemden alle menselijke rumoer op het forum. Veren en bloed vlogen in het rond. Een paar ganzen hadden geluk en wisten te ontsnappen. De rest viel ten prooi aan de kaken van de honden. De woedende koopman schold Magnus de huid vol en wilde hem aanvallen met een knuppel die hij onder de tafel vandaan haalde. Magnus sloeg hem neer met een rechtse directe tegen de kaak en riep toen Castor en Pollux terug van hun middagmaal. Inmiddels keek het halve forum hun kant op.

'Burgers van Camulodunum!' riep Vespasianus, met een stem die de hele menigte bestreek. 'De prefect van deze stad, uw prefect, heeft u aan een ernstig gevaar blootgesteld. Over een paar dagen zou u allemaal dood kunnen zijn.' Nu lette iedereen plotseling op. Honderden paren ogen staarden Vespasianus aan. 'Minder dan een marktperiode geleden heeft Boudicca, de koningin van de Iceni, gedreigd iedere Romein in de provincie het hart uit het lijf te rukken.' Hij hief zijn hand op om zijn senatorenring te laten zien. 'Ik, Titus Flavius Vespasianus, van proconsulaire rang, en mijn broer, Titus Flavius Sabinus, van dezelfde rang, kennen de waarheid, omdat wij getuige waren van het moment waarop zij haar dreigement uitte. Sommigen van u, die bij de Tweede

Augusta hebben gediend in de eerste jaren van de invasie, herkennen mij misschien nog, zoals degenen die bij de Veertiende Gemina hebben gevochten mijn broer zullen herkennen. Wij zeggen dit in uw belang, en we roepen u op u bij ons aan te sluiten om de verdedigingswerken van deze stad te versterken.'

'Waarvoor?' klonk een stem uit de menigte. 'We kunnen toch ook naar Londinium vluchten?'

'Wat is uw naam, soldaat?' vroeg Sabinus.

'Voormalig centurio Verrucosus, heer.'

'Goed, Verrucosus. Deze stad heeft in elk geval nog een paar wallen. Londinium ligt helemaal open. Als de Iceni nog niet zijn tegengehouden als ze daar aankomen, zullen ze als een vloedgolf de stad overspoelen.'

Er ontstonden discussies op het plein. Zo te horen beseften de meesten dat Vespasianus gelijk had.

'Ook hebben jullie geen enkele kans je in het open veld te verschuilen,' vervolgde Vespasianus, die zag dat sommige inheemse bewoners onder zijn gehoor al langzaam wegslopen. 'Ze zullen het hele gebied doorzoeken. Onze enige kans is ons hier te verdedigen. Terwijl ik hier sta, is de Negende Hispana al onderweg naar het zuiden. Ze moeten hier binnen drie of vier dagen kunnen zijn. Er is bericht gestuurd aan gouverneur Paulinus, die met de Veertiende nog in het noordwesten bivakkeert. Dat legioen zou ons over zes dagen kunnen bereiken, evenals de Twintigste en de Tweede. Als Paulinus zijn troepen in deze omgeving samentrekt, zal hij de opstand ongetwijfeld neerslaan, maar daar is tijd voor nodig. En u, voormalige legionairs van Rome, kunt hem die tijd geven. U kunt uw gouverneur geven wat hij nodig heeft voor de overwinning als u de Iceni buiten deze stad houdt, buiten de herstelde muren, terwijl hun ondergang – het wapen van onze vier legioenen – op weg is hiernaartoe.' Hij benadrukte die laatste woorden door met zijn vuist in zijn handpalm te slaan.

Er viel een stilte toen hij uitgesproken was. De mensen staarden hem met open mond aan.

'Wat heeft dit te betekenen?' gilde een maar al te bekende stem. 'Hoe durft u paniek te zaaien onder mijn bevolking?' Paelignus wrong zich door de menigte heen en beklom de trappen. 'De Iceni zouden ons nooit durven aanvallen. Ze hebben de middelen niet eens, sinds ze door ons zijn ontwapend.'

'Ontwapend, zegt u, procurator?' riep Sabinus smalend. 'Iedere man die een speer of handboog bezit voor de jacht zou een Romein kunnen doden. Hebt u onze waarschuwing niet ontvangen?'

'Ik heb een raar bericht gekregen van een keizerlijke koerier die volgens mij te veel gedronken had, dus heb ik hem in een cel laten gooien om te ontnuchteren.'

Vespasianus staarde hem aan. De stupiditeit van de man tartte iedere beschrijving. Een antwoord leek zinloos, dus schopte hij de procurator maar tussen de benen, met een onverschilligheid die in schrille tegenspraak was met de haast die hij voelde om aan het werk te gaan. Hij gaf hem nog een knietje in zijn gezicht toen Paelignus' kromme gestalte dubbelklapte, waardoor de procurator bewusteloos op zijn rug terechtkwam. Vespasianus wendde zich weer tot de menigte en vroeg: 'Wat doen we? Schaart u zich achter mij en mijn broer en helpt u ons de wallen te versterken? Of staat u net zo nonchalant tegenover dit gevaar als deze... deze...' hij wees naar de liggende Paelignus, 'dit waardeloze stuk vreten, dat totaal verblind is door zijn eigen arrogantie, die nergens op gebaseerd is?'

Er kwam niet onmiddellijk een reactie, voor of tegen, maar er werd druk overlegd tussen de mensen. Er vormden zich groepjes, er ontstond ruzie, en al gauw beseften Vespasianus en Sabinus dat ze met praten geen oplossing zouden bereiken, ook al leek Verrucosus partij voor hen te kiezen. In stilzwijgende overeenstemming daalden ze de trappen af en zochten hun weg door de menigte, gevolgd door Magnus, Caenis en hun escorte. Vanaf het plein liepen ze terug naar de noordpoort om alvast aan het werk te gaan en zo het goede voorbeeld te geven.

Geleidelijk sloten steeds meer inwoners, vooral veteranen en kolonisten, maar ook Britten, zich bij hen aan, en halverwege de middag waren er meer dan tweeduizend mannen en jongens hard aan de slag om de oorspronkelijke palissade te herstellen op de talloze plekken waar ze was ingestort. De wallen werden zo veel mogelijk gestut door de nieuwe, maar nog onvoltooide bakstenen muur. Groepjes mannen verdwenen de stad uit om bomen te vellen, anderen zaagden de takken eraf, weer anderen groeven gaten en zetten de stammen overeind, terwijl de vrouwen zo veel mogelijk voedsel en water uit de omgeving haalden en binnen de stadsmuren brachten.

'Verrucosus,' zei Vespasianus toen hij met de voormalige centurio de grond rondom de voet van een nieuw deel van de palissade aanstampte, 'kunnen we jou de leiding geven van het werk, terwijl mijn broer en ik ons met andere zaken bezighouden?'

Verrucosus, een man van eind vijftig met een gedrongen postuur en kromme benen, grijnsde zijn gebroken tanden bloot. 'Ik hou ze wel aan het werk, heer, samen met mijn oude strijdmakkers hier in de stad. De mannen respecteren ons, dus maakt u zich geen zorgen. We hebben ze al in centuriën georganiseerd.'

'En als de wallen moeten worden verdedigd?'

'We hebben nog steeds onze zwaarden, ook nog wel wat schilden en zelfs een paar helmen. Er zijn mannen met slingers en bogen, maar we hebben vooral werpsperen nodig, en die zijn schaars.'

'Laat daarom een paar van de oudere mannen en jonge jongens zo veel mogelijk speren maken. We hebben er duizenden nodig. Ze hoeven niet perfect te zijn, als ze maar een scherpe punt hebben en geschikt zijn om mee te gooien.'

'Jawel, heer!'

'En leg overal stapels stenen en bakstenen klaar, om de paar passen.'

Verrucosus salueerde, heel kwiek voor een man van zijn leeftijd. Hij genoot zichtbaar van deze militaire kans, na zo lang een leven als burger te hebben geleid.

Vespasianus, Sabinus en Caenis lieten Magnus bij de arbeiders achter en liepen terug naar de ambtswoning van de gouverneur om een stapeltje brieven te schrijven.

'Dit is je laatste kans, lieverd,' zei Vespasianus tegen Caenis terwijl hij twee schriftkokers en een dikke beurs aan een visser gaf, die met zijn boot al klaarlag om vanuit de rivierhaven van Camulodunum te vertrekken. Zijn opgroeiende zoon hees het zeil. 'Je zou morgenochtend al in Londinium kunnen zijn om samen met Hormus en je twee slavinnen op een schip naar het vasteland te stappen. Of je reist in drie dagen naar de zuidkust, om daar veilig af te wachten bij Cogidubnus.'

Caenis haalde de geparfumeerde zakdoek voor haar gezicht weg die haar neus moest beschermen tegen de ergste stank vanaf de rivier, die als open riool fungeerde. 'Ik wou dat je daar eens over ophield, Vespasianus. Ik blijf bij jou, wat er ook gebeuren mag. Punt uit.'

Vespasianus haalde zijn schouders op. Deze discussie ging hij nooit winnen. Hij draaide zich weer om naar de visser. 'Geef deze kokers aan

Hormus, mijn vrijgelatene, in het huis aan de rivier dat ik je beschreven heb. Als je zijn antwoord terugbrengt, kun je nog zo'n beurs als deze verwachten.'

De man testte het gewicht van de geldbuidel en knikte tevreden. 'Komt in orde, heer,' zei hij, en zijn zoon gooide de touwen los.

Achter hen, een eind verder op de rivier, was nog een boot te zien, op weg naar Rutupiae, de belangrijkste haven van Britannia. Langzaam verwijderde de boot zich, met een opbollend zeil in de grillige bries. Op die boot had Vespasianus enige hoop gevestigd. Aan boord waren drie brieven, een voor de prefect van de haven met het dringende verzoek de scheepvaartcondities te negeren en twee schepen naar het vasteland te sturen, elk met een van de andere brieven. Daarin vroeg hij de gouverneurs van respectievelijk Gallia Belgica en Germania Inferior om zo snel mogelijk alle troepen naar Britannia te sturen die ze konden missen. Als ze binnen vier dagen zouden arriveren, was het misschien nog mogelijk om Camulodunum te behouden – als de wallen op tijd waren hersteld. Vespasianus verwachtte niet veel van zijn brief via Hormus aan Decianus met een verzoek om soldaten. Dat bericht was meer bedoeld om hemzelf, Vespasianus, te vrijwaren van de beschuldiging dat hij de procurator niet zou hebben gewaarschuwd en niet om hulp zou hebben gevraagd. Want dat zou Decianus hem zeker voor de voeten werpen als ze allebei de opstand overleefden, hoe die ook afliep. De procurator zou proberen iedereen de schuld te geven, behalve zichzelf. De andere brieven, verstuurd met koeriers van de cavalerie, waren bestemd voor Cerialis en Paulinus, om hen tot nog meer spoed aan te zetten, hoewel dat eigenlijk overbodig was. De rest van de bereden soldaten was de vorige dag al op verkenning gestuurd.

En het was een van die mannen die, toen Vespasianus en Caenis zich omdraaiden om terug te gaan naar de woning van de gouverneur, samen met Sabinus naar hen toe kwam.

'Vertel mijn broer wat je gezien hebt,' beval Sabinus de man toen ze hen hadden bereikt.

Eén blik op de angst in de ogen van de verkenner vertelde Vespasianus al dat dit geen goed nieuws ging worden.

'Zo'n vijftig mijl naar het noordoosten, heer. Meer dan ik er ooit bij elkaar heb gezien.'

'Meer wát, man?' snauwde Vespasianus.

'Mensen! Mensen, heer. De hele stam is op weg, niet alleen de krijgers. Tienduizenden zijn het er, verspreid over een front waarvan ik de beide uiteinden niet eens kon zien.'

Vespasianus keek Sabinus geschrokken aan. 'Bij Mars! Als ze in zulke aantallen oprukken, maakt het niet meer uit of we de wallen hebben hersteld of niet. Dan verpletteren ze alles en lopen gewoon de stad binnen.'

'Misschien kunnen we hier beter vandaan?'

'Waarheen dan? Naar Londinium? Dat hééft niet eens wallen.'

'Nee, Vespasianus,' zei Caenis. 'Hij bedoelt hetzelfde wat jij tegen mij zei. Ergens waar het veilig is.'

'Als wij nu uit Camulodunum vluchten, na wat we gisteren op het forum hebben gezegd, zal niemand achterblijven. Dan snijden de Iceni hier dwars doorheen, op weg naar Londinium, en is de provincie praktisch zeker verloren. Dus zullen we stand moeten houden. Als we de wallen kunnen opbouwen en de legioenen hier op tijd kunnen zijn, moeten we proberen ze hier tegen te houden. Hier hebben we nog een kans ze te verslaan.'

'Ja, áls de legioenen komen,' zei Sabinus. 'Op tijd.'

Later die dag begonnen ze binnen te druppelen, de vluchtelingen, in groten getale, eerst nog in kleine groepjes, maar al gauw met tientallen en de volgende dag al met honderden. Verdreven van hun boerenhoeven en uit hun dorpen door de massale opmars van de Iceni, arriveerden de veteranen, de kolonisten en hun families met weinig meer dan de kleren aan hun lijf en wat schaarse bezittingen. Verfomfaaid en uitgeput kwamen ze de stad binnen, met gruwelverhalen over slachtoffers die aan palen waren gestoken, verbrand, aan stukken gesneden of gekruisigd. En iedereen die die verhalen hoorde herhaalde ze, met overdrijving, totdat de stad beefde van angst. Van de nieuwkomers werden de mensen die daartoe in staat waren ingeschakeld bij de verdedigingswerken. Er zat nu schot in, maar de wallen waren nog altijd niet sterk genoeg; daarvoor had Paelignus ze te ernstig verwaarloosd.

En nog altijd stroomden de vluchtelingen binnen, in zulke aantallen dat er zich volgens Caenis' berekening, tegen de tijd dat de eerste rookpluimen aan de horizon verschenen, nu meer dan twintigduizend mensen in het stadje verdrongen – en allemaal doodsbang. Onder die hele groep waren er maar vierduizend die ooit in de legioenen hadden gediend en nog wapens konden dragen. Maar dat aantal, samen met de Negende Hispana en de troepen van Paulinus, zou hopelijk voldoende zijn, dacht Vespasianus, aangenomen dat ze zich bij elkaar konden aansluiten.

De volgende dag, twee dagen nadat Vespasianus zijn brieven had verstuurd, kwamen de rookpluimen nog dichterbij. Ze vloeiden nu in elkaar over, totdat ze op sommige plaatsen al hele rookgordijnen vormden van een mijl breed. Ten slotte, toen de dag verstreek en de zon naar het westen daalde, sloten ook die rookgordijnen zich aaneen. Toen de eerste krijgers uit de eikenbossen tevoorschijn kwamen, vier mijl van de poorten, en over het boerenland naar de stad oprukten, was in het noordoosten nog slechts een muur van rook te zien, alsof het hele land in brand stond. Dat was ook zo, want Boudicca had bevel gegeven om alle sporen van de gehate bezetters uit te wissen. Haar volk nam die orders heel serieus.

Samen met Sabinus, Caenis, Magnus en zijn honden en een groot aantal veteranen onder bevel van Verrucosus en een paar andere excenturiones, stond Vespasianus boven op de noordpoort om de eindeloze stroom Iceni te zien naderen. De krijgers hadden hun armen en hun borst ingesmeerd met wervelende blauwgroene patronen. Hun haar stond in pieken omhoog en hun lange snorrenbaarden wapperden in de wind. Het aanstormende leger vulde het hele landbouwgebied rondom Camulodunum. Terwijl de moed hun in de schoenen zonk bij iedere nieuwe bende die in zicht kwam zagen ze opeens iets op de weg vanaf Lindum in het noorden: een oranje schittering, de weerkaatsing van het late zonlicht. Vespasianus tuurde nog eens die kant op en kreeg een bittere smaak in zijn mond toen hij een eenheid cavalerie herkende. Het was niet eens een volledige ala, de sterkte die een verstandige generaal zou hebben gebruikt als voorhoede van een legioen in vijandelijk gebied, maar een eenzame turma, een groep verkenners. In elk geval was Cerialis met zijn legioen nog onderweg. De Negende Hispana kon niet ver meer zijn, maar zou niet op tijd kunnen komen, evenmin als Paulinus. Vespasianus wist nu zeker dat ze het zelf moesten klaren, tegen een onvoorstelbare overmacht. Veel hoop had hij niet om dit te overleven met deze gebrekkige verdedigingswerken van halve muren en palissaden.

Terwijl dit sombere besef ook doordrong tot de veteranen, die in centuriën de wallen bemanden, gebeurde er iets binnen de Britannische gelederen, die nog maar een kwart mijl van de poort verwijderd waren. De krijgers maakten ruim baan, en over het vrijgemaakte pad naderde een strijdwagen met twee paarden ervoor. Op de kar, achter de geknielde wagenmenner, stond een vrouw, een grote, forse vrouw met koperkleurig haar hoog op haar hoofd. In haar rechterhand hield ze een speer, die ze naar de hemel hief, zodat de punt de ondergaande zon weerkaatste, terwijl ze de strijdkreet van de Iceni liet horen.

En haar volk antwoordde haar.

Tienduizenden stemmen brulden terug, maar het was niet de woeste kakofonie van haat die een kille huivering over Vespasianus' rug deed lopen; het was iets heel anders. Naast Boudicca's strijdwagen liep een gedaante in een lange, vuilwitte mantel. Een grijze baard vol klitten reikte tot zijn borst en Vespasianus hoefde niet eens zijn ogen te zien om te weten hoe doordringend zijn blik kon zijn, onvoorstelbaar vurig en scherp.

Boudicca was naar het zuiden gekomen om iedere Romein in de provincie het hart uit zijn lijf te rukken en het hoofd van zijn romp te slaan, en daarvoor had ze de enige man meegenomen die Rome nog erger haatte dan zijzelf.

Ze was in het gezelschap van de leider van de Britannische druïden.

Ze had Myrddin meegebracht.

HOOFDSTUK XIII

'Nou, dat maakt het allemaal de moeite waard,' zei Sabinus, starend naar de man die hij verantwoordelijk hield voor de dood van zijn vrouw, Clementina, en zijn eigen maandenlange opsluiting, hangend in een kooi. 'Wat mij betreft mogen ze geloven dat Myrddin onsterfelijk is door hem iedere generatie door een ander te vervangen, en misschien is dat idee wel waar, maar deze specifieke menselijke versie van hem is zeker niet onsterfelijk. Ik hoop dat hij zijn vervanger al gevonden heeft, want die zal hij nodig hebben.'

'Wie is Myrddin?' vroeg Caenis.

Een koude rilling ging door Vespasianus heen toen hij de druïde zag naderen, gevolgd door nog vijf of zes andere morsige leden van zijn orde. 'Hij behoort tot een lange lijn van Myrddins. De druïden geloven dat bij hun dood hun zogenaamde ziel – hun levenskracht, vermoed ik – in een ander lichaam overgaat. Daarom zijn ze niet bang voor de dood. Er is altijd een Myrddin als leider van de druïden, en ze zoeken heel lang naar een reïncarnatie van vorige Myrddins, als hun opvolger.'

'Aha. Dus dat bedoelde Sabinus met de idee dat Myrddin onsterfelijk zou zijn.'

'Allemaal onzin natuurlijk,' vond Magnus. Castor en Pollux leken een geur op te snuiven vanuit de richting van de druïde en gromden diep in hun keel. 'Hij is gewoon een mens, zoals iedereen.'

Sabinus greep naar zijn zwaard. 'En dat zal ik bewijzen door zijn buik open te snijden.'

'Steek ook zijn ogen maar uit, als u toch bezig bent. Hij is me er nog een schuldig, met rente.'

'Je komt nooit bij hem in de buurt,' zei Vespasianus. 'Herinner je je nog die kille angst die ze verspreiden? Die blijft aan je armen en benen kleven, waardoor je je nauwelijks kunt bewegen. Hoe noemde Verica dat ook alweer? "Een kille kracht die niet ten goede kan worden aangewend." Of zoiets. Hoe dan ook, ik ben dicht genoeg bij ze in de buurt geweest om dat niet nog eens te proberen. Zelfs niet om wraak te nemen.'

'Misschien hebt u geen keus,' zei Magnus somber, toen Boudicca's strijdwagen halt hield, even buiten het bereik van een handboog. In de verte, op de weg vanaf Lindum, had de turma rechtsomkeert gemaakt, terug naar het noorden om verslag uit te brengen.

'Romeinen!' riep Boudicca met een stem waarop de meest krijgshaftige generaals jaloers zouden zijn geweest. Ze hield haar speer boven haar hoofd. 'Ik ben gekomen om Camulodunum te heroveren, en dat zal gebeuren.' Ze zweeg, terwijl tientallen mannen met zakken naar voren stapten. 'We zijn al te lang slaven in ons eigen land. Vandaag zal daar een eind aan komen. Aan jullie de keus, Romeinen – sterven, of je aan ons overgeven als slaaf, want we laten jullie niet gaan.' Ze liet haar speer zakken, en de mannen met de zakken stortten de inhoud over de grond uit.

De verdedigers op de wallen slaakten een onderdrukte kreet.

'Dit zijn maar een paar van de hoofden en harten die we hebben genomen,' vervolgde Boudicca, terwijl er nog meer zakken met gruwelijke inhoud werden leeggegooid. 'Het maakt mij niet uit of ik jullie hoofden en harten neem, of dat jullie ze houden en je aan ons onderwerpen als slaven. Maar weet één ding, Romeinen. Ze worden hoe dan ook mijn bezit, net als deze stad. Als jullie denken dat de Negende Hispana jullie te hulp zal komen, vergeet dat dan maar. Ze zijn met te weinig, en ze komen te laat. Ik zal ze verpletteren zodra ze hier arriveren, en Rome zal sidderen onder het nieuws dat een van haar kostbare legioenen is vernietigd, voor het eerst sinds de grote Arminius, meer dan vijftig jaar geleden in Germania.'

'Ze kent haar geschiedenis,' mompelde Magnus.

'Dus wat wordt het, Romeinen? De dood of slavernij? Wat jullie ook kiezen, dit is het einde van jullie wereld.'

De veteranen op de muren hoefden geen moment over die keus na te denken en lieten de koningin van de Iceni luidkeels weten wat ze van haar dachten.

'Dat antwoord had ik wel verwacht,' zei Vespasianus, met een blik naar links en rechts. Zijn gezicht stond grimmig toen hij nog eens constateerde hoe gebrekkig hun verdediging was. Hij bad tot Mars, de oorlogsgod, dat de centuriën van veteranen op de zwakke plekken de Britten zouden kunnen tegenhouden. 'Maar gezien de situatie moeten we ons maar gereedmaken voor de aftocht als ze door de linies breekt. Ik denk niet dat ze ons een tweede keer zal sparen.' Hij keek weer naar de koningin. Haar woorden gingen verloren in het tumult, maar haar gebaar – ze richtte haar speer op de stad – was duidelijk genoeg. Het was een bevel aan haar krijgers om in de aanval te gaan.

Haar leger bevond zich echter niet alleen buiten de muren. Op het moment dat Boudicca het sein tot de aanval gaf, werden drie of vier secties van de palissade aan de west- en oostkant onder de voet gelopen en stroomden tientallen mannen door de openingen naar buiten. De Trinovantes in de stad liepen over naar de rebellen en vluchtten de stad uit, waardoor er nog meer gaten in de verdediging vielen en Camulodunum weer een open stad was.

'Verrucosus!' riep Vespasianus. 'Stuur ijlboden naar de reservetroepen op het forum om die nieuwe gaten te dichten. Je weet wat er gebeurt als ze binnenkomen.'

Verrucosus salueerde en blafte een paar orders. Mannen renden terug naar het plein, terwijl de *carnyxes* – hoge Keltische hoorns in de vorm van een dierenkop – het valse strijdlied tetterden waarop de Britannische legers ten strijde trokken.

Maar Verrucosus en de andere ex-centuriones hielden hun mannen rustig toen de vloedgolf van Iceni onafwendbaar op de stad toe rolde. Camulodunum leek een schiereiland in een duistere zee van haat. Alleen de rivier belemmerde een volledige omsingeling. Daar kwamen ze, met hun aanvoerders en helden op strijdwagens, getrokken door twee paarden, te midden van hun infanteristen, terwijl ze hun volgelingen aanmoedigden en hun goden aanriepen – dat alles begeleid door het geschetter van de carnyxes, de strijdkreten van de krijgers en het gejuich van een andere groep die nog niet was opgevallen: de vrouwen, oud en jong. Want Boudicca had haar hele volk meegenomen om er getuige van te zijn hoe haar vernedering werd gewroken. Toen de aanval op gang kwam, bleven de vrouwen bij de voorraadwagens achter en moedigden hun mannen aan als toeschouwers in een grote arena aan het begin van de spelen.

'Heeft iemand Paelignus gezien?' vroeg Sabinus, zonder zijn blik los te maken van de aanstormende massa. 'Ik zou graag zijn gezicht willen zien als hij dit meemaakt.'

'Ik heb hem al sinds gisterochtend niet meer gezien,' antwoordde Vespasianus, terwijl hij een paar provisorische werpsperen van een stapel pakte. 'Ik denk dat hij er vannacht stiekem tussenuit geknepen is.'

Overal langs de wallen grepen de veteranen hun werpsperen, toegeblaft door de voormalige centuriones, die ze nog altijd trouw waren, terwijl de voorste Iceni-krijgers hun rechterarm boven hun hoofd tilden en naar achteren brachten. Het volgende moment klonk het zoevende geluid van vliegende stenen toen duizenden slingers hun projectielen loslieten. Het tumult nam nog toe door het gekerm van de gewonden toen er botten braken, gezichten tot moes werden verbrijzeld, schedels opengespleten en verdedigers ruggelings van de muren tuimelden om roerloos beneden te blijven liggen. Maar de mannen die het overleefden hielden stand, trotseerden de stenenregen en wachtten op hun kans om zelf dodelijk toe te slaan.

'Nu!' brulde Vespasianus toen de zee van Iceni de wallen tot op vijftig passen was genaderd.

De centuriones op de muren herhaalden het commando en brulden hun mannen toe zoals ze dat vroeger op het slagveld hadden gedaan. Duizenden speren floten door de lucht, bereikten hun hoogste punt en doken toen neer op hun niet te missen doelwit van weerloos vlees. Het gejammer van de doden en gewonden steeg op naar de hemel toen hele groepen aanvallers werden geveld door de dodelijke regen.

'Nu!' klonk het weer, en opnieuw vlogen de projectielen, en nog eens, omdat de verdedigers wisten dat ze de vijand nu moesten stoppen. Het was hun enige kans. Als de Iceni de wallen zouden bereiken, was het slechts een kwestie van tijd voordat ze een bres zouden slaan.

En dus vlogen de werpsperen, vaak niet meer dan scherpe, in het vuur geharde dikke takken. Ze boorden zich in de borst, de armen, de benen of het hoofd van de aanvallers en eisten een hoge tol aan levens. Maar het maakte niet veel uit op dat enorme aantal krijgers dat nu op de stad af stormde.

Ook Vespasianus, Sabinus en Magnus weerden zich in de strijd en wierpen de ene speer na de andere, kreunend van inspanning, terwijl Caenis en veel andere vrouwen de ladders op en neer renden tussen hen en de karren vol met werpspiezen, om de mannen te bevoorraden die nog altijd de slingerstenen trotseerden die om hen heen suisden. Maar al gauw waren de karren leeg en hadden de verdedigers geen andere munitie meer dan keien en losse bakstenen. Inmiddels hadden de Britannische rebellen de wallen bereikt. In hun wanhoop smeten de stedelingen met alles wat ze maar konden vinden om de mensenmassa aan hun voeten tegen te houden, maar met het gewicht van hun ontzagwekkende aantal wisten de Iceni de palissaden onder de voet te lopen als een vloedgolf over een dam. En ze werden meegesleurd, de oude, grijsharige veteranen die nog probeerden de bres te dichten, en binnen een paar tellen wist iedereen in Camulodunum dat een toch al wanhopige situatie nu helemaal hopeloos was en dat verzet een zekere dood betekende.

Dus sloegen ze op de vlucht.

'De rivier is onze enige hoop,' riep Vespasianus toen ze de trap vanaf het dak van het poortgebouw afdaalden. 'Zelfs als Cerialis en Paulinus nu nog arriveren, kunnen ze een bloedbad in de stad niet meer voorkomen.'

Sabinus dook onwillekeurig weg toen er iets langs hen heen vloog. 'Maar we komen er niet doorheen. Zo meteen wemelt het hier van de wilden.'

'Dus moeten we een schuilplaats vinden en wachten tot het donker.'

'De gewelven in de tempel van Claudius?' opperde Caenis, die haar stola ophees om niet te struikelen.

Vespasianus rende een steegje in, op weg naar de rivierhaven. 'Nee. Daar vluchten alle overlevenden naartoe, omdat het de laatste plek is die nog een tijdje te verdedigen valt. Wij moeten iets anders zoeken.'

'De riolen!' riep Magnus toen ze het steegje door renden, met Castor en Pollux achter zich aan. 'Er moeten hier ook riolen zijn, en de ambtswoning van de gouverneur is daar zeker op aangesloten.'

'Je hebt gelijk. Er is een overloop naar de rivier. Daar stonk het behoorlijk toen we op de kade stonden.'

Ze begonnen te rennen, gedreven door wanhoop, zigzaggend naar links en rechts door de steegjes, zo veel mogelijk uit de buurt van de doorgaande straten, terwijl de Iceni de stad binnendrongen door de gesloopte verdedigingswerken, met maar één doel: de bewoners van deze stad de dood in jagen uit wraak voor de vernedering van hun koningin en van henzelf. De krijgers gingen als razenden tekeer en braken de laatste haarden van verzet, hakkend en stotend met hun wapens, in een orgie van geweld waartegen de aangeboren discipline van de veteranen machteloos stond.

Overal klonken de doodskreten van de mannen en het gejammer van de vrouwen toen hun kinderen uit hun armen werden gerukt en vermoord, het hart uit het lijf gesneden voor de ogen van hun moeders, het hoofd van de schouders geslagen. En voordat die moeders zelf het leven lieten, ondergingen ze nog het lot van Boudicca en haar dochters. Ze werden gegeseld en herhaaldelijk verkracht, tot bloedens toe, zodat de dood een welkome vriend werd, het licht aan het einde van deze donkere tunnel. Het was met opluchting dat ze hun hart en hoofd aan de vijand offerden, want zelf hadden ze er niets meer aan.

De minuten die verstreken met al deze gruweldaden betekenden de redding voor veel burgers van Camulodunum, al was het maar voor enkele uren. De systematische, langdurige verkrachtingen en slachtpartijen kostten tijd, en toen Vespasianus en zijn groepje eindelijk het forum bereikten, was daar nog geen spoor van de aanvallers te bekennen. Honderden doodsbange inwoners probeerden zich te barricaderen in het tempelcomplex van de goddelijke Claudius, terwijl de zon al onderging boven de stad, die aan haar lot was overgelaten door haar godheid en stichter zelf.

Ze renden erlangs, naar de woning van de gouverneur. De wachtposten waren verdwenen, maar een natuurlijk ontzag voor het gebouw leek de gewone burgers erbij vandaan te houden, alsof ze zelfs op dit rampzalige moment hun plaats nog kenden.

Vespasianus rende de trappen op, smeet de deuren open en sloot ze weer zodra iedereen binnen was. Hij vergrendelde de deuren en wilde er nog een ijzeren staaf voor schuiven toen hij zijn fout besefte en de grendel terugschoof.

'Wat doe je nou?' vroeg Sabinus.

'Als we de deur barricaderen, weten ze zeker dat er iemand binnen is. Als we de deur openlaten, dan... misschien wel, misschien niet.'

'Goed gezien, lief,' zei Caenis, 'maar als er nog iemand anders binnenkomt en de deuren vergrendelt?'

'Dan moeten we maar bidden dat die mensen gevonden worden, en niet wij.' Vespasianus liep snel het atrium door. 'De latrines zijn op de binnenplaats aan de achterkant. Laten we hopen dat het riool ruim genoeg is voor een mens.'

'En voor een hond,' zei Magnus, met een blik naar Castor en Pollux, die geen idee hadden wat ze te wachten stond.

In het schemerlicht liepen ze snel de binnenplaats over, begeleid door een oorverdovende herrie vanuit de geplunderde stad. Het gejammer en gekerm, de sfeer van dood en verderf, bereikte nu zo'n angstwekkend hoogtepunt dat Vespasianus er liever zijn oren voor sloot. Romeinse burgers werden aangevallen en gedood, en dat was dat. Hij kon er eenvoudig niets aan doen – nog niet.

De latrines lagen in de tuin, links achterin, in de richting van de rivier, wat een gunstig teken leek. Want hoewel ze er allemaal regelmatig gebruik van hadden gemaakt, had niemand zich ooit afgevraagd hoe en waar de afvoer liep. Maar een afvoer was er wel, want in tegenstelling tot zoveel andere latrines stonken ze niet. Toen ze naar binnen stapten, hoorden ze duidelijk het geluid van stromend water onder de twee lange banken, die haaks tegen elkaar langs de twee buitenmuren stonden. In elk van de banken zaten zes ronde gaten, zodat twaalf mensen tegelijk prettig een plaatsje konden vinden in de verrassend grote en frisse ruimte. Nu ging het om niet meer dan vier personen en twee honden die er gebruik van wilden maken, maar op een heel andere manier dan de bedoeling was. Vespasianus en Magnus tilden een van de banken op.

Op hetzelfde moment klonk er een gil, waardoor Vespasianus de bank bijna met een klap liet vallen. 'Paelignus!' riep hij uit, met een blik in de goot eronder, waar hij de prefect gehurkt zag zitten, tot aan zijn enkels in het stromende water.

'Jullie!' Paelignus klonk verontwaardigd. 'Wat doen jullie hier? Dit is mijn schuilplaats.'

'We dachten dat je allang vertrokken was,' zei Magnus, en hij zette de bank opzij.

Vespasianus bukte zich en trok Paelignus aan zijn oor omhoog. 'Waarom ben je hier nog? Toch niet om de resultaten te zien van jouw slimme politiek van nietsdoen?'

Paelignus trok een grimas toen Vespasianus zijn oor nog verder omdraaide. Onwillekeurig ging zijn blik omlaag, naar de goot naast zich.

Vespasianus grijnsde toen hij die blik volgde en een kluis ontdekte in het halfdonker. 'O, dus dat is het! Je kon het goud niet meenemen, dus besloot je je hier maar te verbergen totdat de vijand weer vertrokken was. Nou, je kunt hier nog heel lang wachten, maar zonder je goud, want dat nemen wij voor je mee.'

Paelignus siste en zijn hand schoot omhoog. Een mes glinsterde.

Caenis slaakte een gil toen het mes naar Vespasianus' schouder ging. Sabinus en Magnus sprongen op Paelignus af, maar ze kwamen te laat. Castor en Pollux deden een uitval naar de prefect toen zijn arm omhoogkwam, en op het moment dat het mes zich in Vespasianus' vlees boorde, sleurden ze Paelignus weer de goot in. Wat volgde was een wirwar van hondenpoten en menselijke ledematen en een plons in het water, dat na wat diep gegrom, een paar krakende geluiden en een abrupt gesmoorde kreet, langzaam rood kleurde.

Vespasianus greep het heft van de dolk, briesend van pijn. Toen hij het lemmet bekeek, zag hij tot zijn opluchting dat de wond niet diep kon zijn. Door de snelle reactie van de honden had Paelignus niet de kans gekregen het mes nog verder in zijn schouder te rammen.

'Gaat het, lief?' vroeg Caenis, terwijl ze voorzichtig de omgeving van de wond betastte.

Met een snelle beweging rukte Vespasianus de dolk uit zijn schouder, liet hem vallen en drukte zijn hand tegen de wond. 'Het valt wel mee.' Hij keek weer in de goot, waar de honden bezig waren Paelignus te verscheuren. De hals van de man lag open. 'En dat is meer dan die moordzuchtige klootzak kan zeggen. De vuile verrader.'

'Dat probleem is dus opgelost,' zei Magnus bedachtzaam, en hij liet zich in de goot zakken.

'Wat zit er in die kluis?' vroeg Sabinus. 'Onze reiskosten?'

'Zo kun je het zien. Maar ik was bang dat we de honden misschien niet in de latrine zouden kunnen krijgen.' Hij bukte zich en sleurde de dieren aan hun halsbanden van het lichaam af. 'Ook dat probleem is opgelost.'

Vanuit het huis, aan de andere kant van de binnenplaats, klonk een zware klap, gevolgd door luide stemmen. Ze keken allemaal die kant op.

'Daar zijn ze,' zei Sabinus. 'Snel!'

Vespasianus, die zijn hand nog steeds om zijn schouder geklemd hield, volgde Magnus door de stinkende bakstenen goot. Caenis raapte

Paelignus' mes op, om het niet achter te laten als een aanwijzing, en stak het achter haar riem. Toen zwaaide ze haar benen over de rand en liet zich zakken. Sabinus tilde de bank op, zette hem schuin tegen de zijkant van de latrine en volgde haar. Met Paelignus' lichaam als opstapje reikte hij over de rand, greep de bank en schoof hem met wat wrikken op zijn plaats, net op het moment dat er Britannische stemmen in de tuin klonken, met het geluid van deuren die werden opengetrapt toen de krijgers naar nieuwe slachtoffers zochten.

In het schemerlicht van de latrine zag Vespasianus dat het riool haaks op de twee goten stond. Het was net hoog genoeg om er geknield doorheen te kunnen kruipen. Magnus wrong zich langs hem heen. 'Ik ga wel voorop met de honden. Het zal makkelijker gaan als ze mij kunnen volgen en u drieën achter ze aan komt om de terugweg te versperren.' Met die woorden bukte hij zich en verdween op zijn knieën door de buis. Na enige aandrang kwamen de honden achter hem aan. Caenis was de volgende. Haar maag protesteerde, maar ze onderdrukte de neiging om te kotsen. Vespasianus volgde haar, en Sabinus sloot de rij. Paelignus' kluis sleepte hij met zich mee.

Ze waren nog geen tien passen verder toen het geroep van de Iceni opeens aanzwol. Ze waren de latrine binnengekomen. Het licht van hun flakkerende toortsen viel door de twaalf gaten in de banken. Ze lachten en joelden toen ze ontdekten waar ze in terechtgekomen waren en even later verdwenen de twaalf vage lichtcirkels toen de mannen besloten deze moderne Romeinse uitvinding eens te proberen. Met een luid geplons deden ze hun behoefte, onder groot plezier. De ene drol na de andere kletterde neer op het lijk van de man die Vespasianus twee jaar van zijn leven had gekost.

Vespasianus keurde Paelignus geen gedachte meer waardig.

Ze kropen verder door het donker, met hun handen en knieën in de vuiligheid. Er kwam van alles los, met een stank die Vespasianus niet meer had meegemaakt sinds hij door het riool was gekropen om tot het Getae-fort van Sagadava in Moesia door te dringen, al die jaren geleden. Hij was toen nog een militaire tribuun, die opdracht had van Antonia om de Thracische opperpriester Rhoteces te gaan halen als getuige van Sejanus' verraad. Dit riool was geen driehonderd jaar oud en niet aangekoekt met de uitwerpselen van duizenden Getae-billen, maar toch was het geen prettige ervaring, ook al werkte deze stank wat minder verlammend. Maar wat de buis aan stank tekortkwam, maakte hij goed met zijn lengte. Er leek geen einde aan te komen, langs diverse kruispunten, waar smallere tunnels de fecaliën afvoerden uit de huizen van de rijken die zich een aansluiting op het systeem konden veroorloven.

Bloed sijpelde uit Vespasianus' schouder over zijn borst, omdat hij zijn hand niet tegen de wond kon drukken. Hij had beide handen nodig om te kruipen. Dus verbeet hij de pijn en prees zich gelukkig vergeleken bij de Romeinse burgers boven zijn hoofd, die het heel wat zwaarder hadden. Ze kropen glibberend verder, zonder een woord te zeggen, niet uit voorzichtigheid, maar omdat de omstandigheden ieder gesprek onmogelijk maakten. Zelfs Castor en Pollux hadden daar blijkbaar last van, want er kwam geen enkel geluid over hun slappe lippen terwijl ze grimmig voortsjokten.

Ten slotte werd de lucht wat frisser en maakten ze meer tempo toen het einde van de beproeving naderde. Na nog een paar passen hield Magnus halt. 'Ik kan de uitgang zien. Blijf hier, dan zal ik een kijkje nemen.' En hij kroop weer verder, met zijn honden achter zich aan.

Vespasianus wachtte in het donker, terwijl Caenis, voor hem uit, het gevecht met haar maag verloor en heftig begon te kotsen.

'Geweldig,' mompelde Sabinus achter hem.

'Alles veilig,' riep Magnus over zijn schouder.

'Het spijt me, lief,' zei Caenis, en ze kroop weer verder, door haar eigen braaksel heen.

Vespasianus probeerde een troostend antwoord te vinden, maar hij kon niets bedenken, omdat de zure stank van Caenis' maaginhoud en de strontlucht van het riool hem nu ook deden kokhalzen. Caenis had haast, en Vespasianus probeerde haar bij te houden. Achter zich hoorden ze Sabinus vloeken toen hij ook moest braken door de opeenhoping van stank.

Een plons voor hen uit waarschuwde Vespasianus waar het riool in uitmondde, en hij zette zich schrap voor een kille duik, die uiteindelijk een verlossing bleek. Hoewel de rivier hier allesbehalve schoon was, leek hij zo zuiver als bronwater, vergeleken bij waar ze vandaan kwamen. Vespasianus dook onder en genoot een paar seconden van de totale afwezigheid van stank. Toen hij weer bovenkwam, zag hij dat

Sabinus, die nu ook in het water lag, door Magnus werd geholpen met de kluis. Castor en Pollux zwommen om hen heen, terwijl Caenis nog watertrappelde, een klein eindje bij de uitloop vandaan.

'Dat gaat zo niet,' kreunde Magnus toen ze probeerden de kist uit het einde van de pijp te tillen, die in het cement van de kade was verankerd. 'De rivier is te diep hier, en we kunnen er niet mee zwemmen.'

'Dan laten we hem achter,' zei Sabinus. 'Misschien kunnen we ooit terugkomen om hem op te halen.'

'Alsof iemand van ons hier ooit nog terug wil komen.'

Sabinus schoof de kluis zo ver mogelijk terug in het riool. Vespasianus keek om zich heen, maar kon nergens een boot ontdekken die in de rivierhaven lag afgemeerd. Hij trappelde even, stak zijn armen omhoog en wist met zijn goede hand de rand van de kade te grijpen. Behoedzaam trok hij zich omhoog en keek of er misschien een boot op het droge lag.

Maar een snelle blik leerde hem dat er ook aan weerskanten van de rivier geen boten te vinden waren. Achter hen waren nog altijd de lugubere geluiden van de terreur te horen, en ook laaiden nu overal vlammen op. De krijgers, donkere silhouetten die in groepjes door de stad trokken, maakten jacht op steeds nieuwe slachtoffers, die zonder pardon werden gedood – onmiddellijk, of pas na een groepsverkrachting. Het viel Vespasianus op dat de vlammen niet altijd op één plaats bleven, en tot zijn afgrijzen besefte hij dat de Iceni nu hun gevangenen in brand staken en zich vrolijk maakten om hun gekronkel als ze probeerden zichzelf te doven. Niemand hoefde op genade te rekenen, zoals bleek toen Vespasianus een kind van hooguit vijf of zes jaar over de grond zag rollen, krijsend toen de vlammen langs zijn lichaam likten, gevoed door de pek waarmee hij was ingesmeerd. Het kind rolde verder en verder, recht op Vespasianus af, terwijl de vier kwelgeesten, met het zweet op hun met wervelende motieven versierde borst, hun slachtoffer achternaliepen en trapten als het niet snel genoeg rolde.

'Omlaag!' siste Vespasianus, en hij liet de rand van de kade los. Toen hij in het water terugviel, kreeg de kermende menselijke fakkel nog een laatste flinke trap en vloog over zijn hoofd. Vespasianus drukte zich zo dicht mogelijk tegen de kade, samen met Magnus en Sabinus, en draaide zich om naar Caenis, die vol ontzetting naar het brandende kind staarde dat op haar toe kwam. Haar gezicht werd een moment verlicht door de vlammen, voordat ze het gevaar besefte en onderdook.

Maar in die ene seconde had het gevaar haar al ontdekt.

Met kreten van triomf sprongen de vier stamleden in het water, waar Caenis was verdwenen en het lijk van het kind nu langzaam begon te zinken, spetterend en sissend. Vespasianus zette zich af, onder de rand van de kade vandaan, en landde op de schouders van de dichtstbijzijnde Brit. Met een hand om de keel van de man trok hij hem achterover, zodat het water in zijn mond en neus drong. Magnus en Sabinus hadden zich op twee anderen geworpen, links en rechts van hem. Het water begon te deinen door het geweld van de worstelende lichamen, terwijl Castor en Pollux er grommend en blaffend omheen zwommen, niet in staat om vriend en vijand van elkaar te onderscheiden.

Met een uiterste krachtsinspanning, half verstikt en vechtend tegen de pijn van zijn wond, trok Vespasianus zijn slachtoffer spartelend onder water, op hetzelfde moment dat Caenis vlak voor hem weer bovenkwam, met wijd open mond en ogen, happend naar lucht.

'Caenis!' schreeuwde Vespasianus, worstelend om de krijger onder water te houden.

Terwijl Caenis nog eens ademhaalde, werd ze naar beneden getrokken. Ze stak een hand uit naar Vespasianus, die in een wanhopige reflex probeerde haar te grijpen. Maar daardoor verloor hij zijn macht over de krijger. Hij moest zijn geliefde wel naar de diepte laten zinken om het gevecht met de man niet te verliezen. Caenis' aanvaller kwam boven, zette zich af, haalde adem en dook weer onder.

Vloekend hernieuwde Vespasianus zijn pogingen in het kolkende water.

Magnus en Sabinus worstelden nog met hun tegenstanders om vat te krijgen op hun glibberige huid, terwijl de Britten uit alle macht probeerden zich om te draaien naar het gevaar van achteren. Vespasianus duwde zijn man weer onder en verstevigde zijn greep op de keel van de krijger, die woest om zich heen schopte, zonder iets te raken. Wanhopig trachtte hij zich te bevrijden uit de dodelijke omarming van de Romein. Na een tijdje werd zijn verzet wat minder, en ten slotte verslapte hij. Vespasianus liet zijn slachtoffer los en zwom naar de plek waar hij Caenis voor het laatst gezien had. Onder zijn voeten voelde hij het water klotsen door het getrappel van het onderwatergevecht. Hij dook onder en greep het eerste wat hij tegenkwam: een bos haar. Met barstende longen zwom hij weer naar boven en sleurde het worstelende paar met zich mee. Ze waren nog altijd met elkaar in gevecht. Zodra hij bovenkwam, hapte Vespasianus moeizaam naar adem, terwijl het lichaam in zijn armen al de eerste stuiptrekkingen van de dood vertoonde. In blinde paniek trok Vespasianus het lijf omhoog en staarde in de dode ogen van een krijger die nog geen twintig jaar oud kon zijn. Caenis dook nu ook op, met een wilde uitdrukking op haar gezicht toen ze eindelijk weer lucht kreeg. Ze zoog haar longen vol, en nog eens, en opnieuw, totdat ze haar minnaar triomfantelijk aankeek en haar rechterhand opstak. 'Ik was bijna vergeten dat ik het had.'

Vespasianus slaakte een zucht van verlichting en liet de krijger los toen hij het mes zag. 'Eindelijk heeft Paelignus nut gehad.'

Caenis knikte instemmend, nog steeds happend naar lucht. 'Anders was ik verloren geweest.' Ze keek naar de jonge knul toen hij wegdreef en begon heftig te beven.

Vespasianus zei niets, maar trok haar tegen zich aan toen ze besefte dat ze voor het eerst een leven had genomen en zelf op het randje van de dood had gebalanceerd.

'Wij worden zeker niet omhelsd omdat we hebben afgerekend met die andere klootzakken?' siste Magnus, die zijn verdronken tegenstander nu ook aan de trage stroming van de rivier overliet.

'Jij had er gewoon plezier in.'

Sabinus keek hun kant op en zette zich af op het lichaam van zijn dode aanvaller. 'Ja, het was echt een feestje...' Hij liet zich in het water terugzakken.

Vespasianus liet Caenis weer los. 'Snel! We moeten hier weg. Met wat geluk vinden we verderop een boot.' Hij begon te zwemmen en trok zich aan de kademuur door het water, in de hoop dat er geen menselijke fakkels meer in de rivier zouden springen, met de macabere toeschouwers achter zich aan. Alleen de honden leken zich prettig te voelen in het water. Ze zwommen heen en weer naar hun vier baasjes, die voorzichtig probeerden weg te komen in de luwte van de kade.

Na zo'n vijftig passen ging het cement over in de oever zelf. De rivier was hier ook minder diep, zodat ze op hun tenen konden staan, behalve Caenis, die zich aan Sabinus vastklampte. Ze schoten nu sneller op, en al gauw hadden ze de angstige geluiden van het bloedbad achter zich gelaten en was het schijnsel van de menselijke fakkels nog slechts een vage gloed in de verte. Na ongeveer een mijl werd het doodstil om hen heen, en aardedonker. De maan ging schuil achter een dik wolkendek.

'Nu heb ik wel genoeg van die rivier,' zei Vespasianus, en hij klauterde de kant op.

'In elk geval stinken we niet meer een uur in de wind,' merkte Caenis op toen Sabinus haar uit het water hielp. 'Het spijt me dat jullie door mijn kots moesten kruipen.'

'Praat daar maar nooit meer over, lief, dan zal de herinnering wel vervagen.'

Caenis lachte, scheurde een reep van de onderkant van haar stola en gaf die aan Vespasianus. 'Bind die om je wond. Hoe gaat het nu?'

'Een stekende pijn, maar ik bloed bijna niet meer. De rivier was er goed voor, denk ik.'

Magnus was ook de oever op geklommen en wees stroomafwaarts. 'Er brandt een lichtje op de rivier.'

Vespasianus tuurde door het donker. Inderdaad, hij zag een lichtpuntje in de verte, op of vlak naast de rivier. 'Laten we maar gaan kijken. Hopelijk is het iemand met een boot. Wie het ook is, ik denk niet dat hij bij de opstand hoort, anders was hij wel bezig de stad te plunderen. Maar je weet het nooit.' Hij trok zijn zwaard en ging op weg naar het lichtje.

Dichterbij gekomen zag Vespasianus dat het een vuurtje was, nu half gedoofd. In het vage schijnsel waren twee gestalten te zien, in dekens gewikkeld en duidelijk in slaap. Vlakbij lag een boot aan een boom gebonden.

'We hebben geluk,' zei Sabinus, en hij sloop ernaartoe, met Magnus. Toen ze naderden, bewoog een van de mannen zich in zijn slaap. Sabinus en Magnus verstijfden, maar even later ademde de man weer regelmatig. Ze kwamen nog dichterbij, totdat Sabinus zijn zwaard tegen de keel van de slaper kon drukken. 'Wakker worden!'

De man deed langzaam zijn ogen open en schoot bijna overeind toen hij het wapen zag. Magnus hield de ander in bedwang toen hij wakker schrok.

'We hebben jullie boot nodig.'

Vespasianus stapte de lichtcirkel binnen. 'Laat maar, Sabinus. Ik ken hem wel.' Hij keek neer op de man. 'Hebben jullie Hormus nog gevonden, mijn vrijgelatene?'

'Jawel, heer. Ik was al op de terugweg naar Camulodunum met zijn antwoord, maar toen zag ik de rook en de vlammen, dus leek het me beter om tot de ochtend te wachten om te zien wat er gebeurde.'

'Geloof me, daar moet je nu niet zijn. En wat zei Hormus?'

De visser ging overeind zitten toen Sabinus zijn zwaard liet zakken. 'Dat weet ik niet.' Hij zocht in een zak die naast hem lag en haalde er een perkamentrol uit, die hij aan Vespasianus gaf.

Vespasianus hurkte bij het vuur, verbrak het zegel, rolde het papier uit en begon te lezen.

'Nou?' vroeg Sabinus ongeduldig.

'Het ziet er niet best uit.'

'Hoe bedoel je?'

Vespasianus keek de visser aan. 'Wanneer heeft Hormus dit geschreven?'

'Gistermiddag. Hij zei dat ik u het antwoord meteen moest brengen. We hadden geluk met de getijden, heen en terug.'

Vespasianus keek zijn broer aan. 'Heel slecht nieuws. Hormus heeft gehoord dat een boodschapper van Paulinus de garnizoenscommandant en de procurator heeft bericht dat het nog zeker twee dagen duurt voordat hij in Londinium kan zijn.'

'Dus dat is morgen, de dag dat we hoopten dat hij hier zou zijn. Waarom duurt het zo lang?'

'Dat weet ik niet, maar hij heeft nog minstens drie dagen nodig om hier te zijn.'

'Cerialis!'

'Ik weet het. Hij moet zich vanavond terugtrekken. Neem jij Caenis mee om naar Londinium te varen met die boot. Als Paulinus daar morgen aankomt, vertel hem dan wat hier is gebeurd, maar zonder beschuldigingen aan het adres van Decianus, want daar schieten we niets mee op.'

Sabinus keek geïrriteerd. 'Niet zo neerbuigend, jochie.'

'Het spijt me, maar ik weet hoe je bent.'

'Wat bedoel je, hoe ik ben?'

'Hé, hier hebben we niets aan,' kwam Caenis tussenbeide. 'We vertellen Paulinus gewoon de feiten, dan moet hij zelf maar beslissen wat hij doet.'

'Precies,' zei Vespasianus, opgelucht dat Caenis de dreigende ruzie suste.

'En de honden en ik?' vroeg Magnus. 'Wat doen wij?'

'Jullie gaan met mij mee.'

'Waarheen?'

'We gaan vanavond nog op zoek naar Cerialis om hem te waarschuwen dat hij er alleen voor staat en dat hij zich beter kan terugtrekken naar Londinium.'

'Maar hij zit ergens op de weg naar Lindum, aan de andere kant van Camulodunum, met de hele Iceni-stam tussen hem en ons in.'

'We maken een omweg via het westen en buigen dan naar het noorden af. Als we hem tegen de ochtend nog niet zijn tegengekomen, vrees ik dat zijn legioen de zonsondergang niet meer zal meemaken.'

HOOFDSTUK XIV

'Hoor je iets?' fluisterde Vespasianus, die net buiten de lichtcirkel van de brandende boerenhoeve bleef staan, luisterend naar de zachte geluiden van de nacht.

'Alleen de paarden,' mompelde Magnus, terwijl hij Castor en Pollux bij hun halsband hield. 'En het geknetter van het vuur, natuurlijk.'

Vespasianus spitste zijn oren, maar hij hoorde geen menselijke geluiden uit de richting van de bijna uitgebrande hoeve. Er steeg nog steeds rook op van de smeulende balken. Hier en daar waren nog flakkerende vlammetjes te zien, maar geen spoor van de Iceni in het schijnsel van het vuur. Toch moesten ze hier geweest zijn, want in de kleine, nog ongemoeide boomgaard, twintig passen verderop, stonden vijf of zes paardjes vastgebonden, van het soort waar de Britannische ruiters graag op reden. Hun zadels bevestigden de afkomst van de berijders, maar er was geen mens te zien. 'Ze liggen zeker te slapen.'

'Vermoeiend werk, zo'n bloedbad.'

Vespasianus keek naar de lichamen van de bewoners van het huis, met hun polsen vastgespijkerd tegen de stam van een eik. Een man, een vrouw en drie kleine kinderen. Hun hoofden waren afgehakt en naar de wonden in hun borst te oordelen was het hart uit hun lichaam gesneden. 'Ik zou graag hetzelfde doen met de klootzakken die dit op hun geweten hebben.'

'Een andere keer misschien. Laten we nu maar de paarden nemen en maken dat we wegkomen.' Magnus sloop gebukt naar voren met zijn honden.

Vespasianus volgde en trok zijn zwaard, met een vurig gebed dat niemand hen zou opmerken. Ze waren al vier uur onderweg, met een boog rond de zuidkant van Camulodunum. En al die tijd waren ze nog niemand tegengekomen in de nacht. Ze begonnen al te geloven dat de rebellen in de stad gebleven waren en dat ze misschien zonder probleem Cerialis zouden kunnen bereiken, toen ze op de brandende hoeve waren gestuit. Als ze de paarden niet hadden ontdekt, zouden ze er uit de buurt gebleven zijn, maar de kans op een snel transport woog op tegen het risico om een vijandelijke bende tegen het lijf te lopen.

De paarden reageerden nerveus op de nadering van Castor en Pollux. Ze hinnikten en snoven even. Magnus bleef staan en liet de honden los. 'Zit!' beval hij, en tot Vespasianus' verbazing gehoorzaamden de honden meteen. Magnus liep verder.

Vespasianus sloop langs de zittende honden en volgde Magnus naar de boomgaard. Haastig begonnen ze de paarden los te maken, die nog steeds schichtig waren, ook al zaten de honden nu op veilige afstand. Ze snoven en hinnikten weer, eerst zachtjes, toen luider. Het eerste dier dat door Magnus werd losgemaakt schopte en ging ervandoor, met dreunende hoeven.

'Juno's reet!' vloekte Magnus, terwijl hij in het halfdonker het tweede touw probeerde los te krijgen.

Vespasianus rukte aan zijn knoop met zijn vingers, schudde toen ongelovig zijn hoofd om zoveel stupiditeit, trok zijn mes en sneed het touw door.

Het gevluchte paard hinnikte weer, nog luider nu.

Magnus volgde Vespasianus' voorbeeld en gebruikte zijn mes.

Er klonk een diep gegrom en het volgende moment begonnen de honden luid te blaffen toen er iemand een kreet slaakte vanuit het donker.

Vespasianus vloekte, greep weer een touw en sneed het door. Toen het volgende, dat hij vasthield om het paard bij zich te houden, terwijl de andere twee op de vlucht sloegen. Blij dat het maar een klein paard was, zwaaide hij zijn been eroverheen en hees zich in het zadel op hetzelfde moment dat hij op vijftien passen afstand een stel gedaanten zag opdoemen, ergens uit de buurt van het smeulende huis, waar ze hadden liggen slapen in de warmte van hun beulswerk. Vespasianus schopte zijn paard in de flanken.

Magnus verjoeg het laatste paard met een klap op zijn kont, sprong toen op zijn eigen dier en stormde achter Vespasianus aan, met Castor en Pollux blaffend op zijn hielen.

Rechts van hem boorden een paar werpsperen zich in de grond, begeleid door woedende kreten.

Vespasianus boog zich zo ver mogelijk over de nek van zijn paard en reed als de duivel, sneller dan Magnus, die een minder goede ruiter was, maar vanwege de duisternis moest hij al snel vaart minderen toen ze het schijnsel van het brandende huis achter zich lieten. Nog steeds hoorden ze geschreeuw achter zich. Het verstomde niet, maar bleef constant en kwam zelfs geleidelijk dichterbij.

Ze werden achtervolgd.

Na nog een paar honderd passen keek Vespasianus haastig om. Magnus reed tien passen achter hem, met Castor en Pollux dravend aan zijn zij, bijna onzichtbaar in het donker. Nog verder weg waren de silhouetten te onderscheiden van minstens twee achtervolgers, die terrein wonnen. Hij keek weer voor zich, maar het was te gevaarlijk om er een schepje bovenop te doen zonder het risico om uit het zadel te worden gegooid. Maar als ze niet sneller gingen, zouden ze zeker worden ingehaald. En als ze Cerialis niet wisten te bereiken, betekende dat het doodvonnis voor het legioen. 'We moeten omkeren en terugvechten,' riep hij over zijn schouder naar Magnus. 'Anders nemen ze ons te grazen.' Hij hield in en keerde zijn paard, dat steigerde op de achterbenen. Magnus deed hetzelfde, wat minder zwierig, terwijl hun aanstormende achtervolgers geen twintig passen meer bij hen vandaan waren. Vespasianus trok zijn zwaard en stuurde zijn paard recht op de vijand af, terwijl hij het dier met de platte kant van zijn zwaard tegen zijn kont sloeg. De twee achtervolgers hielden nu ook in, geschrokken van de vastberadenheid van hun prooi. Opeens sprongen er twee donkere schaduwen op hen af, en voordat ze beseften wat er gebeurde, werden ze uit het zadel gesleurd. Luid grommend kwamen Castor en Pollux boven op hun slachtoffers terecht en begonnen hen te verscheuren. De Britten gilden en kermden in doodsangst toen ze werden verslonden door die twee onbekende wezens van de nacht. Wanhopig probeerden ze zich te verweren tegen deze monsters, die zomaar uit het niets waren opgedoken.

Vespasianus en Magnus keken toe terwijl de twee mannen levend aan stukken werden gescheurd – een gruwelijke dood misschien, maar precies wat ze verdienden. Al gauw kwam er een eind aan de worsteling en lagen de slachtoffers roerloos.

'Braaf!' riep Magnus met oprechte genegenheid voor zijn beesten toen hij afsteeg en ze bij hun feestmaal wegsleurde. 'Maar we hebben nu geen tijd voor een lekker hapje.' Hij kriebelde de honden onder hun bebloede bek en sprong weer in het zadel toen hij rennende voetstappen hoorde naderen. Nog meer achtervolgers.

Ze stormden weer de nacht in, zo snel als ze durfden. Pas na een kwart mijl, toen ze hun achtervolgers hadden afgeschud, gingen ze over in draf, nog altijd naar het noorden.

Zonder zich om de vermoeidheid van de paarden te bekommeren reden Vespasianus en Magnus door, en al snel zagen ze de verre gloed van Camulodunum, rechts van hen, naar het oosten.

'We zijn nu op gelijke hoogte met de stad,' zei Vespasianus. 'Als we nog een mijl of zo rechtdoor rijden en dan naar het noordoosten afbuigen, komen we op de weg naar Lindum en hebben we nog ongeveer een uurtje duisternis over om de Negende te vinden.'

'Nou, ik hoop dat ze iets fatsoenlijks te eten hebben. We hebben al sinds gisteren niets meer gegeten en dat is niet gezond op mijn leeftijd. Ik voel me steeds slapper worden.'

Vespasianus zei er niets over. Hij had ook last van honger, maar door erover te praten zou het alleen maar erger worden. Zwijgend reden ze verder.

In de verte werd de gloed van de stad steeds sterker, ook al reden ze er nu vandaan. 'Ze hebben zeker de rest in brand gestoken,' merkte Vespasianus na een tijdje op. 'Anders zou het niet meer zo oplaaien, elf uur later.'

'We hadden daar nooit moeten blijven,' zei Magnus. 'Dat was bijna zelfmoord.'

'Ja, voor heel veel mensen wel. Maar als ze waren gevlucht, hadden ze nog veel minder kans gehad, in het open veld. De Trinovantes in de stad zelf, die van binnenuit de muren sloopten, hebben de balans laten doorslaan.'

'Welnee. Het was gewoon de enorme overmacht van de Iceni. Er zijn een paar legioenen voor nodig om ze tegen te houden.'

'En die komen er wel, als ze elkaar eindelijk hebben gevonden.'

Magnus bromde wat en onthield zich verder van commentaar. De twee mannen zwegen, verdiept in hun gedachten, tot het geluid van de paardenhoeven op steen hun even later vertelde dat ze de weg hadden bereikt.

En opeens hoorden ze nog iets anders, een vaag maar onmiskenbaar geluid dat door de vroege ochtend zweefde. Vespasianus hield zijn hoofd schuin en fronste. 'Wat is dat?'

Ze brachten hun vermoeide paarden tot staan en luisterden.

Het was een soort gedruis, niet van levenloze objecten, maar menselijk van oorsprong – het geroezemoes van stemmen, duizenden, nee tienduizenden mannenstemmen. Het leger van de Iceni was weer onderweg.

'Ze rukken op langs de weg naar Lindum, om Cerialis te verrassen!' zei Vespasianus, die onmiddellijk besefte wat Boudicca van plan was. 'Als ze één Romeins legioen tegelijk uitschakelt, zijn we er geweest. We hebben geen seconde te verliezen.' Hij spoorde zijn dodelijk vermoeide paard nog eens aan en ze gingen ervandoor, met minder moeite nu, over de verharde weg en met de opkomende zon in het oosten.

Achter hen, in het zuiden, konden ze een grote donkere schaduw onderscheiden, die zich uitstrekte aan weerskanten van de weg. Ze stormden naar het noorden, in de hoop dat Cerialis zich al had teruggetrokken. Lang duurde het niet, want na een halve mijl zagen ze nog zo'n schaduw, recht voor hen uit.

Vespasianus hoefde zich niet lang af te vragen wat het was. 'Cerialis, idioot! Je marcheert je eigen ondergang tegemoet.'

Maar Cerialis wist niet dat hij de vernietiging van het legioen tegemoet ging – niet omdat hij op de klassieke Romeinse manier marcheerde, zonder verkenners, maar omdat de verkenners die hij had uitgestuurd nog niet terug waren. Vespasianus en Magnus kwamen niemand tegen toen ze zo snel mogelijk de weg af reden in de richtig van de Negende Hispana.

'Waar zijn de verkenners?' vroeg Vespasianus zich hardop af toen de voorste cohort van het legioen in het eerste ochtendlicht zichtbaar werd. De twee mannen verlieten de weg en passeerden de voorhoede, langs rijen en rijen Romeinse soldaten. Ze hadden al twee cohorten achter zich gelaten toen ze het commando bereikten. Vijftig passen van hen vandaan zagen ze Cerialis trots op zijn paard zitten, met de adelaar van het legioen voor zich uit en zijn cavalerie-escorte achter zich aan. De eerste stralen van de opkomende zon weerkaatsten in hun helmen. 'Cerialis! Cerialis!' riep Vespasianus, en hij galoppeerde op de legaat af.

Cerialis keek zijn kant op maar herkende zijn schoonvader niet in het vage licht, met een ongeschoren kop en verfomfaaide kleren. De legaat blafte een bevel naar een decurio en stuurde de man met vier anderen uit zijn escorte naar Vespasianus en Magnus toe. Het groepje maakte zich los uit de cavalerie en reed naar de twee nieuwkomers.

'We zijn Romeinen. Romeinen!' brulde Vespasianus, terwijl hij zijn paard inhield en zijn armen spreidde om te laten zien dat hij niet gewapend was.

Magnus gromde een bevel naar zijn honden om ze in bedwang te houden.

'Romeinen!' herhaalde Vespasianus, toen de decurio en zijn mannen naderbij kwamen. 'Mutilus,' riep hij toen. Hij had de officier herkend als de man die hem ten zuiden van Lindum had geëscorteerd. 'Ik ben het, senator Vespasianus. Ik moet de legaat onmiddellijk spreken.'

Mutilus keek hem vorsend aan, voordat hij hem herkende. 'Natuurlijk, heer. Komt u maar mee.' De decurio keerde zijn paard en reed voor hen uit naar Cerialis.

'Vader!' riep de legaat verbaasd uit toen hij Vespasianus en Magnus zag naderen. 'Wat doet u hier?'

'Nee, Cerialis. Wat doe jíj hier? Dat is de vraag.'

'Ik kom Camulodunum ontzetten.'

'Camulodunum is gisteravond al gevallen. Hebben je verkenners je dat niet gemeld?'

'Ze zeiden dat het belegerd werd, dus dacht ik met een snelle actie, net als Corbulo, de Britten vanochtend te verrassen, zodat we ze gezamenlijk konden verpletteren.'

Vespasianus kon die onzin niet geloven. 'Maar je zou je aansluiten bij Paulinus, en...' begon hij tegen zijn schoonzoon. Toen zweeg hij. Het was tijdverspilling om Cerialis uit te leggen wat hij wél had moeten doen. 'Maak je verdediging gereed, Cerialis. Om je vechtend terug te trekken naar het kamp.'

'Hoezo?'

'Omdat...'

Maar Vespasianus hoefde niets meer te zeggen. Op hetzelfde moment gebeurden er twee dingen. De zon kwam boven de horizon uit, de hemel lichtte op en de Iceni kregen de Negende Hispana in de gaten. Die twee factoren veroorzaakten het meest angstwekkende gebrul dat de mannen van het legioen ooit hadden gehoord. Op hetzelfde ogenblik beseften de soldaten dat de vijand alle goden van Britannia aanriep, smekend om de allerlaatste druppel van hun Romeinse bloed.

'Een hol vierkant is onze enige kans, Cerialis,' drong Vespasianus aan. 'Daarna moeten we ons stap voor stap een weg terugvechten naar jullie kamp.'

De paniek in Cerialis' ogen was duidelijk. 'Maar hebben we de tijd nog voor een formatie?'

'Dat zullen we wel merken. Als je nu niet het bevel geeft, zijn we allemaal ten dode opgeschreven.'

Cerialis slikte en boog zijn hoofd. '*Cornicen!* Legioen, hol vierkant!'

De blazer zette het mondstuk van zijn G-vormige hoorn aan de lippen en produceerde vier diepe tonen, allemaal op dezelfde toonhoogte, en herhaalde dat nog een keer. Door het hele legioen heen namen andere hoornblazers het signaal naar de cohorten en centuriën over. De discipline van het Romeinse leger bewees zijn nut. Iedere centurio, optio en vaandeldrager kende zijn plaats bij dit signaal, dat alleen werd gegeven als het legioen in groot gevaar verkeerde. Hoewel niemand dit nog ooit in een werkelijke oorlogssituatie had meegemaakt, reageerden ze onmiddellijk volgens hun grondige leerschool. De troepen kregen luidkeels hun orders om hun juiste positie binnen de formatie in te nemen. Het legioen veranderde van een colonne in een defensief vierkant, waarbij de eenheden naar links en rechts uitwaaierden, terwijl de eerste en tweede cohort een front vormden in de richting van het gevaar.

Maar ondanks die efficiënte operatie zag Vespasianus dat ze maar heel weinig tijd hadden. Tegenover de Negende Hispana waren de Iceni al doldriest in de aanval gegaan. De paarden voor de strijdwagens gingen in galop en de krijgers renden mee, zonder veel overleg, maar vast van plan om als eersten het legioen te treffen terwijl het nog bezig was zich op te stellen – een dodelijk scenario.

En daar kwamen ze, terwijl de officieren van het legioen bevelen brulden om hun mannen tot meer haast en zorgvuldigheid aan te zetten, in het besef dat een hol vierkant met een bres erin niets anders was dan een colonne met rechte hoeken, en net zo kwetsbaar.

'Dit ziet er niet goed uit,' zei Magnus. De eerste cohort had nog geen front, en de ruimte met de vierde cohort, die zich naar het westen moest richten, was veel te groot.

Opnieuw voelde Vespasianus zich misselijk worden, net als die avond, zoveel jaar geleden, toen zijn Tweede Augusta bijna halverwege een formatie was verrast.

Die nacht had hij het nog net gered, maar dat ging vanochtend niet gebeuren, zoals steeds duidelijker werd.

De Romeinse hoorns schetterden, meer dan vijfduizend paar spijkersandalen dreunden over het terrein, wapens rinkelden en centuriones schreeuwden hun kelen schor, maar alle rumoer werd overstemd door het gebrul van de Iceni, die het bloed van de Romeinse legionairs al konden ruiken.

Met hun koningin in hun midden sneed de voorhoede van tientallen strijdwagens zigzaggend door het half geformeerde front van de eerste cohort, terwijl de krijgers de ene speer na de andere door de gaten in het vierkant wierpen. Soldaten die hun schild nog niet in positie hadden werden geraakt en tegen de grond gesmeten, waar ze lastige obstakels vormden voor hun kameraden achter hen, wat de hele Romeinse operatie nog verder vertraagde. Een paar centuriën waren voldoende georganiseerd om te reageren met een salvo van pila. De zware punten boorden zich wreed in man en beest, waardoor er heel wat slachtoffers vielen, die struikelend over het gras gleden, dat nog nat was van de dauw.

Toen ze geen werpsperen meer hadden, sprongen de overgebleven wagenstrijders, de trotse elite van de stam, van hun strijdwagens en gingen in de aanval achter hun zeshoekige schilden, prachtig versierd met dierenmotieven. Ze hakten om zich heen met hun lange zwaarden, zonder zich om hun eigen veiligheid te bekommeren, en sloegen een diepe bres in de eerste cohort. Meestal was dit geen strijd van schild tegen schild. De individuele Britannische krijgers zouden het altijd verliezen tegen de collectieve tactiek van het legioen. Maar deze keer was er geen massieve muur van hout waar de krijgers zich op stukliepen. Deze keer was er geen sprake van een collectieve tactiek. De Iceni stortten zich door de gaten in de linies die ze met hun eigen werpsperen hadden opengescheurd, zodat het nu een gevecht werd van man tegen man, terwijl achter hen hun broeders te voet de wankelende cohort al hadden bereikt.

Met hun strijdkreten naar de goden, de haat in hun ogen, de vreemde motieven op hun borst en hun haren stijf van de kalk, bood de elite van de Iceni een beangstigende aanblik. Bovendien torenden ze boven de mannen van de eerste cohort uit. Vanuit de hoogte brachten de krijgers hun lange zwaarden omlaag of zwaaiden ze in een grote boog om zich heen, ver buiten het bereik van de korte gladius van hun tegenstanders.

Het vlijmscherpe ijzer beet zich door de wanordelijke Romeinse linies heen. Bijna vertraagd, alsof de tijd het liet afweten, vloog het eerste afgehouwen hoofd door de lucht, in een fontein van bloed, op hetzelfde moment dat de eerste afgehakte rechterarm, met het zwaard nog in de hand, in de modder belandde. En opeens leek de tijd weer te versnellen. Het geweld ging alle voorstelling te boven, en het waren de Iceni die de strijd bepaalden toen ze in de aanval gingen tegen mannen die gewend waren schouder aan schouder te vechten maar daar nu niet de kans voor kregen. Als bezetenen sloegen de Britannische krijgers om zich heen, links en rechts, hun zwaarden voortdurend in beweging, hun opmars gekleurd in stromend bloed. Ze drongen hun tegenstanders terug of sloegen hen neer toen de hoofdmacht van hun infanterie zich steeds verder door de eerste en tweede Romeinse cohort ploegde en diepe voren trok, sporen van bloed, totdat al het leven uit de legionairs wegsijpelde en ze niet langer als eenheid konden functioneren.

'Ze houden geen stand,' riep Vespasianus naar Cerialis toen het vaandel van de eerste cohort onderging in de chaos van het bloedbad. 'Als je nu ingrijpt, heb je nog een kans om je in veiligheid te brengen met de achterste zes cohorten. Als de Britten zonder enige discipline blijven inhakken op die arme sloebers van de voorste vier cohorten, kan de achterhoede misschien ontsnappen.'

'Er is nog hoop, vader. Ik heb de vijfde en zevende cohort bevolen zich achter de eerste en tweede op te stellen om het gat te dichten.'

'Als ze in gevecht raken, kun je ze niet meer terugtrekken en verlies je nog eens duizend man.'

'Niet als we ze hier tegenhouden en de formatie tot stand kunnen brengen. Dan trekken we ons vechtend terug.'

Vespasianus priemde met een vinger naar de Iceni die een omtrekkende beweging hadden gemaakt langs de flanken van de Romeinse opstelling en de aanval hadden ingezet op de vierde en derde cohort, die respectievelijk naar het westen en het oosten stonden gekeerd. Ook die formaties wankelden. 'Kijk dan! Maak jezelf toch niets wijs, Cerialis.

Het beste waarop we nu kunnen hopen is nog een deel van het legioen te redden, terwijl de rest wordt opgeofferd.'

'De vijfde en zevende cohort houden wel stand.'

Vespasianus slikte een venijnig antwoord in en keek toe terwijl de twee cohorten zich probeerden op te stellen achter de twee afbrokkelende formaties voor hen. In rijen renden ze naar voren en namen in een golfbeweging hun posities in, de vijfde in een hoek van negentig graden tegen de rug van de vierde, de zevende tegen de derde. Maar veiligheid vraagt zelfvertrouwen, en dat was ver te zoeken. De dood raasde door het legioen, en iedere soldaat voelde zijn kille adem. Ze keken zenuwachtig om zich heen, in plaats van voor zich uit. Absolute stilte in de linies maakte plaats voor nerveus gemompel over de situatie. Veteranen werd naar hun mening gevraagd en antwoordden dat ze wel voor hetere vuren hadden gestaan, maar het klonk niet overtuigend. Centuriones keken over hun schouder, speurend naar boodschappers met orders om aan de terugtocht te beginnen. Maar die orders kwamen niet.

En toen braken de dijken. De eerste en tweede cohort hielden geen stand meer. De verliezen waren te groot en de rest van de mannen sloeg op de vlucht. Ze kwamen in botsing met hun broeders achter hen, en er ontstonden paden om hen door te laten, zodat de frissere cohorten niet werden meegesleurd in de paniek. Door die paden renden de vluchtelingen, op de hielen gezeten door hun kwelgeesten. De vijand drong zo snel op dat de paden niet meer op tijd gesloten konden worden, zodat de Iceni – met hetzelfde bloeddorstige gemak waarmee Decianus' mannen zich aan de dochters van hun koningin hadden vergrepen – nu ook de cohorten penetreerden die hen hadden moeten tegenhouden. Steeds dieper groeven ze zich in de Romeinse gelederen in, zonder hun wapens een moment rust te gunnen. Bloed spoot uit de gapende wonden die ze hun tegenstanders toebrachten, terwijl er nog meer Britten oprukten, in steeds grotere aantallen. De paden verbreedden zich toen de randen werden weggehakt en Romeinen werden vertrapt in het slijm van hun eigen bloed, fecaliën en urine. Alle samenhang verdween, en het duurde niet lang voordat de eerste krijgers zich dwars door de linie hadden gewerkt en aan de andere kant weer tevoorschijn kwamen.

In een paar minuten werden de negenhonderdzestig man van de vijfde en zevende cohort gedood of neergeslagen, verminkt en voor dood achtergelaten. De Iceni bevonden zich nu volledig binnen het holle vierkant, en hetzelfde lot wachtte de rest van het legioen. Links en rechts zagen de krijgers niets anders dan de ruggen van de legionairs, en die aanblik maakte hen nog bloeddorstiger. Toen de achterste rijen legionairs zich begonnen om te draaien, zonder orders, werden ze al overvallen met zo'n doeltreffende, vernietigende kracht dat er nauwelijks tegenstand meer kwam.

En hun koningin vocht mee, stoer en onverzettelijk op haar strijdwagen, haar armen hoog geheven, met in haar handen een bebloede speer, die glinsterde in de zon. Ze werd geflankeerd door haar dochters, te voet, gewapend met lange messen en geëscorteerd door Myrddin en tien of twaalf druïden van zijn orde. Ze verbreidden een sfeer van angst, een kille angst waarmee Vespasianus al eerder had kennisgemaakt. Hoewel hij er driehonderd passen vandaan stond, trok hij instinctief zijn paard terug, net als Magnus, Cerialis en de hele Romeinse cavalerie achter hen. De dochters trokken met hun moeder op, zoekend tussen de lichamen. En als ze legionairs vonden die gewond waren maar nog bij bewustzijn, sneden de druïden hun het pantser van het lijf, terwijl de mannen tevergeefs om genade riepen. Met een verzengende haat in hun ogen en begeleid door het gezang van de druïden sneden de meisjes het nog kloppende hart uit de lichamen van mannen die in hun laatste seconden werden overvallen door de afschuwelijke angst voor de macht van Myrddin en de gruwel om te worden opengesneden en een hand in hun borstholte te voelen die hun hart wegrukte. Het laatste wat ze zagen voordat hun ogen braken, was hun eigen bloed dat in hun gezicht droop toen dat kostbare orgaan werd uitgeknepen.

Het was voorbij. De achterste vier cohorten, die nog aan het gevecht moesten beginnen, konden de slachting onder hun broeders niet langer aanzien en sidderden onder de langzame maar gestage opmars van Myrddin en zijn druïden, over wie zoveel verhalen gingen, die zich allemaal in hun bijgelovige brein hadden vastgezet. Zonder nog acht te slaan op de mantra die hun vanaf de eerste dag van hun leerschool als knapen van zestien of zeventien was ingepeperd – dat kracht alleen te vinden is in solidariteit – draaiden ze zich om en sloegen op de vlucht. Ze wierpen hun schilden en pila weg, zonder nog enig ander doel dan zichzelf in veiligheid te brengen, een kans die door hun eigen stupiditeit nu wel verkeken was. Hun officieren stonden machteloos. Dreigementen, smeekbeden of een beroep op hun gevoel van loyaliteit en trots... het was allemaal zinloos. In plaats van de vernedering om de veerman tegen te komen met een wond in hun rug, kozen veel centuriones, optiones, vaandeldragers en veteranen ervoor zich op de vijand te storten die verderop bezig was hun kameraden uit te moorden.

'Wegwezen hier!' riep Vespasianus, en hij keerde zijn paard.

'Ik dacht dat u nooit op dat idee zou komen,' antwoordde Magnus, die hem volgde, met zijn honden aan zijn zij.

'Maar mijn legioen!' riep Cerialis, met een wanhopige blik naar zijn schoonvader.

'Dat is verloren, Cerialis. Je kunt kiezen: mijn dochter achterlaten als een zwangere weduwe of met je cavalerie terugrijden naar je kamp om daar zo veel mogelijk overlevenden te verzamelen.'

'En mijn reputatie dan?'

'Die ligt in duigen. Daar zullen we ons wel druk om maken als we dit allemaal overleven. Ga nu!'

'En waar gaat u heen?'

'Naar Londinium. We moeten Paulinus bericht sturen om hem te waarschuwen dat de Negende zich niet bij hem zal aansluiten, omdat de Negende niet meer bestaat.'

HOOFDSTUK XV

In Londinium gonsde het van de geruchten toen Vespasianus en Magnus daar arriveerden in het tweede uur van de avond. Maar die geruchten gingen enkel over de opstand en de plundering van Camulodunum. De vernietiging van een van de vier vechtmachines van Rome in deze provincie was nog niet doorgedrongen. Niemand zou het zich ook kunnen voorstellen. Toen ze met hun paarden en Castor en Pollux door de drukke straten liepen, vol vluchtelingen, hoorden ze de verhalen over de verwoesting van de provinciehoofdstad, maar ook hoopvolle berichten, omdat Paulinus vlak voor de schemering was aangekomen. Zijn leger bivakkeerde nu een kwart mijl ten noorden van de stad. Maar niemand zei iets over de Negende. Geen wonder, want Vespasianus en Magnus hadden zo snel gereden als ze konden en waren het nieuws vooruit gebleven.

Ze waren in galop vertrokken terwijl de Iceni nog bezig waren de vluchtende restanten van het legioen in te halen en af te slachten. Ze hadden een route dwars door het land gekozen en halverwege de ochtend de weg van Camulodunum naar Londinium bereikt. Na een paar mijl hadden ze twee verse paarden gevonden bij een militaire tussenpost en de bevelvoerende optio geadviseerd zijn acht mannen naar Londinium terug te trekken en de bewoners van alle boerenhoeven onderweg te waarschuwen om hetzelfde te doen. Vespasianus en Magnus hadden daar zelf geen tijd voor, omdat Boudicca misschien haar blik naar het zuidwesten zou richten en nog diezelfde morgen op weg zou gaan, terwijl de lijken van de Negende nog warm waren. In twee snelle dagmarsen zou ze de avond van de volgende dag al in Londinium kunnen zijn, en tegen die tijd moest Paulinus een plan van actie hebben, gebaseerd op feiten. Vespasianus wist als geen ander dat een goed besluit niet mogelijk is voordat alle relevante informatie beschikbaar is – en dat er dan nog genoeg tijd over moet blijven om een plan op te stellen.

Eindelijk bereikten ze de gehuurde villa aan de rivier. Hormus deed open en keek duidelijk opgelucht. 'Heer, ik maakte me al zorgen, met al die geruchten over Camulodunum op het forum.'

'Hebben Sabinus en Caenis je niet gezegd dat wij het hadden overleefd, Hormus?'

Hormus was zichtbaar verbaasd. 'Hoe bedoelt u, heer?'

'Sabinus en Caenis. Zijn die niet hier?'

'Nee, heer.'

'We hebben gisteravond rond middernacht afscheid van ze genomen,' merkte Magnus op. 'Nog geen vierentwintig uur geleden. Misschien hebben ze problemen met die getijden die hier kennelijk zo belangrijk zijn.'

Vespasianus dacht even na. 'Dat zou kunnen. De visser rekende twee tot drie dagen om heen en terug te varen. Het werden twee dagen omdat het tij gunstig was. Dan moet ik maar in mijn eentje naar Paulinus. Ik neem aan dat hij zijn intrek heeft genomen bij Decianus.'

'Ja, heer. Hij is daar meteen naartoe gegaan voor een bespreking met zijn tribunen, de twee prefecten van de hulpcohorten in de stad en een paar hoge figuren. Ze zitten nu te vergaderen, denk ik.'

'Mooi zo. Pak maar wat spullen voor me in en vraag de twee meisjes van Caenis om hetzelfde te doen, want hoe het ook afloopt, morgen vertrekken we.'

Tot de hoge figuren behoorde natuurlijk ook procurator Catus Decianus, die net de vergadering toesprak toen Vespasianus zich langs de wachtpost wrong die hem de toegang tot de audiëntiezaal probeerde te ontzeggen. Hij bleef in het halfdonker staan, buiten de lichtcirkel van de vier lampen die in een vierkant rond het midden van de ruimte stonden, om Decianus' versie van de gebeurtenissen aan te horen.

'Dus dat zijn de motieven voor deze schandalige opstand. Maar ik kan de gouverneur en de burgers van deze stad verzekeren dat Boudicca en haar bende geen enkele bedreiging vormen voor Londinium.' De procurator sloeg een plechtstatige toon aan, die nogal contrasteerde met zijn verwijfde kapsel en de zwellingen en blauwe plekken op zijn gezicht.

'En waarom bent u daar zo zeker van, procurator?' informeerde gouverneur Suetonius Paulinus, die op een sella curulis aan het eind van de kamer zat. Hij was een magere man met een schraal, verweerd gezicht en een halve krans grijs haar rond zijn glimmende schedel – in alle opzichten het tegendeel van de mollige procurator. Zijn afkeer van de man bleek wel uit de scherpe toon waarop hij diens officiële titel uitsprak.

'Het is een wanordelijke bende wilden. Als de geruchten kloppen en ze Camulodunum hebben ingenomen – wat ik sterk betwijfel – zullen ze de stad wel plunderen en dan op de vlucht slaan, zoals al die Britannische stammen, zodra ze horen dat er een Romeins legioen hun kant op komt.'

'En dat is uw professionele, militaire analyse, procurator? Denkt u echt dat alle stammen van deze oorlogszuchtige wilden op de vlucht slaan zodra ze een legioen zien? Als dat zo is, waarom vechten we dan nog tegen ze? Waarom ben ik dan net zes maanden bezig geweest om de druïden op Mona te onderwerpen, en de stammen daar op het vasteland, zonder ooit te merken dat ze op de vlucht slaan? Mag ik weten, procurator, bij welk legioen u hebt gediend bij de invasie van dit woeste eiland? Waar haalt u die kennis over de weerstand van de Britannische stammen vandaan?'

'De gouverneur weet heel goed dat ik niet het voorrecht heb gehad om bij een legioen te dienen. Vanwege mijn gezondheid.'

'Uw gezondheid! Sinds wanneer zijn slappe knieën een ziekte? Ga maar weer zitten, Decianus, en hou je mond totdat er een onderwerp aan de orde komt waar je iets van afweet, zoals hebzucht.'

'Maar ik ben procurator. Mijn mening telt.'

'Ons probleem, heren,' verklaarde Paulinus, zonder acht te slaan op Decianus' protesten, 'is mankracht. Zoals u weet, ben ik hier gekomen met de Veertiende en een vendel van drie cohorten van de Twintigste, plus vier hulpcohorten. Rekening houdend met de verliezen van onze vorige campagne is onze sterkte teruggelopen van omstreeks negenenhalfduizend tot nauwelijks achtduizend man.' Hij knikte naar de twee prefecten van de hulpcohorten die in Londinium waren gelegerd. 'Met uw mannen erbij komen we nog altijd niet aan tienduizend. En dan is er nog iets. Wat u niet weet, is dat de Tweede Augusta, die hier tegelijk met ons had moeten arriveren, nog moet vertrekken vanuit zijn basis bij Isca.'

Er klonken kreten van ongeloof.

Vespasianus voelde zich beroerd. Het nieuws dat hij kwam brengen leek nu nog twee keer zo gruwelijk.

'De legaat en zijn onderbevelhebber zijn naar Rome teruggeroepen en hun vervangers moeten nog komen, dus heeft Poenius Postumus, de kampprefect, tijdelijk het commando. Hij heeft mijn orders in de wind geslagen, ik weet niet waarom, en aan speculeren hebben we niets. Daar komen we wel achter tijdens zijn proces, als dit achter de rug is. Wat hebben we dus? Die bijna tienduizend man van ons, plus de twee extra hulpcohorten die ons zijn toegezegd door Cogidubnus van de verenigde stammen van de Regni en de Atrebates. Morgen zullen ze de brug oversteken, hiernaartoe. En dan is er nog de Negende Hispana van Cerialis, met zijn hulptroepen. Dat maakt een totaal van zo'n zestien- tot zeventienduizend man – voldoende om de Iceni tegen te houden voordat ze Londinium kunnen bereiken.'

'Ik vrees dat het anders ligt, gouverneur Paulinus,' zei Vespasianus, en hij stapte uit het halfdonker naar voren.

'Dat is een van de mannen over wie ik het had!' piepte Decianus. Aan de verbazing op zijn gezicht te zien had hij gedacht dat Vespasianus dood moest zijn. 'Senator Vespasianus.'

'Ik weet wie hij is, idioot. Hij is senator, iemand uit mijn eigen klasse. Maar jij beweerde toch dat hij dood was?'

'Hij heeft u niet voorgelogen, gouverneur,' zei Vespasianus, die in het midden van de kamer bleef staan en met een beschuldigende vinger naar Decianus wees. 'Hij dacht echt dat ik dood was, omdat hij mij en mijn metgezellen had vastgebonden en uitgeleverd aan de genade van de Iceni. En omdat hij zojuist hun goud had gestolen en hun koningin, de vrouw van een Romeins burger en dus zelf ook een Romeinse, had laten geselen en zijn mannen – al zijn mannen – de vrijheid had gegeven om zich op welke manier dan ook te vergrijpen aan haar drie ongetrouwde dochters, leek ik ten dode opgeschreven. Helaas voor Decianus heeft de koningin van de Iceni, anders dan hij, wel enig besef van eer en fatsoen. Dus heeft ze ons laten gaan, omdat ze besefte dat wij niets met die schanddaad te maken hadden maar juist hadden geprobeerd deze crimineel van zijn brute waanzin te weerhouden en de opstand te voorkomen die er het gevolg van is. Zij vroeg ons de ware reden te vertellen waarom zij in actie is gekomen. Dat heb ik nu gedaan, tegenover talloze getuigen.' Dit zakelijke verslag van de feiten was te veel voor Vespasianus' toch al gespannen zenuwen, en in zijn emotie draaide hij zich om en diende de procurator een rechtse hoek toe.

Decianus draaide half om zijn as, wankelde verbijsterd achteruit en zakte in elkaar. Zijn kaak zou niet gebroken zijn als hij die dichtgehouden had, maar hij had net zijn mond geopend om zich te verdedigen tegen Vespasianus' ware woorden.

'Neem me niet kwalijk, gouverneur,' zei Vespasianus. Hij keek neer op Decianus, die zachtjes kreunde, 'maar het zijn een paar ellendige dagen geweest, met onvoorstelbaar veel doden, en dat alles dankzij die etterbak daar.'

'Een excuus is niet nodig, Vespasianus. Ik geloof dat we allemaal behoefte hadden aan die vuistslag, behalve Decianus, uiteraard.'

Dat commentaar brak de spanning in de zaal, toen iedereen moest lachen.

'Ik ben blij u te verwelkomen uit de dood. Wat voor nieuws hebt u dat een streep zet door mijn berekeningen?'

Vespasianus keek de gouverneur recht aan. 'Ik ben bang dat er geen makkelijke manier is om dit te zeggen, gouverneur, maar het Negende Legioen is vanochtend vernietigd.'

Vespasianus besloot zijn verslag van de gebeurtenissen van de afgelopen dagen, als gevolg van Decianus' dwaze optreden. Er viel een stilte in de zaal, en de mannen staarden grimmig voor zich uit.

'Alle goden,' fluisterde Paulinus ten slotte. 'Een heel legioen, vanochtend, en gisteren nog eens twintigduizend mensen in Camulodunum! Boudicca weet dat zij en haar volk nu niet meer op genade kunnen rekenen. Ze hebben niets meer te verliezen, dus kunnen ze, in afwachting van hun onvermijdelijke straf, de meest verschrikkelijke misdaden begaan, in het kwadraat. Wat doen we nu?'

'We houden ze tegen, uiteraard,' zei Vespasianus, die meteen spijt had van die uitspraak.

'Natuurlijk houden we ze tegen, senator!' snauwde Paulinus. 'Niet zo neerbuigend.'

'Neem me niet kwalijk, gouverneur. Ik ben moe, en ik sprak voor mijn beurt.'

Paulinus wuifde het excuus weg. 'Laat maar. De vraag is hoe we ze kunnen tegenhouden met misschien maar een tiende van hun overmacht?'

'Mogelijk krijgen we nog versterking, gouverneur. Ik heb bericht gestuurd aan de gouverneurs van Belgica en Germania Inferior, met het verzoek om zo snel mogelijk troepen te sturen.'

'U hebt niet de bevoegdheid om deze provincie te mobiliseren en onze buren te waarschuwen, senator. Nu gaat u echt te ver.'

Vespasianus haalde zijn schouders op. 'Iemand moest het doen. Anders zouden we het hele zuiden hebben verloren voordat we wisten wat er aan de hand was. Onze vriend hier zou helemaal niets hebben gedaan.' Hij wees naar de grond maar zag dat Decianus inmiddels was weggekropen, zonder dat iemand het zag.

'U hebt gelijk, natuurlijk, en mijn dank daarvoor. Maar nu neem ik de verantwoordelijkheid weer van u over.'

'Dat spreekt vanzelf, gouverneur.'

Paulinus staarde hem een paar seconden aan. Toen hij overtuigd was van zijn eigen gezag, sprak hij de rest van zijn officieren toe. 'Dus wat doen we, heren? Wij hebben tienduizend man, tegenover een Britannisch leger van minstens honderdduizend krijgers, dat – als we geluk hebben – over twee dagen hier voor de poorten staat. De kans is groter dat ze hier morgenmiddag al opduiken als Boudicca zo verstandig is om snel op te rukken. En dat zal ze wel zijn, als we bedenken hoe bliksemsnel ze Cerialis naar de strot is gevlogen. Hoe moeten we Londinium nu verdedigen, en – nog belangrijker – de brug? En hoe kunnen we uiteindelijk deze opstand de kop indrukken?'

Er viel een stilte toen iedereen in de zaal zich afvroeg hoe het onmogelijke kon worden bereikt.

Paulinus trommelde ongeduldig met zijn vingers op de leuning van zijn stoel. 'Vooruit, heren! Iémand van u heeft toch wel een zinnig advies?'

Nog altijd niets.

Vespasianus schraapte zijn keel.

Paulinus keek hem aan. 'Zeg het maar, senator. Ik heb niets aan de leden van mijn staf, zo te horen, dus misschien hebt u nog een suggestie.'

'Dat lukt niet.'

'Wat lukt niet?'

'U kunt Londinium en de brug niet verdedigen én de opstand de kop indrukken met zo weinig mensen. Een van de twee is mogelijk.'

Paulinus wreef over zijn kin. 'Tot die conclusie was ik zelf ook al gekomen. Ik hoopte alleen dat iemand nog een andere oplossing had. We kunnen onze troepen in de stad samentrekken om die te verdedigen. Als we nu beginnen, kunnen we morgenmiddag een legermacht hebben staan van tienduizend man, die in staat moet zijn de stad te beschermen. Na een paar mislukte aanvallen zullen de Iceni wel verder trekken en kunnen wij hier blijven tot er hulp komt. Maar tegen die tijd kan Boudicca de hele provincie tot rebellie hebben aangezet. Venutius en Cartimandua in het noorden kunnen hun geschillen bijleggen en zich bij haar aansluiten. De Silures in het westen kunnen het garnizoen van de Twintigste, dat ik moest achterlaten, overmeesteren. De Tweede Augusta zou klem zitten in het zuidwesten en waarschijnlijk worden vernietigd. Onze enige redding zijn dan nog de schepen om ons te evacueren.' Zijn blik gleed over zijn officieren. 'Als wij zo in Rome terugkeren, heren, denk ik dat de keizer ons zal vragen ons in het zwaard te storten – en dan komen we er nog genadig van af.'

Zijn mannen mompelden instemmend, met hoeveel tegenzin ook.

'Dus moet ik doen wat goede generaals altijd doen tegenover een overmacht. Dat feit gewoon negeren, zoals Alexander deed bij Issus en Leonidas bij Thermopylae. Ik moet Boudicca zodanig confronteren dat ze de verleiding niet kan weerstaan om het gevecht aan te gaan, gezien de verhoudingen. Maar dan wel op mijn voorwaarden en op mijn terrein. Ik geloof dat ik de juiste plek wel weet, ongeveer vijftig mijl ten noorden van hier, voorbij de stad Verulamium. Heel geschikt voor ons. Caninius, stuur een boodschap naar het kamp dat het legioen zich gereedmaakt om te vertrekken zodra ik daar terugkom, halverwege de ochtend.'

'Jawel, gouverneur,' zei Caninius, de militaire tribuun met brede streep, die als Paulinus' tweede man optrad. 'En Londinium?'

'Zodra Cogidubnus en zijn hulptroepen de brug zijn overgestoken, breken we een deel daarvan af, zodat de Britten er niet meer overheen kunnen en op de noordoever moeten blijven. Daarna laten we de stad aan haar lot over. Wie het tempo van een legioen kan bijhouden, mag zich bij ons aansluiten, maar de rest... Het spijt me, maar ik kan niet op kinderen en weerlozen wachten als we op tijd onze plek willen bereiken om die furie en haar leger te treffen. In alle vroegte zullen we de burgers waarschuwen, de brug onklaar maken en naar het noorden oprukken. Boudicca kan het spoor van de achterblijvers volgen.'

'Wat doen we als Sabinus en Caenis nog niet zijn gearriveerd tegen de tijd dat Paulinus op weg gaat?' vroeg Magnus aan Vespasianus toen ze vroeg in de ochtend op de brug stonden en stroomafwaarts tuurden naar de bocht in de rivier, voorbij de haven van Londinium. Aan de verlaten kade werd een eenzame trireem geladen.

'Dan wachten we. Ze moeten hier vanmiddag toch aankomen, niet later.'

Magnus gaf een ruk aan de riemen van de honden, die – met de gedachte aan een ontbijt – een klein kind wilden bespringen. 'Boudicca kan hier ook vanmiddag zijn, niet eerder. Ziet u de overeenkomst?'

Vespasianus hield zijn hand boven zijn ogen toen de zon opkwam. 'Wat? Vanmiddag, bedoel je?'

'Ja, precies. Want straks zitten we opgescheept met honderdduizend harige wilden en hun nieuwe liefhebberij om Romeinen het hart uit hun lijf te snijden.'

Vespasianus wees langs de rivier. 'Wat is dat?'

Magnus tuurde fronsend naar het troebele bruine water. 'Een rivier.'

'Heel goed. En wat drijft er op een rivier?'

Magnus speelde het spelletje grijnzend mee. 'Vogels, drijfhout, boten.'

'Precies. En waarop varen Sabinus en Caenis hiernaartoe? Ik zal je een aanwijzing geven: niet op een eend.'

Magnus deed alsof hij nadacht, terwijl Pollux een drol van indrukwekkende proporties op de houten steiger deponeerde, die door Castor grondig en van dichtbij werd geïnspecteerd. 'Dus wij springen gewoon bij Sabinus en Caenis aan boord en varen weer terug naar het noorden totdat we veilig aan land kunnen gaan om ons bij Paulinus aan te sluiten.'

'Zo is het.'

'En stel dat de Britten Londinium al plunderen voordat hun boot hier is. Kunnen we ze dan netjes uitleggen dat wij op een boot staan te wachten die elk moment kan komen? Of ze dus iemand anders een kopje kleiner willen maken?'

'Dat zou je kunnen proberen, als ze je konden horen.'
'Wat?'
Vespasianus verhief zijn stem. 'Ik zei, dat kun je proberen, als...'
'Nee, ik bedoel... wat bedoelt u?'
'O. Ik bedoel, als ze je kunnen horen vanaf de andere kant van de brug, als die voor de helft door Paulinus is gesloopt.'
Magnus keek naar het zuiden over de brug. 'Aha. Ik ben nog niet zo helder, vanochtend.' Terwijl hij het zei, reed er een paard de brug op, met een forsgebouwde man in het uniform van een prefect van de hulptroepen. Hij werd gevolgd door lange rijen manschappen in maliënkolders en met ovale schilden aan de arm. 'Daar heb je onze koninklijke vriend.'
'Wat?' Vespasianus maakte zijn blik los van de rivier. 'Cogidubnus! Ik wist wel dat hij trouw zou blijven.'
De Britannische koning stak met opgeheven hoofd de brug over de Tamesis over, zijn lange snorrenbaard wapperend in de bries vanaf de rivier. Hij had twee cohorten meegenomen van elk achthonderd man. Centuriones blaften een bevel en de hele compagnie wisselde van stap, zodat de houten brug niet uit zijn balken zou trillen.
'Vespasianus en Magnus, goede vrienden!' zei Cogidubnus toen hij naderbij kwam. Een grote grijns gleed over zijn ronde, blozende gezicht. 'Maar liever had ik jullie in prettiger omstandigheden teruggezien.'
'Ik jou ook, beste kerel,' zei Vespasianus, en hij stak een arm omhoog om de hem toegestoken zwaargespierde onderarm te grijpen. Achter de koning reden zijn mannen voorbij, Britten in Romeins uniform. 'Wat zal er met jullie volk gebeuren als dit verkeerd afloopt voor Rome?'
'Wij hebben geen behoefte om terug te gaan naar de tijd waarin wij altijd oorlog voerden onder elkaar. Dat is slecht voor de handel, en de Regni en de Atrebates worden steeds betere kooplui, mag ik wel zeggen.'
'Werkelijk?'
'Laat ik het zo stellen. Als Rome blijft, dan zullen alle landerijen en mijnen die ik en ook anderen van Pallas hebben teruggekocht voor minder dan de helft van wat hij ervoor betaald had meer dan twee keer zoveel waard zijn als wat wij ervoor hebben neergeteld. Dan hebben we in maar drie maanden tijd ons geld verdubbeld en stelt de lening die de

gebroeders Cloelius vorige maand van mij hebben teruggevorderd niets meer voor.'

'Dus Pallas heeft je zijn investeringen terugverkocht! Toen Agrippina stierf, wilde hij mij naar jou toe sturen om daarover te onderhandelen. Blij dat hij dat niet gedaan heeft, moet ik zeggen.'

'Hij had er misschien meer aan overgehouden als jij de onderhandelingen had gedaan in plaats van Paelignus.'

'Julius Paelignus?'

'Ja. Een akelige kleine gluiperd. Ken je hem?'

'Inderdaad. De laatste keer dat ik hem zag, lag hij onder in een latrine met opengereten keel, terwijl hij werd ondergescheten door twaalf kerels van Boudicca.'

'Het is hem gegund. Ik ben blij dat de Iceni nog iets nuttigs hebben gedaan tussen al dat moorden door.'

'Maar waarom werkte Paelignus voor Pallas?'

Cogidubnus haalde zijn schouders op. 'Geen idee, maar reken erop dat hij commissie kreeg. Dat merkte ik wel aan zijn vastberaden onderhandelingen en zijn bittere teleurstelling toen ik niet hoger wilde gaan dan één punt negen tienden van wat Pallas had betaald.'

'Dat verklaart die kluis die hij met zich mee wilde nemen,' merkte Magnus op.

'Ja,' beaamde Vespasianus. 'En ik denk dat het goedkoper was voor Pallas om iemand in te huren die al ter plaatse was, zelfs als hij dan een lager percentage overhield, dan om iemand zoals ik naar Britannia te sturen, maar toch...'

'Prefect!' werd hij overstemd door gouverneur Paulinus, die de brug op kwam met een lijfwacht van een stuk of tien legionairs, die hem beschermden tegen een groep wanhopige burgers, die zich smekend en jammerend de haren uit het hoofd trokken. Paulinus deed alsof ze niet bestonden. 'Hartelijk welkom. Uw mannen zijn dringend nodig.'

Cogidubnus salueerde. 'De verenigde stammen van de Regni en de Atrebates zullen altijd trouw aan Rome zijn, gouverneur.'

'Het doet me genoegen dat te horen. Ik wil uw mannen vragen de brug te ontmantelen, zodra ze eroverheen zijn. Het hoeft niet netjes te gebeuren, maar wel effectief. Probeer het karwei zo goed mogelijk te klaren, tot aan het zesde uur, en volg ons dan over de weg naar het noorden. Dan blijft u Boudicca minstens vier uur voor. Rijd ook 's nachts door, totdat u ons hebt ingehaald. Wij blijven op de weg. Ik zou graag...' Paulinus zweeg abrupt en staarde naar de haven. De trireem had zich van de kant losgemaakt en roeide de rivier op. 'Wat krijgen we nou? Dat is het laatste schip. Het had niet mogen vertrekken totdat al mijn berichten aan boord waren, met verzoeken aan de keizer en de Senaat om hulp.' Hij wreef zich over zijn voorhoofd. 'En de brieven aan mijn vrouw en mijn zoons. Hoe weten ze dan of... Wie heeft die order gegeven?'

Maar het antwoord op die vraag was duidelijk. Op de achtersteven, omkijkend naar de brug, stond een gezette man in een riddertoga. Hij had een verband om zijn gezicht dat zijn kaak op zijn plaats hield. Procurator Decianus stak een hand op als afscheidsgroet aan Paulinus en de chaos die hij zelf had veroorzaakt.

'Ik vreet zijn lever op!' snauwde Paulinus.

Aan het gezicht van de gouverneur te zien meende hij dat serieus, dacht Vespasianus.

'Gouverneur! Gouverneur! Laat ons niet in de steek!'

De wanhoopskreten van de burgers aan zijn adres drongen eindelijk tot Paulinus door, en hij draaide zich naar hen toe om zijn woede op hen te koelen. 'Ik heb het jullie al gezegd. We kunnen niet Londinium verdedigen én Boudicca verslaan. En als we Boudicca niet verslaan, zal Londinium toch wel vallen. Het is dus logisch om de stad nu al te laten vallen.'

'En naar het noorden op te rukken om Verulamium te redden?'

'Ik zal de burgers van Verulamium dezelfde keus geven als ik jullie heb voorgelegd.'

'Maar onze handel, ons bezit, onze vrouwen en kinderen!' werd er van alle kanten geroepen. De emoties laaiden hoog op en het geschreeuw werd luider, maar de pragmatische gouverneur was niet onder de indruk.

'Kom dan met ons mee, of steek de brug over voordat hij onklaar is gemaakt. Of blijf hier en verdedig jezelf. Het kan mij niet schelen, maar doe iets, en laat mij met rust.' Hij draaide zich weer om naar Cogidubnus toen de laatste troepen de brug waren overgestoken. 'Haal hem maar neer.'

Cogidubnus wees naar een paar centuriën die al bezig waren hun bepantsering uit te trekken, midden op de brug. 'De order is gegeven.'

'Mooi zo. Dan zie ik u vanavond laat.' Paulinus knikte voldaan en keek vragend naar Vespasianus. 'Gaat u mee, senator?'

'Nee, gouverneur, nog niet. Ik moet hier wachten op mijn broer en mijn... eh... Antonia Caenis. Ze zijn per boot onderweg. We zullen u zo snel mogelijk volgen.'

'Veel succes, Vespasianus. Mogen de goden van uw familie hun beschermende hand over u uitstrekken.'

'Dank u, gouverneur. Insgelijks.'

Paulinus knikte kort en draaide zich om. Zijn lijfwachten ploegden zich door de menigte heen, duwden mensen weg of werkten hen tegen de grond, om ruim baan te maken voor de gouverneur, die ongehinderd doorliep, alsof hij alleen op de wereld was.

'Ik zou maar oversteken,' opperde Cogidubnus toen de eerste planken uit het midden van de brug werden gesloopt.

Vespasianus zag Hormus naderen door de drukte, behangen met uitrusting en gevolgd door de twee slavinnetjes van Caenis en de rest van de slaven, die ook van alles meezeulden. 'Ik tref je wel weer op de weg naar het noorden, vriend.'

'Ik hoop het. Het is een tijd geleden dat we samen onze zwaarden hebben getrokken.'

Ze grepen elkaars onderarm, en toen ook Magnus afscheid had genomen, staken ze de brug over, samen met verrassend weinig vluchtelingen, om op Sabinus en Caenis te wachten. Biddend dat ze voor Boudicca zouden arriveren.

Hoewel de goden in het verleden regelmatig Vespasianus' gebeden hadden verhoord, leken ze nu doof. Toen Cogidubnus al een paar uur geleden was vertrokken, nadat hij de brug over een afstand van vijftig passen had gesloopt en vier van de zware pijlers uit de rivierbedding had getrokken, verschenen de eerste branden al ten noordoosten van de stad. Al gauw was het gejammer van de slachtoffers te horen en breidde het vuur zich uit. Vespasianus zat met Magnus en zijn honden op de zuidoever van de Tamesis en verbaasde zich over het dwaze besluit van de achterblijvers, die hun eigen doodvonnis hadden getekend.

'Ze zouden toch niets meer hebben als al hun bezit was verwoest,' zei Magnus toen Vespasianus hem vertelde dat Hormus van een vluchteling had gehoord dat meer dan dertigduizend mensen hadden besloten zich aan Boudicca's genade uit te leveren of zich te verstoppen totdat de storm was uitgewoed.

'Maar dan hadden ze in elk geval hun leven nog,' vond Vespasianus, die nog altijd de omvang niet kon bevatten van de massamoord die op het punt stond te beginnen.

'Wat heb je daaraan als je geen eten en geen kleren meer hebt, ook niet voor je vrouw en kinderen? Als je niets meer bezit in deze hele wereld en ook geen kansen meer hebt? Mensen uit uw klasse zijn gewoon niet in staat die realiteit te begrijpen. Niets is letterlijk níéts, en dan wordt de toekomst wel erg troosteloos.'

Daar dacht Vespasianus een tijdje over na, terwijl de mensen op de andere oever, die liever de dood onder ogen zagen dan een bestaan van bittere armoede, in groten getale het leven lieten, te oordelen naar de vreselijke geluiden die over de rivier zweefden. En even later verschenen ze, bij honderden, rennend naar de brug – om tot de ontdekking te komen dat die werkelijk onklaar was gemaakt en dat het geen wrede grap was. Steeds meer mensen doken op langs de oevers, over een breed front van een halve mijl aan weerskanten van de nutteloze brug, terwijl achter hen het vuur snel om zich heen greep en een dikke grijze rook over de stad neerdaalde, als een deken die de goden over Londinium hadden gespreid om niet te hoeven zien wat zich beneden afspeelde. Want het was afschuwelijk wat daar gebeurde, zag Vespasianus, toen de Iceni bij honderden door de straten trokken, de huizen langs de oever binnendrongen en duizenden inwoners in een hoek dreven tussen hen en de rivier, zodat het bloedbad nu pas echt kon beginnen.

Genadeloos gingen ze tekeer, en het water van de Tamesis kleurde rood.

Bij duizenden werden de burgers van Londinium door de Iceni afgeslacht, zonder onderscheid tussen leeftijd of sekse. Ze vonden zelfs nieuwe methoden uit voor hun moordpartij, omdat het anders te saai werd. Vespasianus keek met macabere nieuwsgierigheid toe terwijl ze kinderen tegen de staanders van de brug spijkerden, oude mannen aan de balken ophingen, vrouwen de borsten afsneden voordat ze langs de oever aan palen werden gestoken. Ze vermoordden mensen door hen open te snijden of te steken, dood te knuppelen, uiteen te rukken, te wurgen, te geselen, aan stukken te hakken, het hart uit hun lijf te snijden of te onthoofden, in een orgie van geweld die zelfs de meest fanatieke liefhebber van het gladiatorengevecht in het Circus zich nooit had kunnen voorstellen.

De schaarse inwoners die konden zwemmen wisten zich te redden door in de rivier te springen. Anderen die niet konden zwemmen probeerden het toch en verdronken, want het was bijna vloed. Toch gaven veel mensen de voorkeur aan deze dood, hoewel het de meesten aan de kracht ontbrak om hun eigen leven te nemen, zodat ze kermend de dood vonden door de wraakzuchtige zwaarden van de Iceni. De stapels hoofden en bloedende harten groeiden aan, de branden breidden zich nog verder uit, en steeds meer slachtoffers werden uit hun schuilplaatsen naar de rivier gedreven, de enige plek die nog veilig was voor het vuur. Want Boudicca had de hele stad nu omsingeld met het grootste deel van haar horden, zodat niemand nog langs een andere weg zou kunnen ontkomen. Maar de dood wachtte hun ook aan de oever van de rivier, net zo onontkoombaar als in de kelders onder het inferno. Vespasianus en zijn metgezellen volgden de gruwelen langs de noordoever – een eeuwigheid, zoals het leek. In een grimmig stilzwijgen waren ze niet in staat hun blik los te maken van de slachtpartij toen de krijgers van de Iceni zichzelf rood verfden met het bloed van de Romeinse burgers van Londinium. Over een lengte van een hele mijl langs de rivier gingen die rode monsters tekeer en doodden wie ze maar op hun weg tegenkwamen, in het besef dat ze ooit gestraft zouden worden voor wat ze hadden gedaan, want Rome zou deze wandaden nooit kunnen vergeven. Dus begingen ze steeds zwaardere misdrijven, bijna spectaculair in hun gruwzaamheid. Tegen de tijd dat de vier transportschepen, roeiend op volle kracht, rond de bocht van de rivier verschenen, had Vespasianus meer doden in één dag gezien dan in de rest van zijn leven bij elkaar. Hij staarde een paar seconden naar de schepen, zonder te beseffen wat ze waren of wat ze kwamen doen, zo werd hij in beslag genomen door de beelden en geluiden van de wrede moordpartij.

'Daar komt de cavalerie,' zei hij ten slotte.

'Wat?' vroeg Magnus vaag, niet in staat zijn ogen los te maken van een gillend naakt meisje dat steeds dieper en dieper over de scherp gepunte paal tussen haar benen zakte.

Vespasianus herhaalde zijn woorden.

Magnus wendde zijn hoofd af toen het meisje haar strijd tegen de zwaartekracht verloor. 'Ja, dat is zo. Wat doen die hier?'

'Begrijp je het niet? Dit moet de voorhoede zijn van de versterkingen vanaf het vasteland. Vijf dagen geleden heb ik bericht aan Germania Inferior en Belgica gestuurd. Twee dagen om daar aan te komen, een dag om te reageren en twee dagen voor de troepen om ons te bereiken. Kom mee.' Vespasianus vertrok met stevige pas naar het oosten, in de richting van de schepen, die koers zetten naar de zuidoever nu de bemanning de situatie in Londinium overzag.

Ze liepen een halve mijl tot de schepen geen honderd passen meer bij hen vandaan waren. Toen riepen ze de bemanning toe over het water, dat zelfs hier nog de onmiskenbare kleur van bloed vertoonde. Ze maakten zich bekend als Romeinse burgers, maar ze hoefden niet te benadrukken wie ze waren, want iemand had hen al herkend. Het voorste schip kwam hun kant uit, zag Vespasianus, en op de boeg stond Caenis, tussen Sabinus en een andere man, in het uniform van een militaire tribuun. Zijn helm glinsterde prachtig, met de rode kam van paardenhaar.

Toen de riemen werden ingetrokken en het schip langzaam stil kwam te liggen, een halve scheepslengte van de oever, zette de tribuun zijn helm af.

'Dag vader,' zei Titus.

HOOFDSTUK XVI

'Scribonius Rufus, de gouverneur van Germania Inferior, heeft me toestemming gegeven om met een halve ala Bataafse cavalerie hiernaartoe te komen,' verklaarde Titus toen hij Vespasianus aan boord hielp. In het midden van het schip waren de luiken weggehaald boven het ruim, dat vol stond met paarden. De ruiters hadden zich langs de reling aan stuurboord opgesteld en tuurden naar de brandende stad. 'Die gunst heeft hij me alleen verleend omdat ik uw zoon ben. En hij heeft een brief aan de keizer gestuurd met het verzoek om nog meer troepen te sturen. Maar natuurlijk duurt het minstens twee weken voordat hij antwoord kan verwachten.'

'Tegen die tijd kan de provincie wel verloren zijn en de laatste Romein afgeslacht,' merkte Vespasianus op, toen hij aan dek stapte. Hij wees naar het bloedbad stroomopwaarts. 'Kijk zelf maar.'

'Ik weet het. Gisteren waren we in Camulodunum. Er was niemand meer in leven en geen enkel huis stond nog overeind. De tempel van Claudius was bestormd en de mensen die zich daar hadden verschanst zijn allemaal over de kling gejaagd.'

Vespasianus omhelsde zijn zoon.

Caenis kuste Vespasianus toen hij Titus had verwelkomd. 'Titus heeft ons een paar mijl voor Londinium ingehaald. Gisterochtend en vanochtend hadden we de grootste moeite om tegen het tij in te varen.'

Vespasianus beantwoordde haar kus. 'Ik ben zo blij om je veilig terug te zien, lief.'

'Waarom ben je niet bij Cerialis?' vroeg Sabinus, krabbend aan zijn stoppelbaard, terwijl Magnus erop toezag hoe Castor en Pollux aan boord werden gehesen. Er waren genoeg bereidwillige handen om

Caenis' meisjes aan dek te helpen, alleen Hormus moest zichzelf maar redden.

'Omdat zijn legioen gisterochtend is vernietigd.'

'Vernietigd?'

'Het grootste deel, behalve de cavalerie. Cerialis is met ze teruggereden naar zijn kamp en Magnus en ik zijn hiernaartoe gekomen om Paulinus te waarschuwen. Maar er was nauwelijks tijd om nog iets te doen, want Boudicca rukt razendsnel op. Paulinus moest Londinium opgeven en zich naar het noorden terugtrekken om haar in een veldslag te lokken op een terrein waar haar numerieke overmacht niet zo'n groot voordeel is. Als we ons bij hem willen aansluiten, moet dat over de rivier, want anders komen we de rebellen tegen, tussen ons en Paulinus in. Ik had een kleine vissersboot willen nemen om aan de zuidkant onder de brug door te glippen in plaats van midden door de bres te varen.'

Ze keken allemaal naar de doorgang in de brug, waar de vier pijlers waren weggehaald. Het was net breed genoeg voor een schip, maar boven hun hoofd, op het noordelijke deel van de brug, wemelde het van de Iceni, die elk passerend schip met wapens en vuur konden bestrijden.

'Hm,' zei Titus. 'Dat vereist overleg en stuurmanskunst, Jorik!' riep hij.

Een decurio van de hulptroepen, nog jeugdig voor zijn rang, stapte naar voren en salueerde. 'Uw orders, tribuun?' Hij sprak Latijn met een accent dat Vespasianus nog herkende van zijn laatste contacten met de Bataven, bijna twintig jaar geleden.

'Laat de mannen alle emmers met water vullen en dekens of lappen over de paarden gooien om ze te beschermen. Geef het door aan de turmae op de andere drie schepen.'

Jorik salueerde en verdween.

Titus keek nog eens naar de doorgang. 'Goed, ik bespreek het met onze trierarchus.'

De komst van de vier Romeinse schepen was niet onopgemerkt gebleven. Zelfs de meest bloeddorstige Iceni hadden een moment opgekeken van hun moordpartij. Toen de schepen de doorgang naderden, op het ritme van de schrille fluittonen van de slagmeester, verscheen een groot aantal van de met bloed beschilderde monsters op de brug, zich bewust van de kans die zich hier voordeed als de schepen zo dwaas zouden zijn zich door de opening te wagen.

'Ramsnelheid!' riep de trierarchus vanaf zijn plek tussen de stuurriemen.

De roeiers gingen over in het hoogste tempo, dat niet langer dan een paar honderd slagen kon worden volgehouden.

Achter elkaar stormden de vier schepen op de doorgang af, met een onderlinge afstand van honderd passen. Aan dek knielden de vierenzestig soldaten van de twee turmae die elk schip aan boord had. Ze gingen schuil achter hun schilden, met een werpspeer in hun rechterhand en extra speren achter hun schild.

De eerste pijlen vanaf de brug boorden zich trillend in de boeg, gevolgd door een suizende steen uit een slinger, die met een klap de romp raakte. Aan de wal ging het bloedbad gewoon door. Groepjes slachtoffers werden nu bijeengedreven. De meesten ondergingen hun lot gelaten en wachtten met doffe ogen op het onvermijdelijke einde toen de krijgers systematisch en in koelen bloede hun slachting voortzetten. Achter hen brandde de stad. Dikke rookwolken stegen op naar de donkere, verzadigde hemel.

De schepen voeren verder, onder een steeds zwaardere beschieting. Projectielen knalden tegen het dek en de opgeheven schilden. Helmen rinkelden als ze werden getroffen. De paarden bewogen zich nerveus en onrustig in het ruim.

Vijftig passen nog, toen veertig, en dertig. Werpsperen regenden omlaag. Een paard steigerde en gilde toen het door een scherpe pijl in zijn flank getroffen werd. Er brak paniek uit onder de andere dieren.

Nog twintig passen.

'Nu!' brulde Titus.

De soldaten sprongen overeind en wierpen in één vloeiende beweging hun speren naar de brug. En nog eens, onmiddellijk daarna. Een groot aantal van de tientallen projectielen trof doel. Mannen werden achteruitgeworpen of stortten jammerend in de rivier.

Tien passen nog.

'Riemen terug!' bulderde de trierarchus.

Alle zestig riemen werden met ongelofelijke precisie ingehaald, en het schip gleed de doorgang in, terwijl brandende projectielen en verminkte lichamen van de doden op het dek vielen.

Vespasianus hurkte zonder schild in de luwte van de mast, met zijn armen beschermend om Caenis heen geslagen. Een paar roekeloze Iceni sprongen van de brug op het schip, maar werden gedood nog voordat ze hun evenwicht hadden hervonden. Vijf of zes soldaten renden rond met emmers om de vlammen te doven voordat er brand uitbrak. Een van de mannen ging neer met een werpspeer in zijn oog. Bloed en hersenresten spatten uit de achterkant van zijn helm. Er klonk een kreet toen een ander werd verpletterd onder het dode gewicht van een onthoofd lichaam. Van alle kanten werden er brandende stukken hout naar het schip gesmeten, en ongeveer op hoofdhoogte hadden een paar pijlers van de brug al vlam gevat.

Weer werd er geschoten vanaf de brug. Twee soldaten werden door pijlen aan het dek vastgenageld. Maar toen, opeens, was het afgelopen. De Iceni hadden hun aandacht naar het volgende schip verlegd.

Vespasianus liet Caenis weer los. 'Alles goed, lief?'

Ze keek om zich heen en toen over haar schouder naar de brug, terwijl de trierarchus bevel gaf om de riemen te strekken. 'Ja, niets aan de hand.'

'Jorik!' brulde Titus. 'Probeer de paarden tot rust te brengen en laat deze troep opruimen. Ik heb nog nooit zo'n smerig dek gezien. Wat stelt dat voor?'

De decurio salueerde grijnzend. 'Jawel, tribuun!'

'Hij kan goed met zijn mannen overweg,' merkte Caenis op.

Vespasianus knikte peinzend. 'Dat viel mij ook al op.'

Het volgende schip kwam door de opening, met een smeulend dek, bezaaid met pijlen en werpsperen. Daarna volgde het derde schip. Het moest door dichte rookwolken varen, omdat de pijlers van de brug steeds feller begonnen te branden. Het was nog maar een kwestie van tijd voordat de restanten van de noordkant van de brug in de rivier zouden storten en waarschijnlijk iedere doorvaart onmogelijk zouden maken. Achter de rook was het vierde schip niet meer te zien en Vespasianus wachtte met ingehouden adem tot het tevoorschijn zou komen.

'Schiet op!' fluisterde Titus dringend, turend door de rook, terwijl hun eigen schip steeds meer snelheid maakte, stroomopwaarts.

'Daar zijn ze!' Vespasianus slaakte een zucht van verlichting toen de boeg van het schip door de rook heen sneed.

Maar hoe verder het kwam, des te duidelijker werden de problemen. Op het dek was een gevecht uitgebroken tussen verspreide groepen en afzonderlijke figuren. Van een formatie was geen sprake meer. De Britannische krijgers hadden zich massaal op het schip gestort toen het de doorgang passeerde, en dreigden het nu van voor tot achter te bezetten. Midscheeps was brand uitgebroken omdat de soldaten het te druk hadden zich de vijand van het lijf te houden.

De riemen werden weer gestrekt en kwamen in beweging, terwijl het gevecht aan dek nog heviger werd en het vuur om zich heen greep.

In de chaos en de dichte rook viel onmogelijk vast te stellen wie er aan de winnende hand was. Lichamen stortten neer of tuimelden over de reling en via de riemen in het water. Het wapengekletter, de kreten van pijn en het geloei van de doodsbange paarden overstemden nu zelfs de geluiden van de slachtpartij op de oever, aan deze kant van de brug. Maar de vier schepen voeren verder, nog altijd met een bloedige strijd op het dek van de achterste boot. Opeens boog het schip naar stuurboord af toen de riemen aan de andere kant hun greep op het water verloren en machteloos in het water zakten. Het vuur had zich door het dek gevreten en gloeiende spanten vielen op de roeiers neer. Ook aan stuurboord werd nu niet meer geroeid. Wanhopige roeiers klommen door de poorten naar buiten. Aan dek laaide de brand steeds feller op, gevoed door de spetterende lichamen van de doden.

Het derde schip keerde terug om de roeiers op te pikken die, alleen gekleed in hun tuniek, in het water spartelden. Wie kon zwemmen, zwom het terugkerende schip tegemoet, anderen hapten naar lucht en schreeuwden gebeden naar hun goden, terwijl ze probeerden de riemen van het stuurloze schip te grijpen in de hoop dat die voldoende bleven drijven.

De gevechten aan dek waren opeens gestaakt toen beide partijen beseften dat het schip ten dode was opgeschreven. De paarden voelden dat ook en jammerden in doodsangst toen het hek boven aan de loopplank naar het ruim werd opengerukt. Ze klauterden omhoog, zagen de vlammen aan dek en kozen de enige uitweg: over de reling. De voorste vielen boven op de riemen, die braken en de weg vrijmaakten voor de andere dieren. Met een luid geplons kwamen ze in het water terecht. De ruiters sprongen erachteraan – goede zwemmers, wist Vespasianus uit de begintijd van de invasie, toen Aulus Plautus zijn

Bataven ooit een rivier had laten overzwemmen om een heuvel te veroveren, waarin ze zelfs met volle bepantsering waren geslaagd. Mens en dier zwommen nu samen naar de betrekkelijk veilige zuidoever, terwijl de laatste Britten op het brandende dek moesten kiezen tussen het vuur en de rivier. Ten slotte sprongen ze maar in het water, terwijl het reddingsschip naderde. Wraakzuchtige soldaten richtten hun werpsperen op de spartelende Iceni, die een eenvoudig doelwit vormden, en hun kameraden sleurden met pikhaken de roeiers aan boord.

'Ze houden ons wel bij op de zuidoever,' zei Vespasianus, die samen met Titus keek naar de overlevenden, ongeveer veertig in getal, die met hun paarden de wal bereikten. 'Als ik het me goed herinner, is het grotendeels vlak terrein. Ze kunnen weer naar ons toe zwemmen als we aan de noordkant hebben aangelegd.'

Titus keek over zijn schouder naar de noordoever. Overal in de stad woedden nu branden en op de oever vond nog steeds een bloedbad plaats, maar de schepen hadden de slachting inmiddels achter zich gelaten en voeren de rivier af, in het volle zicht van het grootste deel van Boudicca's leger, dat buiten Londinium gelegerd was om iedere vluchtpoging te verijdelen. 'Dat zal nog lastiger worden dan u denkt, vader.'

Vespasianus draaide zich om. Een grote bende krijgers, meer dan driehonderd man, had zich op hun harige kleine paarden losgemaakt van de hoofdmacht en hield nu gelijke tred met de schepen. 'Aha, ik zie het. Ze willen voorkomen dat we aan de noordoever aanleggen.'

'Laten we dat dus maar niet doen.'

De paardenhoeven maakten een hol geluid over de planken toen ze op de zuidoever van boord werden geleid. Vespasianus was ervan overtuigd dat de Britten het moesten horen in de nacht, als ze inderdaad op de noordoever gelegerd waren, iets meer dan een kwart mijl verderop. Maar niemand wist zeker waar ze zich precies bevonden.

Titus had de uitgeputte roeiers bevel gegeven om, geholpen door het zeil, zo snel en zo lang mogelijk door te gaan om de paarden van de vijand te vermoeien. De Britten volgden hen met moeite. Bij het invallen van de schemering liet hij de riemen inhalen, zodat de schepen nu enkel op het zeil verder voeren, bijna geruisloos. Zonder lichten en zo ver mogelijk bij de noordoever vandaan waren de schepen bijna onzichtbaar in de nacht, vooral dankzij de dichte bewolking. Mannen met arendsogen werden als uitkijk op de boeg gezet, maar de rivier was breed en de schepen waren traag, met enkel het zeil. Vijf uur voeren ze zo door de nacht, in doodse stilte, zonder te weten of de Iceni hen nog altijd volgden. Ten slotte gaf Titus bevel om aan te leggen.

'Jij en je meisjes blijven aan boord, lief,' zei Vespasianus tegen Caenis toen de laatste paarden van de loopplank kwamen.

'Ik weet het,' antwoordde Caenis, en ze pakte zijn arm. 'Het lukt mij nooit om de rivier over te zwemmen, zelfs niet als ik me aan het zadel van een paard zou vastklampen.'

'Daar gaat het niet eens om. We zouden je best naar de overkant kunnen krijgen.'

'Maar voor vrouwen is er geen plaats in een veldslag?'

'Wat denk je zelf?'

'Ik denk dat Boudicca daar een andere mening over heeft. Maar ik heb in Camulodunum al genoeg gezien. Dat hoef ik niet nog een keer mee te maken. Dus zal ik je deze keer niet tegenspreken.' Ze keek grijnzend naar hem op. 'Bovendien heb ik al iemand gedood. Wat doen de schepen nu?'

'Wachten tot de Britten zich uit Londinium terugtrekken. Daarna varen ze weer door de brug, en vandaar naar Germania Inferior. Daarom kun je niet met ons mee. Ik wil dat je naar Germania gaat om de ernst van de situatie hier persoonlijk aan gouverneur Rufus uit te leggen. Jouw ooggetuigenverslag kan hem overreden om niet op orders uit Rome te wachten maar zelf het initiatief te nemen. Het is ongelofelijk belangrijk dat je hem daarvan overtuigt, mijn lief, als wij nog enige kans willen hebben de zaak te redden.'

'Goed. Dat moet me wel lukken, aangenomen dat hij bereid is naar de militaire analyse van een vrouw te luisteren.'

'Dat moeten we maar hopen, voor ons allemaal. Zelfs als Paulinus deze veldslag tegen Boudicca wint, zitten we nog altijd in een lastig parket. Het is een onrustige provincie, die we maar gedeeltelijk onder controle hebben. En de bevolking weet inmiddels dat het mogelijk is een Romeins legioen te vernietigen. Dat zou dus opnieuw kunnen gebeuren. We hebben zo snel mogelijk versterkingen nodig, en de dichtstbijzijnde legioenen liggen aan de Rijn. Je móét hem tot actie bewegen.'

'Ik zal mijn best doen.'

'Daar reken ik op. Ik heb gezien hoe je Burrus naar je hand hebt gezet. Hormus reist met je mee als bescherming. Hij kan heel nuttig zijn als het nodig is. Als deze zaak achter de rug is, zie ik je weer in Germania Inferior en reizen we terug naar Rome.'

'Waarom ga je niet mee? Dit is jouw oorlog niet, en Rufus zal zich eerder door jou laten overtuigen dan door een vrouw.'

'En mijn zoon hier achterlaten om te vechten? Wat zou hij wel van me denken?'

Caenis tuitte haar lippen en schudde langzaam haar hoofd. 'Zo had ik het niet bekeken. Je hebt gelijk. Je moet met hem mee.' Ze ging op haar tenen staan en kuste zijn wang. 'Moge Mars Victorius zijn beschermende handen uitstrekken over jullie allebei.'

'Over ons allemaal, mag ik bidden. We zullen hem nog hard nodig hebben, de komende dagen.' Hij kuste haar terug, vol op de lippen, en volgde de paarden naar de oever, in de vurige hoop dat het niet hun laatste kus geweest was.

Decurio Jorik gaf een serie rustige orders in de merkwaardig scherpe tongval van de Bataven die Vespasianus altijd het gevoel gaf dat ze probeerden halverwege de zin hun keel te schrapen. De soldaten goten hun waterzakken leeg, bliezen ze toen op en bonden de opening dicht. Zo hielden ze een leren luchtkussen over, dat ze aan de handgreep van hun schild bevestigden.

Vespasianus deed hetzelfde en bleef naast zijn paard staan, een van de reservedieren uit het vierde schip, waarvan de overlevenden zich bij hen hadden aangesloten toen ze van boord gingen. Nog een stille order en toen, met hun rechterhand om de zadelknop en het drijvende schild in hun linker, waadden Vespasianus, Titus, Sabinus en Magnus – op de voet gevolgd door een opgewonden Castor en Pollux – samen met de rest van de halve ala de rivier in.

'Mijn ballen zijn verdwenen,' klaagde Magnus toen het water tot boven zijn kruis kwam.

Vespasianus beet op zijn tanden en dwong zichzelf om door te gaan. Toen hij nog dieper kwam, legde hij zijn schild plat op het water, met het provisorische luchtkussen eronder, en ging er zelf bovenop liggen, nog steeds met zijn hand om de zadelknop. Toen het paard begon te zwemmen, trok het de ruiter mee op zijn kleine vlot, en zo stak de halve ala in de donkere nacht bijna geruisloos de Tamesis over.

Maar die stilte was niet te handhaven toen ze bij de noordoever kwamen, de paarden uit het water oprezen en de ruiters zich in het zadel slingerden met een luid gerinkel van bepantsering en wapens. Ze trokken hun zwaarden. Dat onverwachte geluid wekte de Britten, die inderdaad de schepen tot hier waren gevolgd. Maar mannen die net wakker worden zijn nog niet zo helder, en de aanblik van meer dan tweehonderd cavaleristen die opeens uit de rivier opdoken, met fonteinen van water rond de hoeven, de staart en de manen van hun paarden, in één lange colonne alsof ze over de rivierbedding hadden gegaloppeerd, was te veel voor het suffe brein van de Iceni om te bevatten. De eerste man die overeind sprong werd al de keel afgesneden voordat de rest goed en wel besefte wat er gebeurde.

Nu ze geen stilte meer in acht hoefden te nemen, brulden de Bataven de strijdkreten van hun voorouders en stortten zich op de pas gewekte Britten, die niet eens de tijd kregen om hun wapens te grijpen en een verdediging te organiseren. Met zwaarden, speren en hoeven zaaiden ze dood en verderf onder de vijand die hen had willen doden. Vespasianus mende zijn paard, draaiend en kerend, en hakte met zijn zwaard op zijn tegenstanders in. Paniek brak uit onder de Britten, die op de vlucht sloegen in plaats van weerstand te bieden aan deze ruiters uit de diepte. Maar de cavalerie haalde hen in en stuurde hen naar het hiernamaals met de schande van een wond in de rug. Toen de schaarse overlevenden een goed heenkomen hadden gezocht en de paarden op hol waren geslagen, zette de Bataafse halve ala koers naar het noorden, zonder angst voor een achtervolging, op weg naar gouverneur Paulinus voor zijn wanhopige confrontatie met Boudicca's overmacht.

De rest van de nacht beperkten ze zich grotendeels tot een wandeltempo, pal naar het noorden – voor zover ze konden nagaan. Sabinus bepaalde de richting, omdat hij in de beginjaren van de invasie dit deel van de provincie had onderworpen met de Veertiende Gemina. Hoewel er in de bewolkte nacht geen ster te zien was, viel de navigatie toch wel mee, zolang ze de oranje gloed aan de hemel maar in het oosten hielden. Londinium brandde nog steeds. Tegen de tijd dat de zon boven de oostelijke horizon uit kwam, hadden ze de weg naar Calleva in het westen bereikt, ongeveer twaalf mijl ten noorden van de rivier en twintig ten oosten van Londinium. Maar zelfs op die afstand was bij daglicht de rookzuil nog te zien die opsteeg vanuit de puinhopen van de stad, tegen de achtergrond van de ochtendzon, die net zo gloeide als het vuur zelf.

Toen het licht werd zagen ze ook iets anders. Overal liepen mensen, in kleine groepjes familie – hopend dat ze dan minder zouden opvallen – of in grotere groepen die misschien meer veiligheid boden. Ze zochten allemaal de weg naar Calleva op en volgden die naar het zuidwesten, bij de storm vanuit het oosten vandaan, want geruchten waren overbodig nu de rook uit de verwoeste stad – voor iedereen zichtbaar – de haat van de naderende Iceni maar al te duidelijk onderstreepte.

'Het lijkt wel of het hele zuiden van het eiland onderweg is,' merkte Titus op toen hij zijn blik over het landschap liet glijden, met al die vluchtelingen, die dikwijls hun vee nog voor zich uit dreven.

Vespasianus trok een pijnlijk gezicht toen zijn beurse zitvlak een beter plekje op het zadel zocht. 'Verbaast je dat, na alles wat je in Londinium en Camulodunum hebt gezien?'

'Maar waar gaan ze heen?'

'Dat weten ze zelf niet eens, vermoed ik. Zo ver mogelijk bij Boudicca vandaan. Tenminste, zo zou ik erover denken.'

'Als wij pal naar het noorden blijven rijden,' zei Sabinus, duidelijk niet geïnteresseerd in de vluchtelingen, 'komen we na ongeveer dertig mijl bij de weg naar het noordwesten, niet ver voorbij Verulamium. Paulinus moet een plek hebben gekozen waar de weg door de heuvels loopt, vlak voor Veronae. Als we voortmaken, kunnen we er in twee of drie dagen zijn.'

Omdat behalve Sabinus niemand enige ervaring had met dit deel van de provincie, accepteerden ze zijn inschatting en reden weer verder, hoe vermoeid ze ook waren. Ze lieten het graag aan Sabinus over, dan hoefden ze zelf geen beslissingen te nemen.

Toen ze de volgende dag al een paar uur over de weg naar het noordwesten hadden gereden, of beter vlak ernaast, vanwege alle wagens en karren die aan de woede van de Iceni wilden ontkomen, steeg er een soort gekreun op, een collectieve zucht van verdriet, toen een groot aantal vluchtelingen bleef staan en zich omdraaide naar de richting waaruit ze gekomen waren.

Vespasianus keek ook om, en Titus liet zijn mannen halt houden. Geen twijfel mogelijk. Hoewel nog niet zo groot als de rookzuil boven Londinium, was er toch duidelijk een grijze rookwolk te zien, die snel dichter werd, gevoed door de brand eronder.

'Verulamium,' mompelde Sabinus.

Vespasianus vroeg zich af hoeveel mensen ervoor hadden gekozen bij hun bezittingen te blijven in plaats van het voorbeeld te volgen van al die duizenden vluchtelingen. 'Hoe ver is dat van Londinium?'

'Ongeveer twintig mijl.'

Vespasianus maakte een ruwe berekening in zijn hoofd. 'Dan heeft ze gisterochtend in alle vroegte haar troepen uit Londinium teruggetrokken. Anders had ze daar nu nog niet kunnen zijn. Ze beweegt zich zo snel als mogelijk is met dat grote leger.'

'Dat moet ze ook wel,' zei Titus, die zich weer bij de macabere aanblik vandaan draaide. 'Hoe kan ze ze anders te eten geven?'

Vespasianus knikte peinzend, blij met de logische analyse van zijn zoon. 'Dat zou wel eens ons beste wapen kunnen zijn tegen haar.'

Met een handsignaal bracht Titus de colonne in beweging, en ze reden weer verder naar het noordwesten, op zoek naar het leger van Suetonius Paulinus.

'En u zegt dat de weg nog steeds verstopt zit met vluchtelingen?' vroeg gouverneur Paulinus, ijsberend voor een kaart op een groot bord dat aan een van de steunpalen was gehangen van de grote legertent die als praetorium fungeerde voor de veldtocht van de Veertiende Gemina.

'Niet verstopt, maar wel druk,' antwoordde Vespasianus. 'De meesten waren onderweg naar Veronae en nog verder.'

'Ongeveer een vijfde sloeg af om uw spoor te volgen,' merkte Sabinus op.

'Dat moet voldoende zijn,' verklaarde Paulinus. Hij raadpleegde de kaart nog eens en keek toen naar Cogidubnus, die op een klapstoeltje zat, kluivend op een kippenpoot. 'Denkt u dat Boudicca al weet dat ik me niet naar Veronae heb teruggetrokken maar eerder ben afgeslagen?'

'Ze heeft haar spionnen,' antwoordde de koning met zijn mond vol.

'Het maakt ook niet uit of ze het weet of niet, zolang er maar genoeg vluchtelingen zijn die ze kan volgen hiernaartoe.' Hij draaide zich abrupt om naar Titus. 'U zei zojuist in uw verslag dat u gisteren aan het begin van het derde uur een rookwolk boven Verulamium had gezien?'

'Dat klopt, gouverneur.'

Paulinus dacht daar even over na. 'Het is veertig mijl van daar naar hier, dus aangenomen dat haar mannen de rest van de dag en de avond hun pleziertje mochten hebben, zou ze vanochtend zijn vertrokken. Een wanordelijke bende zoals de hare slaat geen kamp op, maar slaapt waar ze neervallen. Als het haar lukt om acht uur per dag te marcheren en vier uur te besteden aan een rooftocht naar voedsel, dan...'

'Met alle respect, gouverneur, maar zo werkt het niet,' viel Vespasianus hem in de rede.

Paulinus keek alsof hij nijdig wilde reageren, maar beheerste zich. 'Wat werkt niet zo?'

'Ze marcheert niet acht uur per dag, maar twaalf! En ze houdt geen halt om naar eten te zoeken.'

'Waarom denkt u dat, senator?'

'Ik heb de omvang van haar leger gezien, minstens zestigduizend man, plus minimaal hetzelfde aantal meelopers – alle families. Het hele volk van de Iceni is onderweg, niet alleen hun krijgers. Dankzij Paelignus hebben nu ook de Trinovantes zich bij hen aangesloten. Ik heb haar leger nog eens gezien toen wij met de schepen langs Londinium voeren. Het is een ontzagwekkend groot aantal, bijna het dubbele van de oorspronkelijke omvang. Boudicca kan al die mensen niet te eten geven, en ook op het platteland vind je niet zoveel voedsel. Ze moeten zich dus behelpen met wat ze hebben meegenomen. Ze hebben Camulodunum en Londinium platgebrand voordat ze die steden voldoende hadden geplunderd voor eten, en ik vermoed dat ze hetzelfde hebben gedaan met Verulamium. En wat nu? Het platteland is voor hen uit gevlucht, met alle voorraden en al het vee. Waarom zou Boudicca dan vier uur per dag halt houden om naar eten te zoeken dat er eenvoudig niet is?'

Paulinus wreef over zijn kin en sperde zijn ogen open. 'Dat is waar, Vespasianus. Ze moet dit zo snel mogelijk achter de rug hebben, om het leger te kunnen ontbinden. Dus rukken ze in hoog tempo op, om ons te overvallen voordat haar troepen echt honger krijgen.'

'Precies, gouverneur. Ze zal haar leger uitputten – in alle vroegte vertrekken, en marcheren totdat het donker wordt.'

Er gleed een glimlach over Paulinus' gezicht. 'Bij Minerva's verzuurde vagijn! U hebt gelijk. We kunnen haar morgenavond al verwachten, maar met een dodelijk vermoeid leger. Ik zal ervoor zorgen dat mijn mannen uitgeslapen zijn.'

De Veertiende Gemina en de twee cohorten van het Twintigste Legioen plus hun hulptroepen telden iets meer dan tienduizend man. Dat betekende een front van ruim een halve mijl bij een formatie van acht rijen diep, dus begreep Vespasianus heel goed waarom Paulinus deze plek gekozen had: een glooiende vallei tussen twee steile heuvels die aan het begin anderhalve mijl uit elkaar lagen, maar verderop steeds dichter bij elkaar kwamen naarmate het terrein hoger werd, tot ze zich uiteindelijk aaneensloten. Vlak voor dat punt had Paulinus zijn versterkte kamp opgeslagen aan de bovenrand van een dicht bos, dat de vallei afsloot, zodat een aanval in de rug – of een terugtocht – onmogelijk was. Bovendien bood het dekking aan de duizenden vluchtelingen die de bescherming van het leger hadden gezocht, want Paulinus wilde hen niet in het kamp toelaten. Al met al was de vallei een plaats waar een leger van tienduizend man een goede kans had om een veel grotere overmacht te verslaan, omdat de vijand in een soort trechter moest oprukken, heuvelopwaarts, en zich zo kon stuklopen.

Aan de andere kant was het niet erg geschikt voor de cavalerie, omdat Paulinus' strategie was gebaseerd op de infanterie, die schouder aan schouder de aanstormende tegenstanders moest elimineren totdat er niemand meer over was. Daartoe had hij, in de tijd die hem nog restte tot Boudicca's komst, het terrein over een diepte van een paar honderd passen vóór de Romeinse linies laten volgooien met stenen en boomtakken, om de Britannische strijdwagens en hun kleine cavalerie tegen te houden. Dat werk was uitgevoerd door de cohorten, in wisseldienst, zodat het grootste deel van het leger kon uitrusten of eten.

'Ik ga echt niet te paard vechten,' verklaarde Magnus toen hij samen met Vespasianus, Sabinus en Cogidubnus van Titus had gehoord dat zijn Bataven en de rest van de cavalerie de infanterielinies moesten versterken, zoals Paulinus de volgende middag bij zijn instructies had meegedeeld.

'Ik had niet verwacht dat jij nog zou meedoen,' merkte Vespasianus op, 'gezien je leeftijd.'

'Heel geestig, heer. Maar geloof me, ik ben nog niet te oud om te vechten of te neuken.'

'Je bent zeventig. Je had al dood moeten zijn.'

'Nou, die kans krijg ik misschien morgen. Ik was ook niet van plan om me in de voorste linies op te stellen. Dat genoegen laat ik aan jongere, fanatiekere kerels. Nee, ik blijf liever ergens achterin, om de mannen voor me een steuntje in de rug te geven en de gewonden af te maken terwijl we oprukken. Dan hebben Castor en Pollux de kans op een smakelijk ontbijt, nietwaar? Zo hoef ik me niet overmatig in te spannen. Vijanden genoeg, maar ik vang ze liever op als ze niet zo fris meer zijn, begrijpt u?'

'Je zult er genoeg te pakken kunnen krijgen, dat weet ik zeker,' zei Sabinus, wijzend naar de ingang van de vallei.

Cogidubnus floot zacht. 'Misschien wel meer dan waar je om vraagt, oude vriend.'

Vespasianus, Magnus en Titus volgden Sabinus' wijzende vinger. Daar, in de verte, dook een donkere schaduw op, over een front van anderhalve mijl, net zo breed als de ingang van de vallei.

Boudicca was inderdaad bliksemsnel opgerukt en had – zoals zij dacht – het leger van Paulinus daardoor in een hoek gedreven. Zo leidde ze de Iceni en Trinovantes naar de plek die de Romeinse gouverneur had gekozen, dromend van de overwinning. De gedachte aan een nederlaag kwam niet bij haar op.

HOOFDSTUK XVII

De laatste twee uur van de dag keken de Romeinen toe terwijl de Britten arriveerden. Toen de zon onderging, was er nog altijd geen eind gekomen aan de zwarte schaduw die langzaam omhoogkroop, naar hen toe.

De komst van de vijand was onmiddellijk gemeld aan Paulinus, de *cornu* had geklonken en het leger had positie gekozen in de vallei. Maar Boudicca kon niet onmiddellijk in de aanval gaan, omdat haar troepen te verspreid waren. Met haar strijdwagen hield ze halt op een halve mijl vanaf de Romeinse linies, waar haar leger zijn schaarse tentjes opzette en kookvuurtjes maakte. Zodra de avond viel, trok Paulinus zich in zijn kamp terug en al gauw was de vallei bezaaid met duizenden lichtpuntjes, als een reusachtige spiegel die de sterrenhemel reflecteerde.

Een uur voor het ochtendgloren marcheerden de soldaten van Rome, goed uitgerust en met een warm ontbijt achter de kiezen, het kamp uit om hun formatie weer in te nemen. Toen het lichter werd, zagen de Britannische krijgers het Romeinse leger tegenover zich – een korte, ondiepe linie, vergeleken bij hun overmacht. Lachend beschilderden ze hun borst en benen met hun oorlogskleuren en smeerden kalk in hun haar, zodat het in pieken overeind bleef staan. Wie niet had ontbeten, en dat waren er nogal wat, door het gebrek aan voorraden, klaagde niet en maakte zich niet druk, omdat het hele gevecht toch binnen een uurtje bekeken zou zijn. Ze hoefden alleen maar die heuvel op te rennen om de dunne linie van hout, vlees en metaal weg te vagen. Niemand in dat enorme leger twijfelde aan de goede afloop.

'Ik begin nu toch te denken dat Caenis gelijk had,' zei Vespasianus toen het zonlicht duidelijk maakte wat voor opgave hun wachtte. Zijn keel voelde droog. 'Misschien had ik beter met haar mee kunnen reizen naar Germania Inferior. Dit is mijn oorlog niet.'

Titus, die naast hem op zijn paard zat, stak een arm uit en legde een hand op de schouder van zijn vader. 'Dus dan had ik mijn eerste veldslag moeten voeren zonder vaderlijk advies?'

'Dat was ook zo'n beetje het argument dat ik tegenover haar gebruikte.'

'Nou, mij hebt u er geen plezier mee gedaan,' mopperde Magnus. 'Zelfs Germania Magna, laat staan Germania Inferior, klinkt nog beter dan deze toestand hier.' Hij had er ten slotte toch in toegestemd om te paard de strijd in te gaan, omdat het misschien minder vermoeiend was voor zijn knieën. Castor en Pollux zaten naast zijn paard en volgden het verwarrende menselijke spektakel met enige interesse.

'Het komt wel goed,' verzekerde Sabinus hun met ongebruikelijk optimisme. 'In elk geval behoren we tot de reserves.'

Magnus keek om zich heen naar de drie andere kleine eenheden achter de centrale linies, die de gaten moesten dichten. 'Nou, veel reserves zijn het niet.' Paulinus had zijn drie cavalerie-eenheden als reservetroepen ingezet, en de Bataven maakten daar ook deel van uit, naast de legionaire cavalerie en een ala van Gallische bereden troepen die in twee onderdelen was gesplitst. Ze moesten allemaal een front van ruim tweehonderd passen bestrijken, de breedte van drieënhalve strak geformeerde cohort. De Bataven stonden rechts van het midden, achter de eerste drie cohorten van de Veertiende Gemina. 'Iets meer dan tweehonderd man als aflossing van bijna tweeduizend soldaten, onder wie de elitecohort.' Magnus spuwde een fluim op de grond om duidelijk te maken wat hij daarvan vond.

'Mijn mannen hebben de rechtervleugel,' zei Cogidubnus, die naar hen toe was gereden om hun succes te wensen. 'Dat wordt geen pretje, als de Iceni proberen langs onze flank te komen.'

Sabinus keek eens naar de heuvel rechts. 'Die helling is veel te steil.'

'Denk je dat ze zich daardoor laten tegenhouden? Wees maar blij, Magnus, dat je pas later in actie hoeft te komen, of misschien niet eens.'

Magnus leek niet overtuigd. 'Maar áls wij worden ingezet, is dat in een heel vervelende situatie, wanneer er een bres is geslagen in een legionaire cohort. Want als ze door de eerste cohort weten te breken, is er heel wat meer nodig dan een paar honderd ruiters om ze tegen te houden.'

Vespasianus moest toegeven dat Magnus daar gelijk in had. Hij keek nerveus naar de schijnbaar eindeloze rijen krijgers die nu dreigend naar hen oprukten. Hun linies waren diep, en de omvang van het leger kon slechts worden afgemeten aan de hoeveelheid karren in de verte, halverwege de vallei, een rij die zich uitstrekte van de ene heuvel naar de andere. Daar keken hun families toe, wachtend tot hun mannen de belediging aan alle vrouwen van de Iceni hadden gewroken.

In het midden van de horde stond Boudicca op haar strijdwagen. Haar dochters met hun lange messen liepen naast haar, samen met Myrddin en een dozijn van zijn smerige volgelingen met hun lange klittenbaard. Er waren geen andere strijdwagens te zien. Blijkbaar hadden de verkenners die nacht de obstakels gevonden waarop de wagens zouden vastlopen. Op tweehonderd passen afstand pompte Boudicca haar speer boven haar hoofd, met twee handen. Het leger hield chaotisch halt en slaakte een gebrul dat opsteeg naar de hemel.

De Romeinen keken zwijgend toe, iedere man verdiept in zijn eigen gedachten en de vraag hoe hij deze dag zou doorkomen. Boudicca's strijdwagen maakte een draai van negentig graden en reed langs het grillige Britannische front. Het gebrul verstomde en de koningin sprak haar volk toe met een harde, luide, mannelijke stem die tot ver over het veld droeg.

'Wat zegt ze?' vroeg Vespasianus aan Cogidubnus.

'Ze spreekt in dat lelijke dialect van hen, maar wat ik ervan versta, is dat het normaal is voor Britten om onder bevel van een vrouw te vechten. Ze wil geen wraak voor haar koninkrijk of de bezittingen die haar zijn ontnomen als vrouw en nakomelinge van grote voorouders. Nee, ze zoekt wraak als iemand van haar volk, wraak voor haar verloren vrijheid, de schandalige zweepslagen die ze heeft gekregen en de verkrachting van haar dochters. Als de Romeinen in hun hebzucht niet eens onze lichamen met rust kunnen laten, zegt ze, hoe kunnen we dan een rechtvaardig bestuur van hen verwachten, terwijl ze zich vanaf het eerste begin al zo hebben gedragen tegenover ons?' Cogidubnus wachtte even met zijn vertaling en luisterde scherp.

'Nou?' vroeg Vespasianus.

Cogidubnus legde hem met een handgebaar het zwijgen op.

Eindelijk was de koningin uitgesproken. Vanonder haar mantel haalde ze een haas vandaan, die ze op de grond zette. Onmiddellijk rende het diertje naar de Romeinse linies. Weer steeg er een gebrul op onder de Britannische troepen. Het voorteken was gunstig.

'Ze heeft heel mooi gesproken,' verklaarde Cogidubnus.

'Wat zei ze dan nog meer?'

'Het was een goede toespraak. Heel motiverend. Ik zal haar woorden zo ongeveer vertalen. "In alle eerlijkheid," zei ze, "zijn wij zelf verantwoordelijk voor alles wat ons is overkomen. Wij hebben Rome de kans gegeven om voet te zetten op dit eiland. Wij hebben de Romeinen niet verdreven, zoals we ooit hun vermaarde Julius Caesar hebben verjaagd. We hebben ze niet op afstand gehouden toen ze nog ver weg waren, zoals Gaius Caligula, in de tijd dat zelfs een poging om hiernaartoe te varen al een geweldige uitdaging was. Hoewel wij zo'n groot eiland bewonen, of beter gezegd een continent, geheel omgeven door de zee, en hoewel wij onze eigen wereld hebben en door de oceaan van de rest van de mensheid zijn gescheiden, zodat wij menen op een andere aarde te leven, onder een andere hemel, hebben wij ons toch laten vernederen en onderwerpen door mannen die in niets anders geloven dan in winstbejag. Zij brachten wetten mee die voorrang kregen boven onze eigen gebruiken, belastinginners die ons leegzogen, verfoeilijke bankiers die ons met de ene hand zogenaamde rijkdommen aanboden maar ons met de andere in armoede stortten om zichzelf te verrijken, zonder oog voor de gevolgen. Maar hoewel het al te laat lijkt en wij al die tijd hebben verzaakt, roep ik u op, landgenoten, vrienden en familie – want ik beschouw u allemaal als familie, omdat we één eiland bewonen en bekendstaan onder één en dezelfde naam – om onze plicht te doen nu we ons nog kunnen herinneren wat vrijheid is. Laten we onze kinderen niet alleen dat woord nalaten, maar ook de realiteit ervan. Want als wij de gelukkige omstandigheden vergeten waarin wij ooit geboren en getogen zijn, wat moeten zij dan beginnen, grootgebracht als slaven, tot onze eeuwige schande?" Mooie woorden, dat moet ik zeggen. Alleen jammer dat ze verkeerd worden gebruikt.'

'Volgens mij had ze wel een paar redelijke argumenten,' zei Magnus, terwijl hij een ruk gaf aan de riemen van Castor en Pollux, die enthousiast reageerden op het tumult uit de richting van de Britten. 'Voor zover ik het begrijp, is deze hele situatie veroorzaakt door de hebzucht van Seneca, de gebroeders Cloelius en die andere bankiers in Londinium. Niet dat hebzucht zo verwerpelijk is, dat wil ik niet zeggen, maar als je een heel land in de problemen brengt in plaats van een paar concurrenten, is dat niet zo slim.'

Vespasianus moest het wel met hem eens zijn, ondanks alle wreedheden waarvan hij getuige was geweest. 'Maar het zijn niet alleen de bankiers. Vergeet Decianus niet.'

'Procuratoren, bankiers, wat maakt het uit? Ze willen allemaal profiteren van de rijkdom van andere mensen. Dat is niet zo erg, zei ik al, totdat... nou ja.' Hij gebaarde om zich heen. 'Totdat er zoiets als dit gebeurt en ik er toevallig in verzeild raak.'

Vespasianus kreeg niet de kans er verder over na te denken, want nu was het Paulinus die zijn troepen toesprak vanaf zijn paard.

'Soldaten van Rome!' riep Paulinus met de harde, scherpe stem die het meest geschikt was voor toespraken tot een groot publiek. 'Ik ken jullie moed, want samen hebben wij nog maar kort geleden het eiland Mona onderworpen. Jullie zullen niet bang zijn voor deze horde, deze bende, die meer vrouwen, kinderen en oude mannen telt dan krachtige krijgers. En onder die krijgers lijken bovendien heel wat jonge kerels te zijn uit een nieuwe generatie, die nog nooit een veldslag heeft meegemaakt. Jullie hebben gehoord wat voor wreedheden deze wilden tegen ons hebben begaan. Voor een deel zijn jullie daar zelf getuige van geweest. Dus is het jullie keus om dezelfde behandeling te ondergaan als onze kameraden, en geheel uit Britannia te worden verdreven, of hier de overwinning te behalen, de doden te wreken en iedereen die nog aanvalsplannen tegen ons heeft een voorbeeld te stellen van de onvermijdelijke straf die op iedere opstand volgt. Zelf ben ik ervan overtuigd dat wij zullen overwinnen. In de eerste plaats omdat de goden aan onze kant staan, en in de tweede plaats omdat wij de moed van onze voorvaderen hebben geërfd. Met dat fiere karakter hebben wij, Romeinen, de hele mensheid overwonnen. En laten we niet vergeten dat we ook deze mannen, die nu tegenover ons staan, ooit hebben verslagen. Het zijn niet onze tegenstanders, maar onze slaven, die we hebben onderworpen toen ze nog vrij en onafhankelijk waren. Maar laat me jullie waarschuwen, soldaten van Rome. Als deze slag in ons nadeel zou verlopen, en die mogelijkheid wil ik niet uitsluiten, zal het toch beter voor ons zijn om dapper te vechten dan gevangen te worden genomen en op een paal gestoken, te moeten toezien hoe onze eigen darmen uit ons lijf worden gesneden, kermend te sterven in kokend water, of door een van die andere martelingen waarin deze wilden zich verlustigen. Laten we dus overwinnen of sterven, hier, op deze grond. Jullie kennen allemaal je plaats bij het signaal van de eerste cornu. Dus vraag ik jullie, soldaten van Rome, zijn jullie klaar voor de strijd?'

Terwijl de troepen het antwoord brulden en Paulinus zijn vraag herhaalde, zag Vespasianus tot zijn opluchting dat de mannen van Cogidubnus helemaal aan de rand van het veld stonden en waarschijnlijk niet hadden gehoord dat Paulinus hen als slaven van Rome had afgeschilderd.

Te oordelen naar de schaduw die over het gezicht van de Britannische koning gleed, was Cogidubnus niet erg te spreken over Paulinus' opruiende woorden. 'Ik rij weer terug naar mijn cohorten om te zien of ze nog in de stemming zijn om hun landgenoten uit te moorden, zoals Boudicca het formuleerde.'

'Heel tactloos van Paulinus,' beaamde Vespasianus.

'Tactloos? Natuurlijk was het tactloos. Zuiver Romeins.'

Vespasianus greep Cogidubnus bij de onderarm. 'Mogen jullie goden hun beschermende hand over jullie uitstrekken, oude vriend.'

Cogidubnus raakte het vierspakige wiel van Taranis aan dat aan een ketting om zijn hals hing. 'Mijn goden krijgen het nog druk vandaag. Ze moeten de gebeden van beide kanten verhoren.'

En toen klonken de carnyxes.

Het valse geschetter weerkaatste tegen de heuvels, afkomstig uit de dierenkoppen van de hoge, staande hoorns van het Britannische leger. Woest zwaaiden de krijgers met de veldtekens van hun eigen eenheid, boven de hoofden van de troepen. Er waren bronzen voorstellingen bij van het wilde zwijn, de ram, de stier of de wolf, maar ook het rad van Taranis, kronkelende slangen en springende hazen, alles bevestigd op lange palen. Boudicca reed nog één keer langs het hele Britannische front, met haar speer voor haar uitgestoken, zodat hij langs de punten of schachten van de wapens ratelde die haar werden voorgehouden om te zegenen. Het gekletter van hout en metaal vormde een ritmische achtergrond bij de kakofonie van de carnyxes.

Tegen de tijd dat ze haar plek in het midden weer had ingenomen, kon de horde van meer dan honderdduizend krijgers nauwelijks meer wachten om toe te slaan. Ze hitsten elkaar op tot grote daden, tot verhalen van moed en durf. Achter hen spoorden hun families, even groot in aantal, de mannen aan, in gretige afwachting van het Romeinse bloed dat het slagveld rood zou kleuren. Met nog één zwierige beweging boven haar hoofd bracht Boudicca haar speer omlaag en richtte die op het hart van de Romeinse linie. Haar krijgers zetten de eerste stappen voorwaarts. Al gauw ging het sneller. Ze sprongen over de obstakels en begonnen te rennen.

En toen dreunde de cornu.

Opeens kwamen alle cohorten langs de linie in beweging.

'Wat zijn ze van plan, verdomme?' riep Magnus uit.

Vespasianus, Sabinus en Titus waren al net zo verbaasd.

Hele rijen legionairs vanaf de buitenste randen van iedere cohort renden naar het midden en bouwden een gelijkmatige formatie op, met schuine hoeken en smal toelopend aan de voorkant, waar de primus pilus van de cohort zich opstelde, als de punt van de wig. De Romeinse linie had zich veranderd in een serie scherpe tanden, binnen de tijd die de Britse krijgers nodig hadden gehad om de halve afstand naar de vijand over te steken.

Iedere primus pilus, prachtig uitgedost met een brede paardenharen kam op zijn helm, stak nu zijn zwaard omhoog en keek langs de linie naar zijn bevelhebber op de punt van de eerste cohort. Toen ging het zwaard van de hoogste centurio van het legioen omlaag. De andere officieren volgden zijn voorbeeld. Als één man sloegen tienduizend Romeinen met een pilum of werpspeer op hun schild – één klap, heel onverwachts. Het geluid dreunde door de vallei alsof Jupiter zelf een machtige bliksem op het slagveld had losgelaten. Krijgers in het midden van de Britannische troepen, die de oorzaak niet konden zien, keken omhoog naar de hemel en struikelden half van schrik. De carnyxes aarzelden een paar tellen en heel even was het bijna doodstil.

Aan Romeinse kant duurde die stilte voort. Zwijgend en grimmig staarden de legionairs in hun wigvormige formaties voor zich uit, met een harde blik, terwijl de vijand de wapens weer stevig vastgreep en verder rende, onder aanzwellend gejoel.

'Waarom heeft niemand ons iets verteld over dit kunstje?' vroeg Titus.

'De vijand de stuipen op het lijf jagen is blijkbaar een voorrecht dat niet met de reservetroepen van Paulinus' leger wordt gedeeld,' opperde Vespasianus. Zijn zenuwen waren verdwenen, nu hij meer dan honderdduizend man zo duidelijk had zien aarzelen.

Paulinus, die zich op zijn paard, samen met de rest van zijn staf, achter in de eerste cohort had opgesteld, knikte naar de cornicen vlak naast hem. De man zette zijn lippen aan het mondstuk en blies een zware dubbele noot, die met zijn diepte door het aanstormende tumult heen drong. Het signaal werd door de linies heen herhaald, en toen de Britannische meute de Romeinse tanden tot binnen vijftig passen was genaderd, zetten de legionairs op de voorste vier rijen en langs de zijkanten van de wiggen hun linkervoet met een klap naar voren, brachten hun werpsperen naar achteren en hieven hun schilden toen de regen van projectielen op de vijand neerdaalde.

Vespasianus zag dat Paulinus in gedachten de afstand berekende en herinnerde zich alle keren dat hij hetzelfde had moeten doen als legaat van de Tweede Augusta. Hij keek weer naar de naderende horde. 'Drie, twee, een,' mompelde hij bij zichzelf. 'Nu.'

En inderdaad, op dat moment klonk de cornu weer en vertrok er een zwarte wolk van werpsperen uit de linies van de legionairs. Het was geen aanhoudende beschieting omdat de achterkant van de wigformaties nog niet binnen bereik was, maar daarom niet minder dodelijk. De met lood verzwaarde ijzeren schachten boorden zich omlaag vanuit de hemel. Op nog ongeveer dertig passen vanaf de smalle punt van de wigformaties werden de aanvallers kermend teruggeslagen in fonteinen van bloed. Verkrampte, zwaargewonde lichamen stortten met zwaaiende armen achterover, tegen de krijgers erachter, die naar de grond werden gesleurd, vlak voor de voeten van de volgende groep.

Er ontstonden deuken in het Britannische front, die weer werden opgevuld, maar op vijftien passen afstand volgde er opnieuw zo'n donkere hagelstorm, die gezichten tot moes verpletterde, schilden en armen aan buiken vastnagelde, borstkassen opensneed en zich dwars door torso's boorde in bloedrode fonteinen, spetterend over de hoofden en lijven van de mannen die volgden, vlak voordat zij zelf door de vlijmscherpe punten werden getroffen. Weer gingen er honderden krijgers neer, stuiptrekkend in de dood. Talloze anderen struikelden of gingen tegen de grond, waar ze werden vertrapt door zoveel voeten dat hun lichamen openscheurden en hun darmen de aarde verwarmden.

Maar wat betekenden honderden of zelfs duizenden doden op die tienduizenden manschappen toen Boudicca's krijgers weer opdrongen, met blikkerende tanden, schreeuwend van woede, hun zwaarden en speren geheven, hun lange snorrenbaarden wapperend in de wind van hun eigen haast?

Met gebogen hoofd en hun schouders tegen hun schild geklemd, zetten de legionairs zich schrap voor de klap, het zwaard in de hand, de punt vooruitgestoken opzij van het schild.

De werpsperen kwamen nu vanaf de achterkant van de wigformaties, en weer sneuvelden er honderden krijgers, maar nog altijd maakte dat geen verschil.

En toen knalde de horde boven op de voorste centuriones en spoelde langs de randen van de wigformaties, zodat Vespasianus, die er hoger tegen de heuvel op neerkeek, de indruk had dat de wiggen zelf zich naar voren bewogen en het Britannische front penetreerden met het gemak van een naald door een oog.

Maar doordat ze zich op die manier in de aanstormende linies boorden, haalden de wiggen de snelheid uit de massale aanval, want de klap werd nu gespreid en het gezamenlijke gewicht van die meer dan honderdduizend man verdeelde zich, zodat het Romeinse front niet naar achteren werd geworpen als door een hamerslag, maar slechts een lichte kromming vertoonde. Een luid gekreun steeg op aan beide kanten toen de krachten heen en weer golfden totdat er een evenwicht was bereikt. En op dat moment kwam de Romeinse vechtmachine bulderend in actie. Weggedoken achter hun schilden, bestand tegen de schok van de aanval, hadden de legionairs aan de randen van de wigformaties nu de ruimte om hun zwaarden te gebruiken, zodat de tanden zelf ook tanden kregen. Snel en zeker sloegen ze toe, door de openingen tussen hun schilden en die van de kameraden naast hen, steeds onder dezelfde hoek als die van de wigformatie, om één glad vlak te vormen. Slaan, steken, naar links en rechts, terugtrekken en weer opnieuw. Het maakte niet uit of ze dezelfde tegenstander twee of drie keer troffen, zolang de oorlogsmachine maar bleef draaien.

Opeengedrongen onder de druk van de aanval kregen de Britannische krijgers niet de ruimte om hun zwaarden te gebruiken met de bewegingsvrijheid waar ze in een normaal gevecht van man tegen man aan gewend waren. Ze konden niet veel anders doen dan omlaag hakken met hun lange zwaarden, of hun hoog geheven speren op de hoofden en schouders van de Romeinen richten. Maar die werden beschermd door de schilden van de legionairs erachter, waardoor de krijgers hooguit een kras maakten op het embleem van een schild, of hun zwaarden stomp sloegen tegen de knop. Zo stierven de Iceni rechtop, en ze bleven zelfs rechtop als ze al gesneuveld waren, bloedend uit talloze wonden omdat de kadavers steeds opnieuw werden aangevallen bij gebrek aan verse tegenstanders, overeind gehouden door de druk van die tienduizenden mannen achter hen, die opdrongen om wraak te nemen op de Romeinen.

Maar die kans kregen ze niet van Paulinus' troepen. Nu ze de eerste klap van het offensief hadden geabsorbeerd, gingen ze zelf in de aanval en voelden het warme bloed en de urine van hun vijanden langs hun benen op hun voeten lekken. De kameraden om hen heen gaven geen krimp en vochten als één man, in de wetenschap dat ze niet waren teruggeslagen door de eerste Britannische aanval en er geen tweede meer zou volgen. Want dankzij al die factoren en omstandigheden begonnen de Romeinen te geloven dat ze konden zegevieren en dat dit slagveld aan het einde van de dag bezaaid zou liggen met de doden van de vijand, niet met hun eigen ontzielde lichamen. Dus verdubbelden ze hun inspanningen, niet alleen met het zwaard, maar ook met de knop van hun schild, om de wankelende doden uit de weg te ruimen en een nieuw doelwit te vinden. De kadavers glibberden omlaag en lieten een spoor van donker slijm op de Romeinse schilden achter. De volgende linie van legionairs rekende opnieuw met de slachtoffers af, voor het geval er nog leven in zat en iemand een mes omhoog kon steken naar het kruis van een Romein die over hem heen stapte. Paulinus' formaties rukten langzaam op, stap voor stap, zonder specifieke bevelen maar met het collectieve bewustzijn van de hele oorlogsmachine.

En zo was het met enthousiasme, niet langer angst, dat ze hun zwaarden hanteerden. Vespasianus zuchtte diep en besefte nu pas dat hij zijn adem had ingehouden sinds het eerste contact, een paar honderd snelle hartslagen geleden. 'Dit gaat lukken,' zei hij tegen niemand in het bijzonder, en waarschijnlijk was er ook geen mens die het hoorde in het oorverdovende tumult van de slag. Wie zou er op hem letten? Niemand was in staat zijn blik los te maken van dat ongelofelijke spektakel, wat lager op de heuvel.

Vespasianus keek eens naar Paulinus. De gouverneur zat kaarsrecht in het zadel, zijn vuisten gebald en tegen zijn buik geklemd, zijn kin naar voren en zijn ogen zo strak op zijn mannen gericht dat ze uit hun kassen leken te puilen.

Met nog zo'n ongelofelijke inspanning zette Paulinus' leger weer een stap vooruit en bij de voorste linies van de Britannische krijgers openbaarden zich de eerste twijfels om door te gaan met deze strijd. Mannen keken om zich heen, speurend naar een uitweg, en sommige Iceni probeerden zich zelfs terug te trekken, terwijl ze in hun nieren werden getroffen door de zwaarden van de Romeinen, die nu wraak namen voor de angst die ze zopas nog hadden gevoeld bij de aanblik van zo'n onvoorstelbare overmacht.

En zo deden de Romeinse zwaarden hun werk, donker glimmend met het bloed en de stront van Boudicca's leger, nu het de beurt aan Rome was om paniek te zaaien onder opstandelingen die ooit zo overtuigd waren geweest van hun eigen kansen. Of Boudicca zich daarvan bewust was, of dat een andere macht de strijd nu bepaalde, Vespasianus wist het niet, maar net als iedereen op dit slagveld, vriend of vijand, herkende hij de ijzige angst die zich nu meester maakte van de Britannische horde, een angst die hij maar al te goed kende en die nu ook de krijgers bij de keel greep. Hij keek op. Tussen de twee wigformaties van de eerste en tweede cohort zag hij een leemte in de vijandelijke linies, waar ze elkaar verdrongen en ruimte maakten voor de groep van smerige, harige wezens rondom Boudicca zelf. Myrddin gehoorzaamde aan de oproep van de koningin, met alle macht van de duistere goden van dit inheemse volk – goden met heiligdommen die nog veel ouder waren dan de komst van de Keltische stammen en hun druïden, meer dan vijfentwintig generaties geleden. Goden met geheimen die door de druïden opnieuw waren ontdekt en met krachten die enkel nog door diezelfde druïden werden begrepen. Krachten waarvan Boudicca gebruik wilde maken.

Dwars door het onafzienbare leger drong zich de kleine bende van druïden rondom de koningin, zwaaiend met hun symbolen van kronkelende slangen, de zon en de maan, biddend tot de goden van de Kelten en de duistere idolen uit een nog oudere tijd, om de krijgers aan te sporen die zich al in de strijd hadden gestort, maar ook de achterhoede die zich nog moest bewijzen. Overal waar ze zich bevonden, inspireerden ze de Britannische krijgers met nieuwe kracht, geboren uit een kille vrees. Met Myrddin aan het hoofd rukten ze op in een rechte lijn, op weg naar het zwakste punt in het midden van de Romeinse formatie, waar twee van de wiggen elkaar raakten en de linie maar twee manschappen diep was. Juist daar, besefte Vespasianus, zou Myrddin een bres in het Romeinse leger kunnen slaan om de Britannische krijgers nieuwe inspiratie te geven.

En ook Paulinus zag het gevaar, want hij keerde zijn paard en reed snel naar de wachtende Bataven. 'Tribuun,' zei hij tegen Titus, op kalme toon maar met duidelijke spanning in zijn stem, 'laat uw mannen die zwakke plek versterken. Mijn legionairs zullen het niet lang volhouden tegen Myrddin. Ze kennen zijn verschrikkelijke krachten nog van Mona, de reden waarom wij hem niet konden doden of gevangennemen. Toch is hij sterfelijk, zoals iedereen, en misschien hebben uw mannen een betere kans, omdat ze nog niet hebben geleerd zijn macht te vrezen.'

Titus salueerde en keek omlaag naar de oprukkende druïden, die nog maar twintig passen van het raakpunt tussen de twee wigformaties vandaan waren. 'We zullen ons best doen, gouverneur.'

'Zelfs meer dan dat,' verklaarde Sabinus, met zijn blik strak gericht op de aanstichter van zoveel ellende. 'We snijden het hart uit zijn lijf en hakken de kop van zijn romp.'

Paulinus keek sceptisch. 'Weet u wel over wie u het hebt, senator?'

'Jazeker. Ik ben alleen naar deze godvergeten uithoek teruggekomen voor de kans om eindelijk met hem af te rekenen.'

Paulinus knikte en draaide zich weer om.

Titus blafte Jorik het sein tot de aanval toe. De decurio herhaalde het in het Bataafs en de hoornblazer blies een schrille toon op de lange cavaleriehoorn met de kromme hals. Het veldteken zakte even bij wijze van saluut en de cavalerie ging in rustig tempo op weg.

Vespasianus schatte de afstand tussen de ruiters en het doelwit in. 'We mogen wel opschieten, Titus.'

'Bevel tot draf,' riep Titus naar Jorik toen ze de heuvel afdaalden.

Er klonk een reeks schelle tonen, en de Bataven verhoogden hun snelheid toen Myrddin en Boudicca de aansluiting tussen de eerste en tweede cohort begonnen te naderen. Om hen heen vochten de krijgers met een roekeloos fanatisme. Ze wisten de legionairs nu hard te treffen en dreven hen steeds verder terug, waardoor het front op dat punt dreigde in te zakken. De rest van de Romeinse linie bewoog zich nog steeds naar voren, stap voor stap, waardoor de vijand een veel betere kans had om een bres te slaan in dat ene zwakke punt van die strakgespannen lijn. Helemaal rechts sloegen de Britannische krijgers al in groten getale op de vlucht toen de Regni en Atrebates van Cogidubnus hun landgenoten in het nauw dreven. Maar al die successen zouden voor niets zijn geweest als het Romeinse front in het midden zou breken. Als dat gebeurde, zou het hele leger al snel onder de voet worden gelopen en afgeslacht. Boudicca besefte dat ook. Nu haar eerste offensief was stukgelopen, leek dit haar enige kans.

Vespasianus voelde zijn hart in zijn keel bonzen toen de *lituus* weer een signaal gaf en de cavalerie in snelle draf de heuvel afdaalde. Myrddin was geen vijftig passen meer bij hen vandaan en de legionairs deinsden al enigszins terug voor de aanvallen van de krijgers, die nieuwe energie kregen door de komst van de druïden en hun koningin.

Toen ze de achterste legionairs tot op twintig passen genaderd waren, boog de linie nog verder door, zodat de mannen niet langer schouder aan schouder stonden en als één front opereerden. Ze raakten steeds verder van elkaar geïsoleerd en werden gedwongen tot het lijf-aan-lijfgevecht dat de Britten veel beter beviel. De Romeinse formatie begon scheuren te vertonen en met een reeks bloedstollende verwensingen wierp Myrddin zijn slangen over de hoofden van zijn krijgers naar de wankelende legionairs. Met dat gebaar zaaide hij een geweldige angst, een kille macht die weinig goeds beloofde en iedereen in de omgeving koude rillingen bezorgde. De Romeinse soldaten tegenover hem draaiden zich om en sloegen op de vlucht of stonden als verstijfd en werden meedogenloos door de krijgers neergemaaid terwijl Boudicca haar troepen naar voren schreeuwde.

De vijand stormde nu door de bres, boog af naar links en rechts, en bestormde de Romeinse achterhoede van weerskanten.

Er ging een schok door de linies van de eerste en tweede cohort.

'Ten aanval!' brulde Titus zo luid als hij kon, en de tweehonderd ruiters onder zijn bevel denderden naar de bres toe en smeten hun werpsperen naar de opeengepakte Iceni, die in steeds grotere aantallen door de opening stroomden.

Toen Vespasianus zijn speren had opgebruikt, trok hij zijn zwaard, hoewel de vrees voor Myrddin als een kille hand om zijn hart lag. Het liefst zou hij zijn omgekeerd, vluchtend voor die angst, maar zijn paard droeg hem verder, niet onder de indruk van menselijke goden. En zo deden alle paarden van de halve ala hun werk, zonder zich iets aan te trekken van de angst van hun berijders. Ze stortten zich in het gewoel, en de Bataven dwongen zichzelf hun zwaarden te hanteren. De wapens blikkerden en Vespasianus voelde de schok in zijn arm bij de eerste klap, waarmee zijn zwaard dwars door een sleutelbeen sneed. Links van hem liet Titus zijn paard steigeren, zodat het met trappelende voorbenen een vijandelijke schedel verbrijzelde en een arm deed breken. Aan zijn andere kant boog Sabinus zich naar voren en hakte zich een weg door de meute. Zijn woede en haat waren sterker dan de kille uitstraling van zijn doelwit, dat nu nog maar tien passen bij hem vandaan was. Magnus, geen liefhebber van de cavalerie, hield zich op de achtergrond met zijn honden, wachtend op een gelegenheid die hem beter beviel. Verderop klonk een dierlijke kreet, toen Vespasianus de helm van een kermende vijand openspleet en Titus' paard nog hoger steigerde, met een speer diep in zijn borst. Hij liet zich van het stervende dier naar de grond glijden en wist nog net op tijd weg te springen toen het paard opzij stortte en op zijn rug rolde. De Britannische krijgers, die hun kans schoon zagen tegenover de ruiter te voet, stoven in zijn richting, terwijl Vespasianus wanhopig probeerde zijn paard naar links te wenden om zijn zoon te hulp te komen. Maar zelf moest hij zich verdedigen tegen een aanval van rechts. Een haastige blik over zijn schouder vertelde hem dat Titus moeite had zich staande te houden. Een vijandelijk zwaard zwiepte naar zijn hals, maar Jorik dwong zijn paard ertussen, dat de klap met zijn schouder opving. Het dier ging neer, gooide zijn berijder tussen de krijgers en bleef voor Titus liggen, als een beschermende muur. Jorik, reddeloos verloren, sneuvelde onder de zwaarden van de Iceni, maar de Bataafse cavalerie drong weer op.

Hakkend en stotend met hun wapens bewaarden de Bataven hun kalmte en dichtten de bres, terwijl de Romeinen aan weerskanten zich naar de Iceni keerden die door de linie waren gebroken. Samen met de ruiters hakten ze de krijgers tot een bloederige massa op de bodem van het slagveld.

Maar tegenover hen stond nog altijd de gedaante van Myrddin, en niemand durfde hem te naderen. Toen Sabinus de laatste krijger tussen hemzelf en de druïden uit de weg had geruimd door het gezicht van de man open te splijten in een fontein van bloed en losse tanden, deinsde hij toch nog terug en hield zijn paard in. Vespasianus hakte zich een weg naar hem toe. Myrddin staarde de broers met zijn felle ogen doordringend aan, terwijl de andere druïden een atonaal gezang aan hun duistere goden aanhieven. Myrddin scheen hen nu te herkennen, en er gleed een voldane glimlach om zijn lippen nu hij deze gehate vijanden weer in zijn macht had. Vespasianus voelde zijn armen en benen bevriezen toen Myrddin zijn volle aandacht op hen richtte. De druïde hief een hand op, priemde met een vinger naar Vespasianus en gilde vol verachting iets in zijn richting. Maar toen hij bij de laatste lettergrepen zijn gezicht naar de hemel keerde en zijn keel ontblootte, schoot er een zwarte streep door de lucht die zich in zijn hals vastbeet, terwijl een andere donkere schicht aan zijn gestrekte pols bleef hangen. Want evenmin als de paarden voelden Castor en Pollux enige angst voor goden die waren ontsproten aan het menselijk brein. Geen angst, geen spoor van verlamming. Ze beseften alleen het gevaar voor hun bazen, en gingen in hun onvoorwaardelijke trouw dat gevaar te lijf. Vespasianus en Sabinus sprongen van hun paard en renden op de druïde af, die zich probeerde te verweren tegen de honden, terwijl achter hem de rest van het smerige stel al terugdeinsde voor de aanval op hun leider en de nadering van nog meer Bataafse ruiters, nu de ban was gebroken. Vespasianus en Sabinus sleurden de honden van Myrddin af en keken neer op zijn verminkte lijf, dat hevig bloedde uit zijn wonden.

De druïde knipperde met zijn ogen en staarde hen aan. Vespasianus hoorde een zachte stem, die nog iets riep, maar hij lette er niet op. 'Doe het, broer.'

Sabinus had geen nadere aansporing nodig. Toen hij zijn zwaard omhoogbracht, gleed er een glimlach om Myrddins lippen, of wat er nog van over was, en las Vespasianus in zijn ogen dat dit niets voor de man betekende. Het zwaard kwam omlaag, sneed met het natte, holle, krakende geluid van een slagersmes dwars door de keel en de nekwervels van de druïde en hakte zijn hoofd eraf, dat zich begroef in de bloeddoordrenkte aarde. Heel even leek de wereld stil te staan. Sabinus liet zijn zwaard in de grond steken, greep het hoofd bij het vette haar, tilde het op en schreeuwde: 'Clementina!' En nog eens, en nog eens, steeds opnieuw. Tot wanhoop van Boudicca en haar krijgers, die het zagen.

De mannen van de eerste en tweede cohort grepen met hernieuwde kracht hun zwaarden, terwijl hun tegenstanders geleidelijk de moed verloren. De mannen van Boudicca's huishouding vormden een kordon om haar heen en de koningin verdween in het gewoel. Vespasianus sprong weer op zijn paard en keerde om, speurend naar de plaats waar hij Titus voor het laatst had gezien. Maar hij zag niets anders dan het met lijken bezaaide slagveld. De Bataafse linie trok hem voorbij, achter het restant van de krijgers aan die waren teruggeslagen door de bres.

'Als u Titus zoekt, hij heeft mijn paard genomen,' meldde Magnus nonchalant. Vespasianus' oude vriend wandelde door de ravage van de veldslag die geen twintig passen bij hem vandaan nog in alle hevigheid woedde.

'Ja, ik zocht hem. Ik had gezien hoe hij van zijn paard stortte.'

'En ik heb hem op mijn paard geholpen. Hij amuseerde zich wel, aan zijn gezicht te zien, onder al dat bloed. Heel spijtig van Jorik – een geweldige knul. Aha, daar zijn ze.' Magnus bukte zich toen Castor en Pollux naar hem toe kwamen rennen. Kwijlend likten ze het bloed van hun lippen, druk kwispelstaartend van voldoening. 'Braaf! Hebben jullie die lelijke druïde te pakken genomen? Héél braaf! Ik ben trots op jullie.' Magnus kreeg een bloederig likje en aaide hun kleverige vacht toen ze weer met hun staart sloegen, blij met zijn prijzende woorden.

Vespasianus keek eens naar het vreemde tafereeltje en vroeg zich af of hij dit misschien droomde en er helemaal geen veldslag van epische proporties werd uitgevochten, een paar passen bij hen vandaan. Maar de realiteit drong weer in alle hevigheid tot hem door toen – onder een luid gejuich uit Romeinse kelen – de Britannische linie ineenstortte. Met een mengeling van paniek en schaamte sloegen de krijgers op de vlucht. 'Vroeg je nou net aan je honden of ze Myrddin hadden gegrepen?'

'Ja.'

'Jij had ze op hem afgestuurd?'

'Natuurlijk. Ik ben met de aanval meegekomen, een beetje achteraan, want ik vecht niet graag te paard. Dat druist tegen de natuur in en ik hou er niet van. Maar goed, ik zag Titus neergaan, dus gaf ik hem mijn paard, omdat ik er toch niet veel aan had en de jongens en ik beter lopend verder konden gaan, achter u en Sabinus aan. Om de gewonden van Boudicca uit hun lijden te verlossen, als u begrijpt wat ik bedoel.' Magnus haalde een prachtige zilveren halsring achter zijn riem vandaan. 'Die zag ik liggen, vlak nadat ik had gezien hoe die ellendeling van een Myrddin zijn ogen op u richtte. Daarom heb ik de jongens maar gestuurd om u te helpen, terwijl ik de voormalige eigenaar van dit fraaie stukje vakwerk naar de andere wereld hielp.'

Onwillekeurig, en ondanks alles wat er om hem heen gebeurde, schoot Vespasianus in de lach.

'Senator, we hebben geen tijd voor gezellige praatjes en leuke anekdotes,' zei Paulinus, die zijn paard inhield. De opluchting straalde van zijn gezicht. Hij glimlachte en stak zijn arm uit. 'U en uw broer worden bedankt voor alles wat u hebt gedaan, vooral het dichten van die bres en de onthoofding van Myrddin.'

Vespasianus greep de aangeboden hand, terwijl Sabinus naar hen toe kwam rijden met Myrddins hoofd aan zijn zadel gebonden.

'We moeten proberen zo veel mogelijk van die wilden over de kling te jagen, maar daarnaast hebben we nog een kwestie te regelen.'

'Boudicca?'

'Ik wil haar levend in handen krijgen. Vraag uw zoon om haar aan mij uit te leveren.'

'Dat doen we samen,' zei Vespasianus, met een blik naar zijn broer.

Sabinus knikte kort. Hij had het begrepen.

Nu de Britten waren verslagen, maakte Paulinus' leger jacht op de overlevenden – zonder genade, maar daar rekende ook niemand op. De krijgers werden bij honderden en duizenden in de rug aangevallen en afgemaakt toen ze probeerden te vluchten voor die bewegende muur van ijzer, hout en spierbundels, die hen steeds verder terug naar het zuiden dreef. Maar juist door hun grote aantal waren ze niet snel genoeg, zodat de tragere legionairs weinig moeite hadden om hen bij te houden. De slachting was zo massaal dat de individuele soldaten al gauw de tel kwijtraakten. Hier en daar probeerden groepjes zich nog te verzetten tegen hun achtervolgers, maar ze werden met bruut gemak binnen een paar minuten weggevaagd. De linies bleven in stand en de Romeinen rukten als één man op. Iedere andere tactiek zou de overwonnen vijand de kans bieden om terug te slaan. De nieuwe primus pilus van iedere cohort – geen van de oorspronkelijke aanvoerders had de strijd aan de punt van de formaties overleefd – hield zijn bevelen zo kort en krachtig mogelijk toen de troepen onstuitbaar de heuvel afdaalden. Maar al gauw werd de vallei breed genoeg om de druk op de Britten te verlichten, zodat ze sneller vooruitkwamen en zich geleidelijk konden losmaken van hun achtervolgers, die toch doorgingen en hun front verbreedden, zodat niemand langs de flanken kon glippen.

Zo kwam het dat Vespasianus en Sabinus niet veel later Titus met zijn Bataven hadden ingehaald, die zich een weg zochten langs de obstakels voor de strijdwagens, tussen de duizenden doden en zwaargewonden door.

'Moeten we ons daardoorheen hakken, vader?' vroeg Titus, met een nerveuze blik op de ziedende massa van vluchtende Britten, toen hij gehoord had wat er van zijn halve ala werd gevraagd.

'We wachten wel tot ze zich wat meer hebben verspreid. Dat is veiliger en eenvoudiger.'

Maar niet veel later werden de krijgers geconfronteerd met hun eerdere vertrouwen in de onvermijdelijke overwinning. Juist toen ze zich hadden bevrijd van de achtervolgende Romeinen, stuitten ze op de linie van wagens en karren die dwars over de vallei stonden geparkeerd. Daar immers hadden de families de terugkeer van hun zegevierende helden afgewacht. Inmiddels waren die families grotendeels gevlucht, maar het kamp lag er nog en hield de Britten tegen toen ze zich net veilig waanden voor de meedogenloze Romeinse zwaarden. Ze klommen eroverheen, kropen eronderdoor of wrongen zich erdoorheen, maar het oponthoud was zo groot dat Paulinus' leger hen weer inhaalde. En als de Romeinen eerder al dood en verderf hadden gezaaid, deden ze dat nu dubbel zo fanatiek, niet langer uit wraak maar uit plezier, in het besef dat dit hun laatste kans was om Britannische krijgers uit te moorden.

En ze lachten terwijl ze bezig waren, maakten grappen met hun kameraden over de capriolen van de krijgers, bij wie alle trots verdwenen was en die in paniek probeerden het vege lijf te redden, ten koste van anderen. Vespasianus en Sabinus deden van harte aan de slachting mee, omdat ze zich al die Romeinse burgers uit Camulodunum, Londinium en Verulamium herinnerden – het jonge meisje dat op een paal gestoken was, de kinderen die aan de brug waren gespijkerd, de vrouwen van wie de borsten waren afgesneden, de menselijke fakkels in de rivierhaven, en alle andere wreedheden die ze hadden gezien. Tegen de tijd dat de barrière van wagens en karren uit de weg was geruimd en de Britten uit de vallei vandaan stroomden, lagen er bijna tachtigduizend doden rond de heuvels. Eén man voor iedere Romeinse burger die tijdens de opstand was afgeslacht.

Vespasianus en Sabinus reden zo snel mogelijk verder, vergezeld door Titus en zijn Bataven. Ze meden de grotere groepen Iceni en doodden de paar dwazen die hun voor de voeten liepen. Snelheid was geboden, omdat Boudicca niet meer dan een kwart mijl voor hen uit reed. Haar strijdwagen was duidelijk zichtbaar binnen het kordon van haar persoonlijke krijgers, die met haar meerenden. De Bataven geselden hun paarden met het platte zwaard om ze tot meer spoed aan te zetten, en hun achterstand op de trage strijdwagen slonk al snel. Boudicca's lijfwachten keken nerveus over hun schouder en versnelden hun pas, maar een paard is nu eenmaal sneller dan een mens, zeker een mens die zojuist een veldslag heeft verloren, en binnen een halve mijl had de cavalerie de koningin en haar krijgers – nog een man of vijftig – ingehaald. Ze draaiden zich om en stelden zich op om de Bataven te confronteren, bereid te sterven voor hun koningin.

Vespasianus stak een hand op en Titus gaf het bevel om de groep te splitsen. De Bataven omsingelden de Iceni, zodat ze geen kant meer uit konden. De twee partijen hielden elkaar behoedzaam in het oog toen Vespasianus naar voren stapte met zijn paard. 'Boudicca!'

De koningin gaf haar wagenmenner opdracht de strijdwagen te keren, en ze reed langs haar lijfwachten naar Vespasianus toe. Sabinus kwam naast hem staan.

'Jullie twee!' gromde de koningin. 'Misschien had ik jullie toch moeten doden.'

'Daarom staan we hier nu,' merkte Sabinus op. 'Omdat u dat niet gedaan hebt.'

Vespasianus hield zijn dartele paard in bedwang. 'Paulinus wil u levend. U weet wat dat betekent?'

Boudicca's gezicht maakte duidelijk dat ze dat heel goed begreep. 'En jullie zijn in de meerderheid. Waarom grijpen jullie me dan niet?'

'Wij zijn u ons leven verschuldigd.'

'Dus geven jullie me nu het mijne daarvoor terug?'

'Om het te beëindigen zoals u wilt.'

'En mijn lichaam?'

Vespasianus knikte naar haar krijgers. 'Als zij ermee weg kunnen komen, kunnen ze het naar hun eigen wens begraven.'

'Mijn dochters?'

'Die hebben genoeg geleden – en wraak genomen. Die rekening is vereffend.'

Boudicca keek van de ene broer naar de andere. 'Waarom doen jullie dit?'

'Om u te laten zien dat niet alle Romeinen eerloos zijn.'

Ze knikte langzaam en riep toen haar dochters en de leider van haar lijfwacht bij zich. Er volgden verdrietige woorden in de taal van de Iceni toen er afscheid werd genomen.

'Ik ben bereid,' verklaarde Boudicca ten slotte.

'Hoe hebt u het zich voorgesteld?' vroeg Sabinus.

Boudicca keek naar het lugubere hoofd dat aan zijn zadel bungelde en haalde een flesje onder haar tuniek vandaan. 'Myrddin heeft me dit gegeven om te voorkomen dat ik levend gevangen zou worden genomen. Hij was een meester van de dood, dus zal dit snel en betrekkelijk pijnloos zijn. Jullie weten natuurlijk dat jullie hem niet hebben verslagen? Hij is alweer terug in een andere gedaante.'

Sabinus stak een hand omlaag en klopte op het hoofd. 'U mag geloven wat u wil. Het enige wat ik weet is dat ik mijn wraak heb gehad en dat deze schedel een goede plaats krijgt op het altaar van mijn huisgoden, als herinnering.'

'Wraak is een schone zaak. Ook ik heb me kunnen wreken.'

'Als u dat niet had gedaan, zou u later dit jaar vrij zijn geweest,' merkte Vespasianus op.

'Wat bedoel je?'

'Nero was van plan zich van dit hele eiland terug te trekken omdat de provincie hem te veel kostte. Daarom hebben Seneca en alle andere bankiers hun leningen teruggevorderd.'

Daar dacht de koningin even over na. Toen begon ze te lachen. 'Maar dat is prachtig! Nu kan ik tevreden sterven. Dat Nero de legioenen wilde terugtrekken om het geld, was de aanleiding tot deze opstand. Wat een heerlijke ironie. Want nu, na zo'n opstand en zoveel doden, kan Rome natuurlijk nooit vertrekken zonder zwak te lijken. Ik heb jullie schatkist dus zojuist ontelbare miljoenen gekost voor de komende jaren.' Ze hief het flesje en keek van Sabinus naar Vespasianus. 'Ik zei dat jij de laatste Romein was met wie ik ooit nog een woord zou wisselen.' Ze dronk het flesje leeg in drie grote slokken en ging op de vloer van haar strijdwagen zitten om te wachten.

Dat duurde niet lang.

Ook Vespasianus en Sabinus wachtten niet lang toen ze was heengegaan, maar keerden hun paarden en reden met Titus en de Bataven terug naar het noorden. Ze lieten het aan Boudicca's krijgers over om het lichaam mee te nemen van de furie die Rome had getrotseerd.

EPILOOG

ROME, 62 N.C.

Er hing een dreigende sfeer in Rome toen Vespasianus en Magnus met hun paarden over de Via Aurelia, *trans Tiberim* – op de westoever van de Tiber – liepen, de Brug van Aemilius overstaken en op het Forum Boarium kwamen, in de schaduw van het Circus Maximus. Grote groepen burgers liepen rond met beelden van een vrouw die behangen was met bloemen. Ze staken hun vuisten in de lucht, verzamelden zich op de Palatijn en scandeerden voortdurend haar naam: 'Claudia Octavia!'

Hier en daar waren andere beelden te zien, van hun sokkels getrokken, aan scherven op de grond, met nietsziende, maar levensecht geschilderde ogen starend naar de lucht.

'Poppaea Sabina,' las Vespasianus de inscriptie op een sokkel.

Magnus drukte een vinger tegen de zijkant van zijn neus om een neusgat schoon te blazen. 'Ze schijnt de mensen nogal te ergeren.'

'De vraag is eerder waarom ze die standbeelden heeft gekregen. Ze is Nero's minnares, niet zijn keizerin.'

'Er kan heel wat veranderen in achttien maanden,' merkte Magnus op, en hij blies het andere neusgat schoon. Castor en Pollux inspecteerden het resultaat toen het op de grond terechtkwam.

'Ja, maar we zouden het toch hebben gehoord als Nero van Claudia Octavia was gescheiden om met Poppaea te trouwen. De afgelopen vier maanden zaten we maar vijftig mijl verderop langs de Via Aurelia, in Cosa. Zulk nieuws gaat snel.'

'We zullen het wel horen van uw oom.'

Daar ging Vespasianus ook van uit, maar toch vond hij het zorgelijk dat de burgers van Rome zich zo agressief gedroegen tegenover de Palatijn en dus tegenover de keizer, terwijl er kennelijk niet werd ingegrepen. De praetoriaanse garde, de stadscohorten en zelfs de vigiles waren nergens te bekennen.

Niemand.

En nog verontrustender vond hij dat er niemand uit de ridderstand of de senatorenklasse op straat te zien was. Geen purpergebiesde toga's, geen draagstoelen, geen lictoren of roodleren sandalen, geen enkel symbool van rang of status. De straten waren overgenomen door de meute en Vespasianus was blij dat hij stoffige reiskleding droeg. Het meeste nieuws uit de achttien maanden van zijn afwezigheid was wel tot hem doorgedrongen, maar dit was een mysterie. Hij trok zijn kap diep over zijn gezicht en liep met flinke pas naar de Quirinaal.

Het had lang geduurd voordat Vespasianus weer in Rome terug was, langer dan hij had gehoopt. Onmiddellijk na de slag, en na Paulinus' woedende reactie omdat de broers Boudicca de kans hadden gegeven haar eigen leven te nemen, had de gouverneur Vespasianus naar de Tweede Augusta in het zuidwesten gestuurd om de kampprefect, Poenius Postumus, de keus te geven tussen zelfmoord of een smadelijk proces in Rome wegens lafheid omdat hij met zijn legioen Paulinus niet te hulp gekomen was. Nadat hij zijn diepe spijt had betuigd dat hij het legioen de kans had ontnomen op een aandeel in de overwinning op Boudicca's troepen, had Postumus zich voor Vespasianus' ogen in zijn zwaard gestort. Daarna had Vespasianus in Isca moeten wachten tot halverwege de zomer op de komst van de nieuwe legaat. Zonder keizerlijk mandaat kon hij officieel het bevel over het legioen niet op zich nemen, maar Paulinus had graag dat hij nog even bleef om de jeugdige militaire tribuun met brede streep – een patriciër van rond de twintig, die een paar dagen na Poenius' zelfmoord arriveerde – te adviseren over de schoonmaakacties van het legioen in het kielzog van de opstand. Dat waren uitvoerige operaties, in de hele provincie, en de tribuun had werkelijk geen idee. Helaas weigerde hij dat met aristocratische koppigheid in te zien, totdat hij bijna een hele cohort en zijn rechterarm verspeelde toen ze het Twintigste Legioen hielpen bij een actie tegen een serie gevaarlijke invallen van de Silures, die moed hadden verzameld na de verzwakte Romeinse aanwezigheid in het westen.

Toen de nieuwe legaat eindelijk aankwam, een paar dagen na dat incident, waren Vespasianus en Magnus teruggereisd naar de puinhopen van Londinium – een platgebrande, verkoolde stad, waar niets meer overeind stond. Hetzelfde zagen ze in Camulodunum, toen ze de kluis van Paelignus uit het riool gingen halen, voordat ze naar Germania Inferior voeren met Sabinus, Titus en zijn Bataven om Caenis en Hormus terug te zien. Cerialis bleef achter met de restanten van zijn legioen, iets minder dan duizend man. Ze kregen versterkingen uit Germania, waar gouverneur Rufus snel in actie was gekomen op aandringen van Caenis. Cerialis' reputatie werd weer enigszins opgevijzeld door de agressie waarmee hij de overgebleven krijgers van de Iceni uitmoordde, om vervolgens hun stamgebied zodanig te verwoesten dat het hun nog generaties zou kosten om erbovenop te komen.

Vespasianus had Titus in zijn provincie achtergelaten en was doorgereisd naar zijn landgoed in Cosa, waar hij met Magnus en Hormus gezellig de winter had doorgebracht. Caenis en Sabinus waren allebei naar Rome teruggegaan, waarvandaan ze, net als Gaius, regelmatig bericht stuurden. Het laatste van die berichten, nog maar een paar dagen geleden, vertelde hem dat hij veilig naar Rome terug kon keren. Burrus had zijn positie verspeeld en was dood. De man die de herinnering aan zijn botsing met Nero in het Circus levend had gehouden, was vergiftigd door Nero zelf, die volgens Caenis zo duidelijk zijn onschuld had willen aantonen dat hij zelfs naar Burrus' sterfbed was gekomen om te vragen hoe het ermee ging. 'Het gaat wel,' had Burrus geantwoord, waarna hij geen woord meer met de keizer wilde wisselen – deels vanwege zijn ernstig gezwollen keel. Nero was diepbedroefd dat Burrus nu slecht over hem dacht toen hij zijn laatste adem uitblies.

Opgelucht kwam Vespasianus bij Gaius' voordeur aan. Tijdens hun wandeling door de stad was de sfeer alleen nog maar dreigender geworden. De bendes ontevreden burgers betuigden luidkeels hun steun aan Claudia. Maar er was nog iets anders aan de hand, en dat had niets met Claudia te maken. Niet alleen liepen er vrijgeborenen en vrijgelatenen over straat, maar ook een groot aantal slaven, die dezelfde grieven hadden als veel vrijgelatenen.

'Pedanius,' verklaarde Gaius tegen Vespasianus en Magnus toen ze op zijn binnenplaats in het zonnetje zaten, rond een tafel met een overvloed aan wijn en honingkoek.

'De prefect van Rome?' vroeg Vespasianus.

'Dat is hem. Nou ja, inmiddels ex-prefect.'

'Heeft hij ontslag genomen?'

'Nee, beste jongen, hij is vermoord.' Gaius zocht een volgende lekkernij. 'Door een van zijn slaven,' voegde hij eraan toe, voordat het koekje in zijn geheel naar binnen ging.

'Nee!' riep Vespasianus ontzet.

'Ja,' verzekerde Gaius hem, en hij sproeide wat kruimels over de tafel.

'Zo'n incident hebben we al tientallen jaren niet meer gehad. Wat is er precies gebeurd?'

'Ik geloof dat hij zijn belofte om de man zijn vrijheid te geven niet was nagekomen, hoewel de prijs al was afgesproken. En tot overmaat van ramp begon hij de favoriete knaap van die slaaf te gebruiken op een nogal provocerende manier. Waarop de slaaf Pedanius' kamer binnensloop terwijl hij bezig was met voornoemde knaap en Pedanius doodstak.'

'En houden ze zich aan de wet?'

'Dat is nog niet zeker, omdat zijn huishouding hier in Rome en op het platteland meer dan vierhonderd slaven telt. Volgens de wet zijn ze allemaal in gelijke mate verantwoordelijk voor de moord op hun heer en zouden ze allemaal gekruisigd moeten worden. De afgelopen maanden, sinds de moord, zijn er argumenten voor en tegen geopperd, maar uiteindelijk is het Nero's beslissing en hij kan geen besluit nemen. Hij is bang dat het gewone volk slecht over hem zal denken als hij ja zegt, dus heeft hij zich eruit gered door de kwestie door te spelen naar de Senaat. Morgen is er een debat daarover in het Huis.'

'Geen wonder dat de slaven en vrijgelatenen demonstreren,' zei Magnus, en hij schonk zich nog een glas wijn in. 'Mensen leven altijd mee, in dit soort situaties.'

'Dat is zo, Magnus. Niemand ziet graag zuigelingen gekruisigd op de Via Appia. Maar de wet is de wet.'

'In elk geval ga ik morgen naar dat debat,' zei Vespasianus.

'Ja, het kan heel interessant worden, met al die onrust nu Nero van Claudia Octavia is gescheiden om met Poppaea te kunnen trouwen...'

'Is hij met haar getrouwd?'

'Nou, nog niet. De ceremonie staat voor overmorgen op het programma. Poppaea is een paar maanden zwanger en zal de zwangerschap wel uitdragen, daarom is Nero vorige maand van Claudia gescheiden, omdat ze onvruchtbaar zou zijn. Geen verrassing, natuurlijk, omdat

– als je de verhalen mag geloven – Nero maar een paar keer in haar buurt is geweest sinds hun huwelijk, en haar die keren heeft gebruikt zoals Pedanius die knaap. Ik weet niet veel van vrouwen, maar wel dat ze zo niet zwanger worden. Het volk is woest, omdat ze Claudia als een fatsoenlijke Romeinse vrouw beschouwen, die daarom op hun steun mag rekenen. Ze eisen dat hij haar uit haar ballingschap terugroept en met haar hertrouwt. De steun aan Claudia groeit sterk en wordt ook nog gevoed door dit debat over die slaven. Nero weet er geen raad mee. Hij is doodsbenauwd en heeft zich al een paar dagen niet vertoond. Ondertussen weigert de praetoriaanse garde in beweging te komen totdat ze een bonus hebben gekregen vanwege die moord op Burrus. Ook de stadscohorten zitten zonder leider, omdat Pedanius dood is en Nero nog geen nieuwe stadsprefect heeft aangewezen. De vigiles weten niet van wie ze hun orders moeten krijgen, omdat Tigellinus tot nieuwe prefect van de garde is benoemd. Een puinhoop dus, en Nero weet niet wat hij eraan moet doen.'

Vespasianus was zichtbaar ontdaan. 'Tigellinus als praetoriaans prefect! Dat is bijna net zo'n ramp als Burrus, toen hij nog leefde.'

'Ik weet het. Maar niemand kon er iets aan doen. Nero wilde tot elke prijs zijn vriendje de hoogste positie geven – als beloning voor slecht gedrag, zeg maar. Iedereen dacht meteen aan Sejanus. Maar maak je geen zorgen, beste jongen, voor het eerst in zijn leven heeft Seneca iets gedaan voor het algemeen belang en niet enkel voor zijn eigen beurs. Hij heeft Nero ervan overtuigd om terug te gaan naar de tijd toen er nog twee prefecten waren, met het argument dat Tigellinus het te druk zal krijgen met de administratie om al zijn aandacht aan de keizer te kunnen besteden. Nero had zich natuurlijk nooit gerealiseerd dat er werk verbonden was aan die functie, dus heeft hij Seneca's advies opgevolgd – waardoor de eerlijkste man in Rome nu co-prefect is met Tigellinus.'

'Wat bedoelt u met eerlijk?' informeerde Magnus, oprecht nieuwsgierig.

'Dat hij de afgelopen zeven jaar prefect van de graanvoorraad is geweest en daar financieel nauwelijks misbruik van heeft gemaakt.'

'Heel dom dus, wilt u zeggen.' Magnus gooide een koekje naar Castor en Pollux, die geen interesse hadden omdat ze allebei met een kluif bezig waren.

Vespasianus knikte bedachtzaam. Dit leek hem heel verstandig. 'Faenius Rufus, de ideale tegenpool van Tigellinus.'

Gaius straalde instemmend. 'Dus als Tigellinus moeilijkheden voor ons wil maken over die kwestie met Terpnus, hoeven we alleen maar onze onschuld te bepleiten bij Rufus...'

'En die is zo eerlijk om ons te geloven,' maakte Vespasianus zijn zin voor hem af.

'Precies. Met zijn steun en Paulinus' bijzonder vleiende rapport over jouw en Sabinus' optreden tijdens de opstand van Boudicca – dat in de Senaat is voorgelezen, in Nero's bijzijn – denk ik dat we nu wel veilig zijn voor Tigellinus' streken.'

'Voorlopig, tenminste. Maar ik vraag me toch af of Seneca werkelijk aan het algemeen belang dacht toen hij Rufus naar voren schoof.'

'Hoezo?'

'Ik vind het merkwaardig dat Seneca iemand met Nero's persoonlijke veiligheid heeft belast die misschien niet volledig aan die taak is toegewijd. Weet je nog dat Rufus en Piso suggereerden dat Sabinus stilzwijgend toestemming had gegeven voor die overval op Nero en Terpnus en hem daar niet echt om veroordeelden?'

Gaius dacht terug, keek Vespasianus toen vol afgrijzen aan en nam haastig nog een koekje als versterking. 'Je hebt gelijk, beste jongen. Denk je dat hij...?'

'Nee, daar is Seneca veel te handig voor. Hij wil zijn geld en zijn positie veiligstellen. Laat iemand anders maar voor de hoofdprijs gaan, dan kan Seneca hem misschien weer adviseren en beïnvloeden.'

'Wie dan?'

Vespasianus hief een waarschuwende hand op. 'Laten we niet speculeren, want we willen er niets mee te maken hebben als het misloopt.'

'Daar heb je helemaal gelijk in.'

'Maar misschien is het allemaal toeval en weet Seneca niets van Rufus' ware gevoelens. Ik zal het tegen Sabinus zeggen en hem vragen om extra goed naar zijn informanten te luisteren,' zei Vespasianus, terwijl hij opstond. 'Maar nu ga ik naar Caenis.'

'Niet naar Flavia?'

'Nee. Ik blijf vannacht bij Caenis. Flavia heeft niet eens de moeite genomen om bij me op bezoek te komen terwijl ik in Cosa moest wachten – zogenaamd omdat ze niets te doen heeft op het platteland. Bovendien heb ik weinig zin in Domitianus, voor het geval het joch een nog grotere klier is geworden.'

Gaius huiverde. 'Ik kan het je niet kwalijk nemen, beste jongen. Wat ik zo hoor, is hij er niet op vooruitgegaan. Ik zou maar bij hem uit de buurt blijven, ook al is hij je zoon. Dat soort knaapjes doet me soms twijfelen aan mijn leefstijl.'

Vespasianus hield zijn commentaar maar voor zich. 'Als Hormus komt, vraag dan of hij die kluis van Paelignus hier achterlaat. De rest kan naar mijn huis. Dan zie ik hem daar morgen wel bij mijn salutatio, voordat we samen naar de Senaat vertrekken.'

'Je vertrouwt Flavia niet met de inhoud van dat kluisje?'

'Tweeduizend aurei? Zou u haar vertrouwen?'

'Pallas vermoedde al dat je eerst hiernaartoe zou komen,' zei Caenis, en ze sloeg haar armen om Vespasianus' hals toen hij haar atrium binnenkwam.

'Wat bedoel je?' vroeg Vespasianus, terwijl hij zijn gezicht in haar haar begroef en haar geur opsnoof.

Caenis maakte zich van hem los en pakte een wasplankje van een tafel. 'Hij heeft je hier een brief gestuurd; die kwam een paar uur geleden aan.'

'Merkwaardig.' Vespasianus pakte het plankje aan en verbrak het zegel om het te lezen. Zijn gezicht betrok.

'Wat is er, lief?' vroeg Caenis.

'Hij vraagt me om morgen bij hem langs te gaan na de vergadering van het Huis, samen met jou, Gaius en Magnus. En we moeten in een koets komen, schrijft hij erbij.'

'Helemaal naar Bauli?'

'Nee, hij is in zijn villa vlak buiten de stad, aan de Via Appia. Hij is hierheen gekomen om weer toegang te krijgen tot de keizer en hem geluk te wensen met zijn nieuwe bruid.'

'Dus hij probeert nog steeds om weer in de gunst te komen?'

'Blijkbaar, maar het lukt niet erg. Integendeel, zelfs. Op zijn verzoek om een audiëntie ter gelegenheid van het huwelijk antwoordde Nero dat hij hem een groter plezier zou doen door zich in zijn zwaard te storten. Dan zal de keizer maar negen tiende van zijn vermogen confisqueren. Over de rest mag hij zelf beslissen.'

'Nou, dat komt aan. Ben je van plan om naar hem toe te gaan?'

Vespasianus dacht even na. 'Ja, ik denk het wel. Hoe hij ook heeft geprobeerd me mijn hele carrière te manipuleren, uiteindelijk ben ik hem meer verschuldigd dan hij mij. Ik zal naar hem toe gaan, uit respect, voordat hij zich van het leven berooft.'

'Ik ga mee.' Caenis nam zijn gezicht in haar beide handen, ging op haar tenen staan en kuste Vespasianus vol op zijn lippen. 'Maar ondertussen hebben we geen afspraken meer tot de Senaat morgen bijeenkomt. We kunnen vast wel iets bedenken om de tijd door te komen.'

Vespasianus kuste haar terug en loodste haar toen met enige haast door het atrium, in de richting van haar slaapkamer.

'Ik geef het woord aan Faenius Rufus,' verklaarde de voorzittende consul, Lucius Afinius Gallus, nadat hij de voortekenen gunstig had bevonden voor de Romeinse staatszaken van die dag. 'Hij zal de argumenten voor clementie nog eens uiteenzetten.'

Er klonk een nijdig gemompel onder de meer behoudende senatoren toen Rufus overeind kwam. Sommigen, onder wie Corvinus, gingen nog verder en sisten hem toe, met dreigende gebaren. Achter de open deuren van het Senaatsgebouw was het Forum Romanum volgestroomd met duizenden burgers en slaven, die wachtten op de uitkomst van het debat.

'Dit kan interessant worden,' fluisterde Gaius tegen Vespasianus en Sabinus. 'Een eerlijk man die zich afvraagt waarom meer dan vierhonderd slaven veroordeeld moeten worden voor de daden van één van hen.'

'Patres conscripti,' begon Rufus, met opgeheven hoofd, zijn linkerhand op zijn borst, om de zoom van zijn toga geklemd, en zijn rechterarm langs zijn lichaam, met een perkamentrol in de hand – het toonbeeld van een republikeinse redenaar. 'De wet is de wet! Maar betekent dat ook dat de denkbeelden van onze voorouders nog altijd van toepassing zijn in deze moderne tijd? In dit geval lijkt mij dat niet. In dit geval hebben we te maken met omstandigheden waarover onze voorouders zich nooit het hoofd hoefden te breken. Het is een religieuze kwestie.' Hij zweeg en keek de zaal rond. 'De meesten van ons zijn wel op de hoogte van die nieuwe joodse cultus die langzaam doordringt in de stad. Dat weten we, omdat velen van onze slaven erdoor worden besmet. Dit perverse geloof, deze ontkenning van de goden, deze religieuze onverdraagzaamheid, verbreidt zich nu ook door de onderklassen, dankzij de leugens over een beter leven in een denkbeeldig hiernamaals, terwijl wij allemaal weten wat ons werkelijk te wachten staat wanneer wij de Styx oversteken.' Rufus gebaarde naar de menigte buiten. 'Ziedaar het levende bewijs, op ons Forum. Het zijn niet allemaal volgelingen van de gekruisigde jood die zij Christus noemen, maar degenen die zich wel tot hem hebben bekeerd weten sympathie op te wekken voor Pedanius' slaven, vooral bij andere slaven en bij vrijgelatenen die zelf ooit slaven waren. Waarom, zult u vragen. Omdat een groot aantal van de veroordeelde slaven aanhangers zijn van deze cultus. Sinds mijn benoeming tot prefect van de praetoriaanse garde heb ik er heel wat ondervraagd en gemarteld. Atheïsten zijn het! En ze worden opgehitst door een Romeins burger, Gaius Julius Paulus, een man zonder eer, een man van...'

'Die kleine etter was ik alweer vergeten,' zei Vespasianus terwijl Rufus een hele lijst van Paulus' gebreken opsomde.

'Ik niet,' zei Sabinus. 'Hij is hier.'

'Hier?'

'Ja, beste jongen,' bevestigde Gaius. 'Hij is hier aangekomen vlak nadat jullie allebei waren vertrokken. Hij was gevangengezet voor opruiende praktijken in Judaea, maar als Romeins burger had hij het recht in beroep te gaan bij Caesar.'

'En vanuit zijn huisarrest,' vervolgde Rufus, met toenemende woede, 'schrijft deze agitator aan zijn volgelingen om ze nog meer op te hitsen. Hij kweekt religieuze onverdraagzaamheid en extremisme. Hij beweert dat de volgelingen van Christus onder de veroordeelde slaven tot martelaars worden gemaakt door de machtige hand van de Romeinse wet, terwijl hij zichzelf achter diezelfde wet verschuilt om tegen onze staat samen te spannen. En daar kunnen wij niets tegen doen, omdat hij als burger inderdaad het recht op beroep heeft bij de keizer.'

'Het probleem is,' mompelde Gaius, 'dat Nero hem niet wil ontvangen.'

'Patres conscripti,' vervolgde Rufus, terwijl de menigte op het Forum ruimte maakte om een draagstoel door te laten, geëscorteerd door lictoren, 'laten wij daarom geen martelaren creëren, zelfs geen valse, in deze schandelijke zaak. Laten we clementie betrachten. Laten we Paulus zijn argumenten tegen ons uit handen slaan en iedereen sparen, behalve de moordenaar. De anderen mogen hun leven slijten in de mijnen. Als we het niet zo doen, zal dit gif zich verder verspreiden onder de armen van de stad. En ik hoef u er niet aan te herinneren, patres conscripti, dat zij veel groter in aantal zijn dan wij.'

'Nee!' riep Corvinus, en hij sprong overeind toen Rufus weer ging zitten. 'Pedanius was iemand van ons! Hoe zal het gewone volk ooit nog geloven dat wij de wet eerlijk toepassen voor hen, als we dat niet eens doen voor iemand uit onze eigen klasse? De wet is de wet, en die mag niet worden veranderd vanwege de agitatie van een religieuze extremist.'

'Dat ben ik eigenlijk wel met hem eens,' zei Gaius, toen Gallus om orde riep en Gaius Cassius het woord gaf.

'Maar u kent Paulus niet, oom,' zei Vespasianus, terwijl de bejaarde Cassius moeizaam opstond. 'De man wordt gedreven door de ambitie om het volk te manipuleren.'

'Patres conscripti,' galmde Cassius met een krachtige stem, die niet leek te passen bij zijn rimpels en zijn grijze haar. 'Ik ben dikwijls in dit Huis aanwezig geweest als er nieuwe besluiten van de Senaat werden gevraagd die tegen de wetten van onze voorvaders indruisten. En ik heb me er niet tegen verzet...'

'Dat moet Nero zijn,' fluisterde Vespasianus tegen Gaius en Sabinus. Op het plein was beroering ontstaan onder de menigte toen de draagstoel de trappen van de Senaat naderde. 'Ik dacht dat hij niets te maken wilde hebben met het besluit.' Vespasianus hoorde het rumoer onder de mensen toenemen, zodat Cassius gedwongen was zijn stem te verheffen toen hij zijn toespraak besloot.

'Wij herbergen in onze eigen huishouding nu hele stammen vreemdelingen met andere zeden en gewoonten, vreemde religies of – zoals wij vernamen – zelfs in het geheel geen geloof in de goden meer. Dat soort gespuis is alleen in toom te houden door intimidatie. Ja, en als we dan bedenken dat iedere tiende man in een falend legioen wordt doodgeslagen door zijn kameraden, zult u beseffen dat ook dappere strijders dit lot kan treffen. Ieder effectief afschrikkingsmiddel kent nu eenmaal een element van onrechtvaardigheid, maar dit onrecht tegenover het individu wordt gecompenseerd door het nut van het algemeen.'

Cassius ging weer zitten en er viel een stilte toen de senatoren, die nog geen besluit wilden nemen voordat ze hadden gehoord wat de keizer te zeggen had, wachtten tot Nero's draagstoel bij de deur was neergezet. Langzaam en dreigend trok Nero het gordijn terug, stapte uit en duwde zijn lictoren weg toen ze binnenkwamen. Zijn komst deed de angst weer opleven.

Nero liep naar het midden van de vloer, bleef daar staan en draaide langzaam rond, met een bijna waanzinnige uitdrukking in zijn ogen en zijn armen smekend uitgestrekt naar de mannen in de zaal. Zijn blik gleed over hen heen. 'Mijn persoon is aangerand.' Zijn stem klonk gesmoord. 'Aangerand!' Senatoren schoten geschrokken overeind toen het woord luid weerkaatste tegen de hoge, met marmer beklede muren. 'Mijn persoon!' Ongelovig keek hij omlaag naar zijn lichaam – veel dikker dan toen Vespasianus hem voor het laatst gezien had. 'Mijn persoon. Aangerand! En meer nog dan mijn persoon: mijn waardigheid! Het gepeupel begon mij uit te schelden. Mij! Terwijl ik niets anders doe dan hen dienen. Ze riepen me de smerigste namen toe. En leugens! Ik was hiernaartoe gekomen, patres conscripti, om mezelf wenend aan uw voeten te werpen. Ja, ik zou hebben geweend en u hebben gesmeekt om genade te hebben met die slaven, als mijn geschenk aan het gewone volk; een geschenk als dank voor hun begrip als ik morgen mijn nieuwe bruid zal trouwen. Maar ze hebben mijn persoon aangerand en me uitgescholden! Ik zal niet wenen, patres conscripti, noch zal ik smeken, hun begrip verwachten of me nog iets aantrekken van wat zij vinden. Nee, niet langer zal ik me bekommeren om de gevoelens van de gewone man. Van nu af aan zal ik leven zoals het mij goeddunkt, zoals mijn recht is als mens!' Hij zweeg en keek hijgend de kring van senatoren rond, die als verlamd stonden.

Vespasianus voelde de blik van de keizer over zich heen glijden, en terug, voordat zijn oog op Sabinus bleef rusten.

'Titus Flavius Sabinus,' zei Nero schor. 'U neemt uw vroegere rol als stadsprefect weer op zich. En uw eerste taak is het schoonvegen van de straten en het kruisigen van de slaven. Allemaal! Vraag Tigellinus om een cohort van de garde om mijn persoon te beschermen als ik terugga naar de Palatijn, en zoek dan honderd van de mensen die mij hebben beledigd. Zij zullen figureren bij de spelen ter gelegenheid van mijn huwelijk. Begrepen?'

'Jawel, princeps,' zei Sabinus, en hij kwam overeind. 'Dank u...'

'Ga nu!'

Sabinus wist niet hoe snel hij moest gehoorzamen.

Aan de andere kant van het Huis zag Vespasianus Corvinus vol afgrijzen naar de keizer en de rug van de vertrekkende Sabinus staren.

'En u, Rufus!' vervolgde Nero hees, terwijl hij zich omdraaide naar de nieuwe prefect van de praetoriaanse garde. Sabinus' voetstappen waren het enige andere geluid dat door de zaal weergalmde. 'Stuur onmiddellijk bericht aan Anicetus dat hij een huwelijkscadeau voor mijn nieuwe echtgenote kiest. Hij weet wel wat haar het beste zal bevallen. Ga nu!'

Rufus aarzelde een halve seconde, maar wist wel beter dan zich tegen Nero te verzetten. De angst regeerde. Dus salueerde hij en vertrok. Het trillende spiertje in zijn kaak was de enige aanwijzing voor zijn heimelijke gedachten.

Nu richtte Nero zijn aandacht op de rest van de senatoren, met een blik zo hard als staal. 'U blijft hier bij mij, totdat de garde is gearriveerd. Dan hebt u alle tijd om te bedenken hoe u mij de gelukkigste man kunt maken op mijn huwelijksdag, want na zo'n schandelijke vertoning kunnen alleen de mooiste geschenken me weer in een goed humeur brengen. En geloof me, daar is iedereen mee gediend!'

Vespasianus wist precies wat hem te doen stond, zo groot was zijn angst.

Onder het uitstoten van rauwe kreten kronkelde een zuigeling, nog niet lang uit de moederschoot, aan de spijkers waarmee haar polsen en enkels aan het kruis waren genageld, terwijl haar moeder, die naast haar hing, ongelovig toekeek en geluidloos jammerde om haar kind, zo nietig aan dat houten kruis, onder zulke helse pijnen, nadat ze nog maar pas deze harde wereld had betreden. Hamerslagen en het gekerm van de slachtoffers weerklonken toen soldaten van de stadscohorten de veroordeelde slaven van Pedanius' huishouding in bedwang hielden om hen te kruisigen. Anderen, die al aan de houten stellages langs de Via Appia waren gespijkerd toen Vespasianus, Gaius, Caenis en Magnus daar voorbijreden, hingen te hyperventileren, jammerend van ellende, terwijl ze gebeden mompelden of smeekten om te worden losgemaakt. Degenen die nog aan de beurt moesten komen, schuifelden met hun voetboeien en staarden vol ontzetting omhoog naar hun voorgangers. Tranen stroomden over hun wangen, mannen sloegen hun armen om hun vrouwen en kinderen heen, bevend van angst, op hun laatste reis in een wereld waarin ze nooit een stem hadden gehad.

Heel wat veroordeelden en soldaten probeerden troost te bieden, maar wat hielp troost tegen de wreedheid van die vlijmscherpe spijkers? Vespasianus vroeg het zich af toen hij verder reed in zijn koets, met Magnus op de bok.

'Wat doen zij daar?' vroeg Gaius, die tegenover hem zat, en hij wees naar buiten.

Vespasianus keek naar een groep knielende mensen. 'Ik denk dat het volgelingen van Christus zijn. Ze bidden op hun knieën.'

'Wat ongemakkelijk.'

Magnus spuwde in de richting van het groepje. 'Ze hebben geen zelfrespect, dat is hun probleem. Knielen, alsof je verslagen bent?'

'Dat zijn ze ook, in zekere zin,' merkte Caenis op. 'Verslagen door het leven, want dieper kun je niet zinken. Een paar dagen geleden moest ik een van mijn meiden nog laten geselen toen mijn huismeester meldde dat ze een vis had getekend boven haar bed.'

Gaius fronste. 'Een vis?'

'Dat is hun teken. Ik wil dat niet, in mijn huis. Ik zal het meisje wel verkopen als haar wonden zijn genezen en ze weer iets waard is.'

Vespasianus legde een hand op Caenis' knie. 'Slaven straffen voor een misdrijf dat ze hebben gepleegd is iets anders dan ze terechtstellen voor iets wat ze helemaal niet hebben gedaan.'

'Je keurt dit niet goed, mijn lief?'

Gaius maakte een grimas toen hij de schrille kreet van een jongen hoorde bij wie een spijker door het lichaam werd gejaagd. 'De wet moest gehandhaafd worden.'

Vespasianus wendde zijn ogen van het pijnlijke tafereel af. 'Maar zeg me dan, oom, wat u zou hebben gedaan als dit uw prachtige jongens waren geweest?'

'Dat zijn ze niet.'

'Maar stel dat een van uw nieuwe aankopen zich met geweld zou verzetten als u bezig was hem te... temmen, zal ik maar zeggen?'

'Dat zal nooit gebeuren. De eerste keer ben ik heel voorzichtig. Bovendien ben je op mijn leeftijd niet zo krachtig meer.'

'Maar stel dat het wel gebeurde en al uw jongens zouden worden gekruisigd? Wat zou u daar dan van vinden?'

'Dan was ik toch al dood.'

'Jawel, oom Gaius, maar het gaat om het principe. Als al uw prachtige jongens zouden worden terechtgesteld om de daden van één van hen. Wat zou u dan zeggen?'

Gaius keek naar de tiener die nu verlamd van angst naar de hemel staarde. 'Zonde van zo'n lekker kontje.'

Vespasianus zuchtte. 'Ja, zo kun je het ook bekijken.'

Magnus hield de paarden in toen ze Sabinus naderden, die met een paar tribunen van de stadscohorten toezicht hield op de executies.

Toen hij hun koets zag aankomen, onderbrak Sabinus zijn gesprek en kwam met een brede grijns naar hen toe. 'Seneca keek ontzet, schijnt het, toen hij hoorde dat ik door de keizer weer tot stadsprefect was benoemd. Blijkbaar had hij net een schuldbekentenis van Corvinus gekregen voor acht miljoen, om hem die functie te bezorgen. Dat geld loopt hij dus mis.'

Vespasianus was blij met de meevaller van zijn broer. 'Ik zag Corvinus' gezicht toen jij bij de Senaat vertrok. Hij keek net zo ontzet als Seneca, geloof me.'

Gaius grinnikte. Zijn wangen en zijn onderkin wiebelden mee. 'Ja, dat heb ik ook gezien. Dus dat was de reden. Mooi zo.'

'Het was de genadeklap voor Seneca,' merkte Caenis op. 'Ik was erbij toen hij het nieuws vanochtend kreeg. Eigenlijk keek hij niet ontzet, maar eerder berustend. Het laatste restje invloed dat hij nog op de keizer had is hij nu kwijt, en dat beseft hij maar al te goed. En omdat invloed gelijkstaat aan geld, ziet hij geen heil meer in zijn rol als Nero's belangrijkste adviseur.'

Dat verbaasde Vespasianus niet. De benoeming van Rufus kwam hem steeds logischer voor. 'Misschien heeft hij zijn aftocht al georganiseerd. Hoe wil hij Nero overreden om hem te laten gaan?'

'Hij probeert iets te regelen met het geld dat Decianus van Boudicca had gestolen. De gebroeders Cloelius zijn bereid het aan Seneca terug te betalen – tegen een behoorlijke commissie, uiteraard – nu er al een jaar niets meer van Decianus is vernomen.'

'Ik wens hem er veel succes mee. Ik zal blij zijn als hij eindelijk vertrekt, na alle ellende die hij met zijn investeringen heeft aangericht.' Vespasianus draaide zich om naar Sabinus. 'En jij, broer, heb je nog een laatste boodschap voor Pallas?'

Sabinus dacht even na. 'Zeg hem dat ik hem altijd dankbaar zal blijven voor mijn leven.' Toen stak hij vrolijk zijn hand op, draaide zich om en liep weer terug om toezicht te houden op de executie van de rest van Pedanius' huishouding.

'Zijn leven?' vroeg Pallas, turend naar de bast rond de stam van een notenboom in zijn tuin. Hij streelde het hout. 'Hij heeft heel wat meer om me dankbaar voor te zijn, maar wie ben ik om kritiek te hebben of te zeuren als ik voor zonsondergang toch dood zal zijn?' Hij keek eens naar Vespasianus, Gaius, Caenis en Magnus, die bij hun gastheer op het centrale tuinpad stonden. Zijn haar en baard waren nu bijna wit, maar zijn ogen stonden nog helder en zijn gezicht nog altijd uitdrukkingsloos, ondanks de naderende zelfmoord.

Zuilengangen, beelden, fonteinen en bogen – allemaal vrolijk geschilderd, met krachtig geel, dieprood en azuurblauw als overheersende kleuren – onderstreepten de zorgvuldig onderhouden natuurlijke elementen van de tuin, die keurig werd opgedeeld door grindpaden en goten met stromend water. Het was geen slechte plek om je laatste uren door te brengen, had Vespasianus bepeinsd toen Pallas' huismeester hen door de villa naar het kleine paradijs van de vrijgelatene had gebracht.

'Het geeft niet,' zei Pallas, terwijl hij zijn handen op zijn rug legde en hen nog een eindje meenam, bij de villa vandaan. 'Een beetje dankbaarheid is beter dan niets. En jullie hebben allemaal wel iets om me dankbaar voor te zijn.'

'Je bent altijd goed geweest voor onze familie,' zei Gaius, die zelfs al begon te zweten nu hij Pallas' wandeltempo moest bijhouden.

'Omdat jullie je nooit te goed voelden om met me te praten, ook toen ik slechts een slaaf was.'

'Het woord "slechts" past niet bij jou, oude vriend.'

'Ik heb me mijn hele leven in de hoogste kringen bewogen, dat is waar. Ik heb mijn patroon Claudius, de zoon van Antonia, keizer gemaakt, zijn positie veiliggesteld en ervoor gezorgd dat die ondankbare, nutteloze, gestoorde maniak Nero hem is opgevolgd. Dat was een fout, besef ik nu. Hoewel ik heb geholpen om... hoe zal ik het zeggen... mijzelf en hem te bevrijden van zijn moeder Agrippina, heb ik nooit meer enige invloed aan het hof gekregen. En nu eist hij mijn leven en negen tienden van mijn vermogen. Ik wens hem er veel plezier mee. Veertig miljoen sestertiën zullen ruim voldoende zijn voor mijn vrouw en mijn twee kinderen om zich te redden.'

'Vrouw?' vroeg Vespasianus.

'Kinderen!' riep Gaius uit.

Vespasianus was sprakeloos. 'Ik heb nooit geweten dat u een vrouw had.'

'U hebt het ook niet gevraagd, en ik heb ze nooit naar Rome gebracht, omdat je je zwakke plekken beter niet kunt laten blijken. Verder dan deze villa zijn ze nooit gekomen. Maar ze zijn wel de reden waarom ik jullie hier heb uitgenodigd. Ik wil jullie vragen om op ze te passen als ik er niet meer ben. Mijn twee jongens zijn acht en tien. Ze zijn vrijgeboren burgers van Rome, en met ieder een gelijk deel van slechts een tiende van mijn bezit komen ze gemakkelijk in aanmerking voor de status van senator. Mijn vrouw zal ze aan jullie voorstellen zodra ze meerderjarig zijn. Help ze met de cursus honorum. Als mijn intuïtie me niet bedriegt, zijn jullie daarvoor in de beste positie.'

'Wat bedoelt u?' vroeg Vespasianus, zo onschuldig mogelijk.

'Laat ik het erop houden dat Nero niet eeuwig zal regeren. Ongetwijfeld is het jullie opgevallen wie Nero tot tweede prefect van de praetoriaanse garde heeft benoemd. Er komt schot in de zaak. Toen mijn patrones, Antonia, u het zwaard van haar vader gaf, dat ze had beloofd aan diegene onder haar kleinzoons die volgens haar het meest geschikt was om keizer te worden, was dat een heel slimme keus van haar, denk ik.'

Vespasianus deed alsof zijn neus bloedde. 'Claudius heeft me dat afgenomen in Britannia.'

'Dat weet ik, want ik was erbij. Maar hier hebt u het weer terug.' Hij tastte onder zijn toga, maakte die los en haalde het zwaard van Marcus Antonius – ooit de belangrijkste man van Rome – tevoorschijn.

'Dank u, Pallas,' was alles wat Vespasianus kon uitbrengen toen hij het perfect uitgebalanceerde wapen in de gebutste schede van hem aanpakte. Het was het zwaard van een ijzervreter, niet van een paradesoldaat.

'Gebruik het goed.'

Vespasianus wilde iets zeggen, maar Pallas hief een hand op om hem voor te zijn. 'Zorg goed voor mijn zoons en maak er een succes van in Afrika.'

'Afrika!' riep Gaius uit, en zijn onderkin trilde nog heviger.

'Ik heb de benodigde fondsen bij de gebroeders Cloelius op het Forum gedeponeerd, in uw naam.' Hij keek naar Caenis. 'Wie neemt het over van Seneca?'

'Epaphroditus, neem ik aan.'

Pallas knikte. 'Dat dacht ik al. Spreek hem zo snel mogelijk aan, Vespasianus, morgen op de bruiloft als u de kans krijgt, en Afrika is volgend jaar van u. Hij is Nero's vrijgelatene, dus hij heeft invloed. En je weet het nooit, misschien komt er niet eens geld aan te pas bij de onderhandelingen.'

Vespasianus vroeg zich af of Nero's bruiloft wel de juiste plaats was voor zulke gesprekken, maar toch stemde hij in.

'Gaius,' ging Pallas verder, 'ik weet dat u teleurgesteld bent in uw ambities voor het consulaat.'

Gaius wuifde dat weg. 'Niet genoeg doorzettingsvermogen in mijn jeugd. Ik was het allang vergeten.'

'En daardoor hebt u de kans gemist om een financiële slag te slaan. Ga met Vespasianus naar de gebroeders Cloelius, dan zult u daar compensatie vinden. Jij ook, Magnus, in wat mindere mate. De twee rekeningen staan op jullie naam, net als die van Vespasianus, en kunnen niet naar mij worden getraceerd. Ze zijn veilig voor Nero.' Terwijl Gaius en Magnus hem allebei bedankten, wendde Pallas zich tot Caenis. 'Ik weet aan welke valuta jij de voorkeur geeft. De reden waarom ik jullie vroeg met een koets te komen, wordt op dit moment ingeladen. En daarmee vraag ik jullie vriendelijk nu te vertrekken, omdat ik mijn laatste paar uren met mijn zoons en mijn vrouw wil doorbrengen.' Hij wees naar drie gestalten die onder een pergola zaten, een eindje verderop. 'Ik wens jullie allemaal een beter einde toe dan het mijne.' Hij omhelsde Caenis en greep Magnus, Gaius en Vespasianus stevig bij de onderarm. Toen hij zich omdraaide naar zijn gezin, ving Vespasianus nog een laatste glimp op van zijn gezicht, waarop zoals altijd geen enkele emotie te bespeuren viel.

Alle slaven hingen aan het kruis toen de koets naar de stadspoorten terugreed. Er stonden nog maar een paar soldaten van de stadscohorten opgesteld om mensen tegen te houden die de beklagenswaardige slachtoffers uit hun positie zouden willen bevrijden. Hier en daar staarden groepjes toeschouwers gefascineerd naar de kleinere lichamen aan de kruisen. Een paar lachende kinderen bekogelden een vastgenageld leeftijdsgenootje met poep en stenen, waardoor het arme kind nog luider begon te jammeren. De soldaten grepen niet in, maar glimlachten welwillend om het gedrag van de pestkoppen. Vespasianus, Caenis en Gaius hadden nauwelijks oog voor al die ellende toen Magnus de koets erlangs manoeuvreerde. Ze hadden het te druk met Pallas' geschenk aan Caenis.

'Met die ene kist heeft hij me macht gegeven over zoveel mensen!' verklaarde Caenis, terwijl ze een perkamentrol doorlas. 'Dit gaat over Pallas' contacten met Seneca toen ze de moord op Agrippina bespraken.'

Vespasianus schudde ongelovig zijn hoofd. 'En hier lees ik hoe Tigellinus dankzij Pallas aan zijn post als prefect van de vigiles is gekomen, in ruil voor informatie over Seneca en Burrus – die hij nog altijd krijgt. Zo wist hij blijkbaar dat Seneca zich wilde terugtrekken.'

'Zit er ook nog iets interessants voor mij bij?' vroeg Magnus over zijn schouder.

'Ik ben bang dat Pallas zich in veel hogere kringen bewoog dan jij, beste vriend,' zei Gaius, die ook een perkament uitrolde.

'Toch was hij maar een gewone slaaf, en later een vrijgelatene, terwijl ik een vrijgeboren burger ben. Ik vraag me wel eens af of het niet eens tijd wordt dat het systeem op de helling gaat, als u begrijpt wat ik bedoel.'

Niemand begreep hem.

'Beste jongen,' zei Gaius, zwaar ademend, 'dit is wel iets voor jou, als Caenis het goedvindt.' Hij gaf de perkamentrol aan Vespasianus, die hem bekeek, terwijl Caenis over zijn schouder meelas.

'Dat bedoelde hij dus toen hij zei dat ik misschien niet eens geld nodig had voor de onderhandelingen met Epaphroditus. Hier lees ik hoe Pallas Nero's vrijgelatene chanteerde om informatie door te geven over het intieme leven van de keizer. Hij dreigde te verraden dat Epaphroditus al hetzelfde deed voor Seneca.'

'Geef me dat maar weer terug, lieverd,' zei Caenis. 'Daar kan ik beter gebruik van maken.'

'Je zal wel gelijk hebben.' Vespasianus gaf Caenis de perkamentrol terug en grijnsde naar zijn oom. 'Ik begin nu toch zin te krijgen in die bruiloft van Nero, morgen.'

De lofzang op de liefde jengelde maar door. Alle gasten stonden, zaten of lagen verstijfd van adoratie – een pose die de elite van Rome inmiddels tot kunst verheven had, zo gewend als ze waren hun keizer te horen zingen.

En niemand was zo bedreven in die kunst als Poppaea Sabina. Ze had enkel oog voor haar nieuwe echtgenoot, die naast haar zat en zijn eigen compositie kweelde terwijl hij zichzelf begeleidde op de lier, een instrument dat hij ongeveer net zo goed beheerste als zijn stem. Met haar ene hand op haar groeiende buik en de andere op Nero's dijbeen staarde ze hem aan met de aandacht van de ware aanbidster in het gezelschap van haar idool, bijna in katzwijm bij iedere valse noot die hij ten gehore bracht.

Midden in die zwijmelende menigte van senatoren en hun vrouwen stond Vespasianus met Flavia, die hij scherp in de gaten hield om er zeker van te zijn dat ze haar reactie wist te verbergen nu ze voor het eerst werd geconfronteerd met het spektakel van een zingende keizer. Hoewel ze een paar keer bijna ineenkromp, bracht ze het er toch redelijk van af. Zelfs Seneca, die aan haar andere kant stond, verschool zich achter een masker van verwondering, terwijl Faenius Rufus en Calpurnius Piso, verderop, alles in het werk stelden om hun weerzin te verbergen. Gaius en Sabinus zaten op een bank naast Vespasianus, Sabinus met zijn hoofd begraven in zijn handen, en Gaius met een grote zakdoek waarmee hij het zweet van zijn gezicht veegde alsof hij tranen van geluk uit zijn ogen wiste.

Maar iedereen was pas echt gelukkig toen het laatste couplet eindelijk was verstomd en onmiddellijk vergeten. De beproeving was ten einde en een uitbundig applaus klaterde op. Nero weende van alle emotie: de huwelijksceremonie, de voltrekking van de huwelijksdaad – met als vervanger voor de zwangere bruid een jonge jongen die opmerkelijk veel gelijkenis met Poppaea vertoonde – en nu het bruiloftsfeest, dat hij had geopend met het loflied, opgedragen aan zichzelf, waaraan hij de hele voorafgaande maand gewerkt had.

Terwijl Nero alle loftuitingen in ontvangst nam, wierp Vespasianus een blik op Caenis, die naast Epaphroditus stond. Ze glimlachte en knikte heel even toen ze hem zag kijken. Aan het gezicht van Epaphroditus te zien, leek een financiële tegemoetkoming inderdaad niet nodig om hem zijn provincie te bezorgen. Het was een geweldige opluchting dat hij snel weer zou kunnen ontsnappen aan de angst waaraan iedereen die met de keizer te maken had dagelijks was onderworpen.

'Het is haar gelukt,' mompelde hij uit zijn mondhoek tegen Flavia.

'Wie? Wat?'

'Caenis heeft de provincie Afrika voor me geregeld, volgend jaar.'

Flavia snoof. 'Nou, als je denkt dat ik met je meega, dan vergis je je toch. Ik ben niet met je getrouwd om weer terug te gaan naar de woestenij waar ik ben opgegroeid. Ik woon nu in Rome, en daar blijf ik.'

Vespasianus gaf geen antwoord, omdat die regeling hem wel beviel en hij bang was dat hij te opgelucht zou klinken.

'Vrienden,' kraste Nero, terwijl hij opstond en zijn armen spreidde alsof hij iedereen wilde omhelzen in de hoge zaal met zijn botanische fresco's, die moesten aansluiten op de bloeiende tuinen buiten, 'vrienden, het spijt me dat ik niet de tijd heb om nog meer voor jullie te spelen, maar het moment is aangebroken dat ik jullie geschenken voor mijn huwelijk in ontvangst zal nemen en ik jullie in ruil daarvoor een verzoek zal toestaan.' Hij wenkte Seneca. 'Mijn oude vriend en leermeester, jij als eerste?'

Seneca stapte uit de menigte naar voren. 'Princeps, het is mij een genoegen, nee, een eer... ja, een eer...'

'Het maakt niet uit wat het is. Voor de draad ermee!'

'Jawel, princeps. Het is me een eer om u het totaal aan te bieden van al mijn investeringen in de provincie Britannia. Nu u hebt besloten zich niet uit de provincie terug te trekken, is het niet meer dan billijk dat wij, uw onderdanen, bijdragen aan de financiële last die u op uw schouders hebt genomen in het belang van Rome.' Hij gaf Nero een perkamentrol. 'Sinds het neerslaan van de opstand heb ik een groot deel van het geld dat ik had teruggehaald opnieuw geïnvesteerd. Dit is een lijst van die investeringen. Ik draag ze graag aan u over.'

Nero nam de lijst aan en gaf hem aan Epaphroditus. 'En het geld dat Decianus van de Iceni had afgenomen – de aanleiding tot de opstand?'

'Daar kwam ik nog op, princeps. Over twee dagen zullen de gebroeders Cloelius de vijf miljoen sestertiën in goud overbrengen naar de schatkist... uw schatkist.'

Nero's gezicht klaarde op, waardoor zijn vette wangen nog meer opvielen. 'Een prachtig geschenk, mijn vriend. En wat zou je mij willen vragen als teken van mijn gunst?'

'Niet meer dan wat uw over-overgrootvader zijn trouwe dienaren Marcus Agrippa en Gaius Maecenas ooit vergunde: toestemming om me uit het openbare leven terug te trekken. Zij kregen hun beloning, een grote beloning, in verhouding tot hun dienstbaarheid. In mijn geval...'

Terwijl Seneca verderging met zijn ingestudeerde toespraak, bereidde Vespasianus zijn eigen geschenk voor, zich troostend met de zekerheid dat hij weinig keus had, omdat het hem anders toch door de keizer zou worden ontnomen. Nero beschouwde immers alles in het rijk als zijn persoonlijk eigendom.

'Als u, met uw overvloed aan kracht en doorzettingsvermogen,' besloot Seneca, 'zoals u in de loop van de jaren moeiteloos de macht hebt uitgeoefend, mij zou toestaan me naar mijn landgoed en mijn tuinen terug te trekken, zou u dat zeker sieren.' En Seneca boog zijn hoofd.

Nero nam een grootmoedige pose aan, met een uitgestoken hand naar de smekeling tegenover hem. 'Het feit dat ik onmiddellijk op je ingestudeerde toespraakje kan antwoorden, is jouw werkelijke geschenk aan mij. Je hebt me geholpen niet alleen het bedachtzame maar ook het spontane uit mezelf naar boven te halen...'

Niemand in de zaal voelde zich geroepen om hem tegen te spreken toen Nero zijn denkbeeldige talenten nog eens breed uitmat, met hier en daar wat krediet voor zijn leermeester, terwijl iedereen wist dat er niets spontaans was aan de keizer en dat hij dit praatje ook had voorbereid.

Zo werd de laatste grote klucht tussen Nero en Seneca nog eens opgevoerd voor het publiek. Maar toen het eindelijk afgelopen leek en Seneca zijn resterende rijkdommen aan Nero aanbood om hem vredig met pensioen te laten gaan, verraste Nero iedereen door van zijn tekst af te wijken. 'Het is niet je soberheid die op ieders lippen zal zijn als je het geld teruggeeft dat je hebt verdiend door gebruik te maken van je positie, en evenmin je benijdenswaardige pensionering nu je afscheid neemt van je keizer. Nee, Seneca, het is mijn hebzucht omdat ik dit kapitaal opeis, en de angst voor mijn wreedheid waarom je mijn hofhouding hebt verlaten. Daar zullen de mensen over spreken. Dat jij je nu terugtrekt plaatst mij in een kwaad daglicht, *oude vriend*.' Nero zweeg en keek hem aan zonder een spoor van vriendschap op zijn gezicht, en iedereen in de zaal wist dat de machtigste man in Rome, na de keizer, zichzelf in een hoek had gemanoeuvreerd. Hij had geen invloed meer, maar hij kon ook niet weg. 'Een wijsgeer wil een vriend toch niet in een kwade reuk zetten?'

Nero spreidde zijn armen en Seneca liet zich omhelzen en kussen.

'Ga nu,' beval Nero, en hij stapte achteruit, 'en wacht tot de tijd dat ik een nuttige invulling voor je leven heb bedacht.' Een wreed lachje. 'Je krijgt nog wel een brief van me.'

Seneca boog zijn hoofd. 'Zoals u wilt, princeps.' Hij draaide zich om en liep terug naar zijn plaats in de menigte. Een gebroken man.

Toen Seneca hem passeerde, vroeg Vespasianus: 'En? Was het dit waard? Al die doden, voor een enorm fortuin dat je niet eens je leven kan garanderen?'

Seneca bleef staan en keek hem aan. 'Mijn leven garanderen? Hoe dan? Hoe kan íémand aan dit hof zijn leven veilig weten? We sterven iedere dag.'

Seneca liep weer door, om plaats te maken voor Piso, Rufus en de rest van de senatoren met hun gaven – en hun verzoeken, die al of niet werden ingewilligd. Piso en Rufus waren al snel terug. Hun afkeer van de situatie was maar al te duidelijk toen ze de keizer hun rug hadden toegekeerd. Nadat Gaius een koppel van zijn Germaanse slaven had beloofd, was het de beurt aan Vespasianus.

Epaphroditus keek hem vernietigend aan toen hij op de keizer toestapte en iets in Nero's oor fluisterde.

'Princeps,' zei Vespasianus, 'ik heb maar één ding dat u waardig is.'

'Dat weet ik, en je hebt een goede keus gemaakt, Vespasianus. Jouw span Arabieren is een mooi geschenk. Ik had ook niets minder van je verwacht. En omdat je me niet teleurstelt, zul je krijgen wat je vraagt – want dat weet ik al: de provincie Afrika, volgend jaar.'

'Dank u, princeps. Ik zal u en Rome zo goed mogelijk dienen als gouverneur.'

Vespasianus draaide zich om, probeerde een voldaan lachje te onderdrukken toen hij Corvinus woedend zag kijken en kwam weer naast Flavia staan, die nadrukkelijk weigerde hem te feliciteren.

'Goed gedaan, beste jongen,' zei Gaius toen de paar laatste senatoren naar voren kwamen. 'Gouverneur van Afrika en stadsprefect. Het ziet er goed uit voor onze familie, als we tenminste kunnen overleven onder dit schrikbewind.'

'In elk geval ben ik straks honderden mijlen overzee, oom Gaius. Het komende jaar hoef ik niet bang te zijn.'

'Maar wij wel, iedere dag,' merkte Sabinus op. 'En het zal nog erger worden, want hij maakt het steeds bonter. Zijn broer, zijn moeder, de prefect van de praetoriaanse garde, talloze senatoren en equites, en nu kan zelfs zijn voormalige leermeester en belangrijkste adviseur een brief verwachten die hem tot zelfmoord dwingt. Waar gaat dit heen? Niemand is meer veilig.'

'Wij wel, als we hem maar geven wat hij wil.'

'Hij wil alles.'

'Dan, beste jongens,' zei Gaius terwijl Tigellinus binnenkwam, 'moet hij dat maar krijgen.'

'Is hij hier?' vroeg Nero met een opgewonden uitdrukking op zijn gezicht.

Tigellinus knikte en grijnsde als een valse hond.

'Laat hem binnenkomen!' Tigellinus gehoorzaamde en Nero pakte Poppaea's hand. 'Liefste, je geschenk is gearriveerd.'

'Wat is het, echtgenoot?' fleemde Poppaea. 'Wat zou je me nog meer kunnen geven, behalve dit kind en deze bruiloft?'

'Een geschenk uit liefde,' antwoordde Nero, terwijl Tigellinus weer binnenkwam met Anicetus, die een houten kist bij zich had. 'Breng maar hier, Anicetus.'

Nero pakte de kist aan, stralend van vreugde, steunde hem op één hand en maakte met de andere het deksel open. 'Ik geef je zekerheid, mijn liefste.'

Poppaea keek erin en glimlachte koud en wreed. Toen stak ze haar hand in de kist en trok haar huwelijkscadeau er aan de haren uit. Met een kreet van triomf, schriller dan zelfs een furie zou kunnen krijsen, en met één hand tegen het nieuwe leven in haar schoot gedrukt, spuwde Poppaea in het levenloze gezicht van Claudia Octavia.

Iedereen die het zag werd het koud om het hart – zo koud, dat menig hart bevroor. Vespasianus staarde vol afgrijzen naar de gouden keizer, de man met de ultieme macht over iedereen, de man die moeiteloos het derde lid van zijn familie had vermoord, bij wijze van geschenk. En net als iedereen in de zaal werd hij, Vespasianus, bevangen door een angst die zijn hele lijf deed huiveren.

NAWOORD

Dit boek is gebaseerd op het werk van Tacitus, Suetonius en Cassius Dio. Helaas vertelt geen van hen ons wat Vespasianus precies deed gedurende de periode van dit verhaal. Opnieuw heb ik hem dus zelf in de gebeurtenissen van die tijd moeten plaatsen.

Suetonius en Tacitus beschrijven de nachtelijke strooptochten van Nero door Rome, vermomd met een pruik, waarbij hij zich voor zijn plezier schuldig maakte aan verkrachting en moord. Tacitus vertelt het onfortuinlijke verhaal van Gaius Julius Montanus, die gedwongen werd zelfmoord te plegen nadat hij zich tegen een van Nero's overvallen had verzet.

Nero studeerde muziek onder leiding van Terpnus, die als de grootste lierspeler van zijn tijd werd beschouwd. Gedurende de tijdspanne van dit boek hield hij zijn 'talent' geheim en zong hij slechts voor een bevoorrechte kleine groep. Mijn beschrijving van zijn stem is ontleend aan Suetonius, die schrijft dat hij met gewichten op zijn borst lag, klysma's en braakmiddelen gebruikte en geen appels at, maar toch een 'zwakke, hese' stem had.

Venutius werd in 58 n.C. door Nasica en de Negende Hispana gevangengenomen toen hij in opstand kwam, eerst tegen zijn vrouw, Cartimandua van de Brigantes – die hem had vervangen door zijn wapendrager Vellocatus – en vervolgens tegen Rome. Dat hij naar Rome werd afgevoerd is mijn eigen toevoeging, maar niet geheel onmogelijk.

Sabinus was de stadsprefect van zijn tijd. Gelukkig kon ik hem naar Britannia sturen, omdat hij in 61 n.C. een jaartje door Pedanius werd vervangen.

Het is mijn fictie dat Seneca en Pallas zouden hebben samengezworen om Nero te helpen bij de moord op zijn moeder Agrippina. Die aanslag vergde veel voorbereiding, omdat Anicetus een 'inklapbaar' schip moest bouwen. Dat het de vorm had van een zwaan, is mijn inbreng. Ik heb de beschrijvingen van Suetonius en Tacitus van het schandelijke incident gecombineerd en nauwelijks aangepast, afgezien van de rol van Vespasianus en Magnus in het verhaal. Het was het feest van Minerva waarop Nero zich zogenaamd verzoende met zijn moeder en volgens Suetonius zelfs zo ver ging om haar borsten te kussen toen ze aan boord stapte van de noodlottige boot. Ze ontsnapte precies zoals Magnus het beschrijft, en Nero was doodsbang voor haar wraak. Seneca en Burrus adviseerden hem om haar vóór te zijn, dus wierp Nero een zwaard aan de voeten van haar ex-slaaf Agermus, met de beschuldiging dat hij door Agrippina was gestuurd om hem te vermoorden. Vervolgens zond hij Anicetus, Herculeius en Obaritus om haar te doden. Voordat ze stierf, nodigde ze haar moordenaars uit haar in de schoot te steken die Nero had gebaard. Bij zowel Suetonius als Tacitus lezen we dat Nero het dode lichaam van zijn moeder bekeek en opmerkte hoe mooi ze was. Zoiets hoef je zelf niet te verzinnen!

Nero stal Otho's vrouw Poppaea Sabina en verbande zijn voormalige vriend naar Lusitania als gouverneur. Dat Corvinus daar werd vervangen is mijn idee. Maar hij kreeg wel een toelage van Nero om hem van de armoede te redden.

Tacitus vertelt ons dat Nero aan wagenrennen deed op een renbaan aan de voet van de Vaticaanse heuvel, oorspronkelijk gebouwd door Caligula. De obelisk op het St.-Pietersplein is nog een overblijfsel daarvan. Suetonius vermeldt dat Vespasianus toen hij keizer was daar iedere morgen een paar rondjes maakte voor zijn conditie, dus lijkt het me redelijk om Vespasianus aan wagenrennen te laten doen in dit verhaal.

Corbulo voerde in die tijd oorlog tegen Parthië in Armenia, en zijn verslag is afkomstig uit Tacitus' beschrijving van de gebeurtenissen van dat jaar.

Zoals zoveel rijke mannen uit die tijd investeerde Seneca op grote schaal in Britannia en rekende daarbij een schandalig hoge rente. Wie zich nader in Seneca wil verdiepen kan ik een goede titel aanbevelen: *Dying every day. Seneca at the court of Nero*, door James Romm. Volgens Cassius Dio had hij alleen al in Britannia veertig miljoen sestertiën uitstaan. Cassius Dio schrijft ook dat het feit dat Seneca al zijn leningen in Britannia opeiste een van de redenen voor de opstand was. Een ander motief was de bewering van Decianus dat het geld dat door Claudius aan het begin van de bezetting was uitgeleend moest worden terugbetaald. Bij Suetonius lezen we dat Nero overwoog zich uit Britannia terug te trekken, en Tacitus vertelt dat Boudicca werd gegeseld en haar dochters werden verkracht nadat Prasutagus' testament ongeldig was verklaard en zijn koninkrijk door Rome werd ingenomen. Ik heb de drie bronnen gecombineerd door Nero's voornemen om zich terug te trekken de katalysator te maken die Seneca dwong zijn leningen terug te vragen. Decianus' eis dat de Iceni het geld van Claudius terugbetaalden en zijn bevel om Boudicca te geselen en haar dochters te verkrachten zijn de redenen waarom Boudicca uiteindelijk in opstand kwam. Die opstand verliep ongeveer zoals ik dat heb beschreven, zonder er veel aan te veranderen. Camulodunum, Londinium en Verulamium werden verwoest. Bij vrouwen werden de borsten afgesneden, schrijft Cassius Dio, en ze werden op palen gestoken. Tachtigduizend Romeinse burgers werden afgeslacht, en Cerialis – Vespasianus' schoonzoon – verloor het grootste deel van zijn legioen. Suetonius vertelt dat Titus in Britannia diende, en het is mogelijk dat hij inderdaad meekwam als onderdeel van de versterkingen uit Germania, waar hij ook diende. Dat hij nog op tijd was voor de Slag bij Watling Street is mijn fictie.

De slag zelf was een meesterzet van Suetonius Paulinus. Tacitus beschrijft hoe hij Boudicca's grote overmacht tenietdeed door zijn leger tussen twee heuvels op te stellen – de juiste plek is nog altijd onbekend – en in wigvormige formaties te organiseren toen Boudicca's mannen oprukten. Ook lezen we bij hem hoe de families op hun karren de Britannische terugtocht belemmerden, met als gevolg een groot deel van de tachtigduizend doden die hij noemt, terwijl er slechts vierhonderd Romeinen sneuvelden.

De aanwezigheid van Cogidubnus is mijn eigen inbreng. Ik had iemand nodig om Boudicca's toespraak voor ons te vertalen! Zowel haar toespraak als die van Paulinus is een mengeling van de versies die we bij Tacitus en Cassius Dio aantreffen.

Tigellinus en Faenius Rufus namen inderdaad de plaats in van Burrus, die, zoals Tacitus schrijft, door Nero werd vergiftigd. Rufus had de reputatie een eerlijk man te zijn, nadat hij meer dan tien jaar de positie van prefect van de graanvoorraad had bekleed.

Tacitus vertelt over de moord op Pedanius door een van zijn slaven. Er was veel begrip voor het lot van de vierhonderd slaven in zijn huishouding, die volgens de Romeinse wet allemaal moesten worden terechtgesteld. De toespraak van Gaius Cassius is een verkorte versie van de tekst bij Tacitus. Dit gaf de doorslag. Alle vierhonderd slaven werden gekruisigd.

Tacitus maakt melding van Pallas' gedwongen zelfmoord in 62 n.C. en het feit dat hij bij zijn dood een vermogen van vierhonderd miljoen sestertiën naliet. Hij moet kinderen hebben gehad, want een nakomeling van hem werd consul in de tweede eeuw.

Nero scheidde van Claudia Octavia omdat ze onvruchtbaar was, en trouwde met Poppaea zodra zij zwanger raakte. Claudia's hoofd werd aan Poppaea gestuurd om zich te verlustigen. Dat het een huwelijkscadeau was, is mijn fictie, maar het zou me niet hebben verbaasd van Nero!

Mijn dank gaat opnieuw naar mijn agent, Ian Drury van Sheil Land Associates, en naar Gaia Banks en Melissa Mahi van de afdeling buitenlandse rechten. Veel dank ook aan mijn redacteur, Sara O'Keeffe van Corvus/Atlantic, voor haar geweldige inbreng, waardoor het verhaal veel vlotter werd en ik weer eens besefte dat een boek zich niet enkel in mijn hoofd kan afspelen als ik wil dat anderen er ook plezier aan beleven! Dank ook aan al die mensen bij Corvus/Atlantic die zo hard voor me werken, en aan Will Atkinson, die iedereen inspireert. En bedankt voor alle posters! Ook dank ook aan Tamsin Shelton, met haar scherpe oog voor fouten. Zij maakt kromme zinnen recht

Tot mijn schande moet ik bekennen dat ik nog nooit Tim Byrne heb bedankt voor zijn sfeervolle omslagontwerpen die zoveel toevoegen aan het verhaal. Bedankt, Tim, ik vind ze prachtig.

En ten slotte mijn dank, met veel liefde, aan de twee mensen die altijd met me meereizen in het verhaal: mijn vrouw Anja, en u, beste lezer.

Het verhaal van Vespasianus zal worden vervolgd in *Heilig vuur van Rome.*

Lees ook van Karakter Uitgevers B.V.

ROBERT FABBRI

Broederschap van de Kruising

'Boeiend en visueel geschreven.' – NBD Biblion

ISBN 978 90 452 0585 4 | ISBN e-book 978 90 452 0595 3

Vespasianus I – Tribuun van Rome

'Geschiedenisles boordevol actie! Een van de beste boeken van 2011.'
– *NRC Handelsblad*

ISBN 978 90 452 0075 0 | ISBN e-book 978 90 452 0245 7

Vespasianus II – Scherprechter van Rome

'Historische thrillerreeks van zeer hoog niveau.' – Spentakel.nl

ISBN 978 90 452 0346 1 | ISBN e-book 978 90 452 0356 0

Vespasianus III – Afgod van Rome

'Zo'n boek dat je het liefste in één ruk uitleest.' – *De Telegraaf*

ISBN 978 90 452 0230 3 | ISBN e-book 978 90 452 0370 6

Vespasianus IV – Adelaar van Rome

'Spannend, meeslepend en vrijwel waarheidsgetrouw. Een absolute must voor geïnteresseerden in het klassieke Rome.' – NBD Biblion

ISBN 978 90 452 0534 2 | ISBN e-book 978 90 452 0714 8

Vespasianus V – Heersers van Rome

'Boeiend tot het einde!' – Bangersisters.nl

ISBN 978 90 452 0518 2 | ISBN e-book 978 90 452 0658 5

Lees ook van Karakter Uitgevers B.V.

DAVID KIRK

De erecode van de samoerai

Deel één van de Musashi-serie

Leerling. Krijger. Samoerai. Zijn naam is Bennosuke, zoon van de grote Munisai Shinmen, die eind zestiende eeuw in het Japanse keizerrijk bekendstaat als een van de grootste krijgers die ooit geleefd heeft. Het is zijn lot om, net als zijn vader, een grote krijger te worden. Zijn moeder is gestorven toen hij nog klein was en zijn vader heeft hem verlaten om zijn meester te dienen.

Nieuwe allianties leiden ertoe dat Munisai schuldplichtig wordt aan de gehate Nakata-clan. De escalerende gevolgen van deze vete zorgen ervoor dat ook Bennosuke zich gedwongen ziet het pad van de samoerai te betreden. Dat pad leidt hem naar de slag van Sekigahara, waar zal blijken of Bennosuke uit het juiste hout is gesneden om in de voetsporen van zijn vader te treden...

ISBN 978 90 452 0576 2 | ISBN e-book 978 90 452 0586 1

De wraak van de katana

Deel twee van de Musashi-serie

Musashi Miyamotos reputatie gaat hem voor. Daar komt verandering in als Miyamoto en zijn kameraden worden verslagen tijdens de grote slag bij Sekigahara. Tienduizenden mannen blijven achter op het slagveld en het oostelijk leger eist de glorieuze overwinning op. Miyamoto brengt het er levend van af, maar moet zijn toekomst overdenken.

Hij heeft altijd, trots op de eeuwenoude traditie, geleefd en gevochten als een samoerai, en volgt de Weg met eerbied. Maar na de nederlaag trekt hij alles in twijfel, en wat hij ooit zag als eer komt nu als onwetendheid op hem over. Hoezeer hij het verleden ook van zich af probeert te schudden, hij komt er niet zomaar vanaf.

Miyamoto komt op de lijst van hen die de Yoshioka-samoerai beschaamd hebben, en er wordt een man op hem afgestuurd om in hun naam zijn hoofd te claimen. Dus moet hij, hoewel hij geweld heeft afgezworen, zichzelf beschermen en wraak nemen op hen die hem dood willen hebben...

ISBN 978 90 452 0814 5 | ISBN e-book 978 90 452 0934 0